D0774250

COLLECTION FOLIO

Hubert Haddad

Théorie
de la vilaine
petite fille

Gallimard

Réels ou inventés, tous les faits et personnages
évoqués dans ce roman appartiennent
au domaine de l'imaginaire.

Tout à la fois poète, romancier, dramaturge et essayiste, Hubert Haddad, né à Tunis en 1947, est l'auteur d'une œuvre vaste et diverse, d'une forte unité d'inspiration, portée par une attention de tous les instants aux ressources prodigieuses de l'imaginaire. Depuis *Un rêve de glace* jusqu'aux inventions borgésiennes de *L'univers*, premier roman-dictionnaire, ou les rivières d'histoires de ses *Nouvelles du jour et de la nuit*, Hubert Haddad nous implique magnifiquement dans son engagement d'artiste et d'homme libre. Il a reçu notamment le prix des Cinq Continents de la francophonie en 2008, le prix Renaudot poche en 2009 pour *Palestine*, et en 2013 le prix Louis Guilloux pour *Le peintre d'éventail* ainsi que le Grand Prix SGDL de littérature pour l'ensemble de son œuvre.

*En mémoire vive
d'Élie Delamare-Deboutteville*

PREMIÈRE PARTIE

HYDESVILLE

Ces choses sont inéluctables ;
quand elles arrivent, il faut les recevoir.

JAN VAN RUYSBROECK

I

Le Cantique des Iroquois

Le soleil du crépuscule illuminait l'escalier à travers les fenêtres de l'étage. Assise sur une marche de bois cru, Kate observait la poussière. Celle-ci voletait à l'intérieur d'une lance de cristal comme suspendue en travers de la maison. Fascinée, elle retenait son souffle. Chaque grain avait l'air de suivre une trajectoire bien à lui, dans la compagnie dansante de ses infimes voisins et il y en avait des milliers, des millions, davantage que d'étoiles fixes ou filantes par les nuits sans lune. Immobile pour ne pas provoquer de turbulences, Kate s'efforçait de distinguer entre tous un seul grain avec l'idée de ne plus le perdre de vue dans son vol capricieux, mais l'instant d'après ce n'était déjà plus lui, elle l'avait perdu à jamais et la lance d'archange du soleil traversait son front douloureusement, comme pour éclairer ce pollen d'abeille qui tapissait le fond de ses orbites. Elle avait cueilli tant de fleurs des prés, ce matin d'automne, pour fleurir la tombe de sa chienne Iroise, qu'une nausée serrait sa gorge et que tout son corps la brûlait encore. Bonne mère l'avait pourtant mise en garde.

Mais l'escalier craque à proximité et c'est la nuit d'un coup : deux mains glacées se sont collées sur ses yeux.

— Laisse-moi tranquille, dit Kate. Je t'ai vue...

— Aurais-tu des yeux derrière la tête ?

Margaret s'est assise sur une marche tournante, juste au-dessus de sa cadette. Son buste a éteint le rayon de soleil et ses remous galactiques.

— Tu m'embêtes, dit Kate. Je pensais à Iroise...

— Ah, Iroise, la pauvre vieille ! Ne t'en fais pas, elle gambade au Ciel des chiens. Il n'y a pas d'enfer pour les bêtes, tu sais.

— L'enfer ? Tu y crois, toi ? Pourquoi Dieu se fatiguerait à faire rôtir les morts pendant l'éternité ? Il suffit de les oublier dans la terre une bonne fois.

— Vois-tu, Katie, c'est tout à fait impossible, même pour Dieu. Les âmes sont immortelles !

Le soir s'appesantit sur Hydesville. D'abord bleutée comme la surface de l'étang en plein jour, puis lie-de-vin et presque noire, l'ombre s'insinua du fond de l'escalier et par-dessus la silhouette de l'adolescente qui lentement s'estompa. Kate ne distinguait déjà plus son visage. Des lueurs de mica palpitaient entre ses dents et sur ses pupilles, lui donnant un air d'oursonne emperruquée avec ses épaisses tresses noires. À force de fixer sur elle son attention, elle crut voir un masque cruel s'éclairer de l'intérieur et poussa un petit cri dans un brusque sursaut.

— Qu'y a-t-il ? s'effraya Margaret à demi tournée vers les chambres.

— Rien, rien, c'est à cause de l'ombre…

— Tu m'as fait drôlement peur, comme si tu avais vu le démon à l'endroit même où je me trouve.

Margaret considéra sa jeune sœur avec un fond d'agacement perplexe. Elle l'aimait bien sa petite Katie, elle était si jolie et tellement comique, certaines fois, mais il lui manquait un casier ou deux de cervelle. Kate avait certes de l'esprit à revendre, même Leah, leur grande aînée partie vivre sa vie à Rochester, en convenait ; pourtant ses distractions soutenues et son drôle d'air, quand elle posait dans le vague son œil de chat, trahissaient plus que de l'étourderie, autre chose en tout cas, comme si une partie d'elle rêvait tout éveillée. À onze ans, pas encore femme, Katie avait l'air d'un ange, un de « ces gracieux oiseaux à visage humain qui peuplent par myriades les sphères resplendissantes », comme les avait décrits un jour le révérend Henry Gascoigne au sermon dominical.

Mais tout était si paisible, subitement. On entendait les bruits clairs et métalliques de la cuisine où bonne mère à peine guérie d'une mauvaise toux s'activait pour le dîner. Dehors, les vaches meuglaient dans les prairies, des chevaux à l'attache bronchaient au passage d'une diligence aux roues ferrées qui traversait sans même ralentir la Longue Route menant à Rochester. Le calme vite revenu, des bêlements

15

nombreux de brebis et de chèvres annonçaient le retour du Pecquot, surnom que lui valait sa face rouge vif, un idiot de pâtre qui terrifiait les filles de Hydesville avec ses postures et ses singeries. Le père Fox, lui aussi de retour des pacages et des champs, remisait ses outils dans l'écurie où, comme chaque soir, il venait de desseller Old Billy.

Les genoux rassemblés sous ses bras, Kate explosa sans motif en sanglots.

— Qu'est-ce qui te prend? s'étonna sa sœur après leurs rires peureux dans l'ombre.

— C'est petit frère! Il me manque tellement.

— Lui aussi est au Ciel.

— Avec Iroise, tu crois?

— Pas loin en tout cas, les enfants s'ennuieraient seuls avec les vieux.

— On a bien mis son corps par-dessus celui de grand-père, au cimetière.

— Chut! Les histoires de squelettes n'ont rien à voir avec la vie éternelle!

Margaret se tut, songeant à leur existence d'autrefois, pas si loin d'ici, dans un autre hameau du comté de Monroe, à douze miles de Rochester. Même à quinze ans, quand on reste tributaire des adultes, on ne vaut pas mieux qu'un meuble. Maggie avait eu deux amies précieuses, là-bas, des confidentes de cœur, et même un fiancé pour rire, le beau Lee qui affolait toutes les filles de son âge, et puis du jour au lendemain, sans crier gare, on vide la maison de la cave au grenier avec l'aide des fermiers voisins, on entasse toute la mémoire d'une vie en vrac dans une grande charrette et c'en est fini des belles amitiés et des amours, malgré les promesses de se revoir à l'occasion d'une fête paroissiale ou d'un rodéo. « Trois déménagements valent un incendie », ce mot de Benjamin Franklin, elle l'avait lu dans un vieux numéro de l'almanach *Poor Richard* qui datait de sa grand-mère. Il y en avait une pile sous l'armoire de la chambre des parents. Un seul déménagement, quand on a quinze ans, valait bien tous les chagrins d'amour. Katie, elle, semblait n'avoir qu'un seul regret, violent comme le remords : que l'on ait abandonné le petit frère dans sa tombe, là-bas. Pour le reste, elle se montrait parfaitement blasée, ou alors, c'est qu'elle cachait son jeu en virtuose de la dissimulation.

Mais la voilà qui se tourne et lève vers elle un regard vigilant d'oiseau de nuit.

— Tu y penses, des fois, au fils du propriétaire ?

— Qui ça ? Lee ? se récrie Margaret en frissonnant des pieds à la tête, les yeux plongés dans ceux de sa cadette.

En bas, la lueur d'une lampe à huile palpite. Bonne mère déplace des chaises. On entend craquer les bottes du père Fox qui à cette heure, un peu ivre, s'active autour du poêle à bois. L'odeur de soupe au lard se propage dans l'escalier. Dehors, le loup et la hulotte hurlent au vent vif du soir qui remue l'air et chasse les maladies. C'est le Cantique des Iroquois que les esprits de la nuit

reprennent du fond du temps. Kate l'entend distinctement, à travers les murs de bois de la ferme.

Nous rendons grâce aux étoiles et à la lune
Qui nous offrent leur clarté après le départ du soleil
Nous rendons grâce à notre ancêtre Hé-no
Pour avoir protégé ses enfants des sorcières et des
  serpents
Et nous avoir donné la pluie

II

Maggie's Diary

Mon journal intime n'est pas encore bien épais. Je m'étais promis d'y coucher chaque soir mes impressions depuis notre installation à Hydesville. (Comme je me suis sentie piteuse dans le chariot rempli de malles et de meubles, tout à coup réduite à rien sous les yeux rieurs des gardiens de vaches ! Est-il possible qu'un déménagement inflige une telle honte ?) Les gens de Hydesville manifestent une réelle courtoisie à notre égard. Je soupçonne le révérend Gascoigne de les avoir sermonnés avant notre arrivée. Et puis nous sommes une famille méthodiste, comme la plupart ici. D'avoir rompu avec nos anciennes habitudes ne me dérange pas vraiment. Mais l'absence de Lee et de mes chères complices me peine au plus haut point. Et cette tristesse, rien de bien palpitant ne vient la dissiper. Je dirais au contraire qu'elle prend ses aises à Hydesville. Le fait est que je n'aime pas notre nouvelle maison. C'est une pauvre ferme de planches et d'ardoises des plus communes, sans même un auvent, avec sa cave de terre battue et son grenier tapissé d'une poussière tombée du ciel. Isolée du village, en bordure de la Longue Route, on croirait une grange à l'abandon, malgré le jardin potager et la clôture. L'écurie, l'étable et le fenil à l'arrière, sous les chênes verts et le grand cèdre, tiennent dans une même baraque un peu penchée du côté de l'étang à cause d'un glissement de terrain. Cet après-midi, après la classe de Miss Pearl, la fille du révérend, Katie et moi avons exploré ses rives sauvages jusqu'à la forêt où l'eau s'enfonce, de plus en plus ténébreuse. C'est surprenant un étang qui ne reflète pas les nuages ; on jurerait que toutes les écolières mortes de phtisie, de variole ou de méningite y ont versé leur encrier. Katie s'est mise à chanter de sa voix aiguë. À observer les remous et les bulles, je crois bien que les carpes et les brochets l'ont suivie tout au long de la rive.

Le premier soir, lorsque nous nous sommes couchées dans notre nouvelle chambre à l'étage, la pluie et le vent fouettaient la fenêtre sans rideaux. On entendait gémir le vieux toit. Un orage lointain grondait dans les collines. L'automne était chargé d'électricité, après une fin d'été torride. La foudre palpitait sans bruit tout au fond du ciel. Quand la fenêtre s'éclairait de lueurs bleuâtres, des ombres saugrenues parcouraient le plafond et les murs. Le menton pardessus la couette, j'étais tétanisée comme un lapereau sous l'aile du chat-huant. Tout près, j'ai vu luire l'œil ouvert de Kate, sa prunelle noire comme un scarabée. Elle n'avait pas peur. Katie ne s'effraye que d'elle-même. « Tu ne dors donc jamais ? » l'ai-je grondée d'une voix un peu étranglée. Elle s'est mise à rire doucement puis un soupir l'a traversée. « Tu sais ce qu'on raconte au village ? » Sans attendre, avec une précipitation de petite fille, elle m'a fabriqué cette histoire de maison hantée. L'ancien locataire de la ferme, un certain Mr Weekman, se serait bien gardé d'en faire part au père Fox... Au premier coup de tonnerre, je me suis mise à trembler comme les branches des arbres sous la trombe. Ma sœur s'était tue, aux aguets. Les scarabées de ses prunelles couraient sur son visage qui me parut à ce moment d'une pâleur de morte. Le fils de la veuve du Bout du Haut, un grand dadais venu contempler notre emménagement, assis sur le bord de la route, sous prétexte de nous avoir remis les clés du sieur Weekman parti au diable avec ses chevaux et ses vaches, avait trouvé le moyen de prendre à part ma sœur. Cette chérie, on lui épargne d'habitude les grosses corvées à cause de ses poumons fragiles. Samuel Redfield, le fils de la veuve, avec sa face de veau marin, en a profité pour lui conter que la maison portait malheur, que ça bougeait tout seul la nuit, avec des plaintes, des griffures sur les murs et le plancher, des sortes de lumières flottantes, des apparitions ; l'ex-occupant en aurait eu plusieurs jaunisses avant de se décider à vider les lieux. Moi qui suis à peine plus instruite que bonne mère ou Old Billy, j'en ai ri aux larmes. C'est là des superstitions d'Iroquois ou d'Écossais, rien de plus. Voilà ce que je me suis dit, au début. Une maison étrangère inquiète toujours un peu ; on pense aux gens, ceux qui y ont vécu et ceux qui y sont morts. Les morts sont bien plus nombreux que les vivants, si on pouvait les voir tous, ce serait épouvantable, des foules serrées comme aux fêtes du rodéo. Une maison inconnue, il faut la dompter, ne pas s'en faire éjecter au bout de huit secondes comme à la monte du taureau ou du cheval sauvage.

Le père Fox ne semble pas vraiment s'y plaire, il rentre plus tard des pâtures ou du cabaret, il boit bien plus qu'avant, on l'entend souvent grogner contre on ne sait quoi. C'est même à cause de sa réputation de buveur que nous avons dû quitter Rapstown. Tous les ivrognes du pays étaient ses amis. Il ne pouvait plus sortir sans qu'un cow-boy lui prenne le bras et l'emmène boire le coup. Ici, à Hydesville, pour ce que j'ai pu en observer, il semble bien que les hommes soient mieux surveillés par leurs épouses ou leurs mères, toutes des bigotes à la dévotion du révérend Gascoigne. L'Église méthodiste veut nous faire grandir dans la foi en prêchant la modération en tout, c'est ce que j'ai entendu dimanche dernier. Il faut n'être redevable à rien ni à personne, surtout pas au marchand de rhum et de whisky, et s'aimer les uns les autres, voilà en digest la doctrine du pasteur, un veuf aux yeux de charbon, très grand, toujours un doigt en l'air. Planté dans ses bottes, il porte un chapeau noir et des cols amidonnés. Quand il parle, on jurerait le tonnerre. Ses yeux s'embrasent alors et jettent des éclairs. Un magistrat qui voudrait tous nous faire pendre n'aurait pas d'autre attitude.

Miss Pearl, sa fille, ne lui ressemble en rien, aussi blonde qu'il est brun, toute en pétales de rose. Ses cheveux, ses lèvres, ses yeux brillent comme le miel. Mais à dix-huit ans, elle ne manque pas d'autorité en classe : c'est la part du pasteur. On dit que sa mère souffrait de mélancolie. Un si joli mot paraît bien inoffensif. Serait-ce quand, à force d'être triste, on prend une sorte de plaisir à sa tristesse ? Tout comme celui qui boit y prend goût dans son malheur. Et pourtant Violet, l'épouse tour à tour exaltée et morose du pasteur, a été retrouvée un matin d'hiver dans l'étang. Elle s'y était jetée un soir en chemise, c'est ce qu'on raconte. Avertis par Samuel Redfield, le fils de la veuve du Bout du Haut, lequel en bégayait d'émotion, des chasseurs en route pour les bois ne tardèrent pas à y repérer une forme humaine. Mrs Gascoigne gisait à fleur d'eau, sous une vitre de gel. Sa chemise remontée sur son visage la laissait nue comme ces grands poissons d'eau douce sans écailles. Lily Brown, la plus âgée des élèves de Miss Pearl, m'a rapporté que le pasteur s'était publiquement accusé d'avoir manqué de charité pour la malheureuse. Il avait fait acte de repentance au prêche du dimanche, après l'enterrement. Puis avec le temps, devenu ombrageux, il s'était retourné contre les fidèles pour les menacer de l'enfer sur Terre, de l'affliction des créatures sans idéal, puisque la vie éternelle commence avec notre naissance. Chaque dimanche pendant des mois, c'est Lily Brown qui le prétend, il menaçait de damnation tout le village. C'était sa manière à lui de faire son deuil. Un dimanche, terriblement amaigri, son poil noir dressé sur la tête et les joues, il a proclamé la rémission des péchés, jurant que tous les hommes étaient ressuscités en Christ.

On arrive dans un village sans connaître ses drames. Mais les plus jeunes ont vite fait de tout vous dévoiler. Lily m'a parlé du malheureux Joe Charlie-Joe, le fils d'un ancien esclave du ranch des Mansfield, pendu au grand chêne du Pré-Courant pour avoir emmené la belle Emily en promenade dans la vallée. Avant de commettre leur forfait, les lyncheurs auraient obtenu d'elle l'aveu qu'il l'avait embrassée. Si chaque baiser volé valait la corde aux jeunes gens, on ne trouverait plus à se marier. C'est vrai qu'ils ne sont pas tous noirs. La belle Emily Mansfield a bien du remords. Par sa faute, un nègre d'à peine vingt ans est allé au Ciel avec un baiser pour viatique.

Si mon cher Lee avait été un nègre, les gens de Rapstown auraient eu plus d'une occasion de lui passer la corde au cou. Mais des larmes me viennent à cette évocation. Nous avions promis de nous écrire chaque jour, Lee et moi. Mes lettres étaient parfumées à la lavande et décorées de pétales. Je me suis lassée au bout d'une semaine : rien en retour, pas un seul mot. Je rêve de Lee presque toutes les nuits. Comment le décrire ? Il est blond et roussi de soleil avec des yeux noisette, un vrai pain d'épices. Dans mon rêve, nous chevauchons à cru un pur-sang flamboyant et, chose impossible, nous tenons tous les deux sa longue crinière, comme si nous étions côte à côte. L'étalon galope si vite qu'on rattrape le soleil couchant et, soudain, tandis que notre monture disparaît dans un précipice, c'est Lee métamorphosé en cavale de feu que je chevauche. Je sens que, bientôt, dans une convulsion, nous allons nous fondre l'un dans l'autre, cavalière et monture, et que nous atteindrons le soleil en criant notre joie. À ce moment ultime, je m'éveille en sueur, avec un sentiment mêlé de bonheur et d'insatisfaction. Comment expliquer un pareil rêve ?

Cette nuit, la maison a encore fait craquer ses vieux os. Sans doute est-ce à cause du vent du nord. Le vent du nord s'infiltre entre les planches des murs et par les interstices des portes et des fenêtres, il s'engouffre dans le conduit de la cheminée. Il provoque aussi des morts subites, à ce qu'on dit. Surtout l'automne. C'est le grand balayeur des feuilles et des âmes. Dérangée par ses ululements, Katie a parlé dans son sommeil. Il était question d'un démon au pied fourchu. Et puis elle s'est mise à chantonner d'une petite voix drôlette :

Oh ! c'est un garçon !
Dam ! c'est un garçon
C'est un lutin, c'est un démon !

III

*Point de vue d'un buveur
sur le saloon d'en face*

Dans l'exclusive compagnie d'un flacon de
whisky, Robert McLeann, le marshal de Hydesville, se réjouissait du départ pour les Grands
Lacs d'une bande de chasseurs de prime remon-
tant la piste du fameux « chemin de fer clandestin », comme on appelle le réseau de secours et
d'accompagnement des esclaves fugitifs depuis
les États du Sud jusqu'aux frontières cana-
diennes. Ces voyous n'hésitaient pas à se refaire
sur des nègres libres de l'Union bien incapables
de prouver leur émancipation devant des juges
déloyaux payés dix dollars la tête. Il y avait une
grange qui servait de « station » du côté des réservoirs. Mais la famille de huit gosses et trois
femmes cachée là par des pionniers mormons,
eux-mêmes réchappés des tueries du Missouri,
avait réussi à prendre les pistes balisées vers
d'autres refuges, tandis que les mormons de leur
côté étaient allés s'embarquer au port de New
York comme leurs prédécesseurs du *Brooklyn*,
dans l'espoir insensé de gagner, via le cap Horn,

l'autre versant des montagnes Rocheuses. Pour le marshal, hostile à cette absurde loi du Compromis adoptée par le Congrès, il n'était pas question de rendre le moindre service aux chasseurs d'esclaves sur son bout de territoire. Il avait déjà assez à faire avec les aventuriers de passage, le flux continu d'immigrés faméliques en quête de l'Éden, les familles ruinées de retour de l'Ouest ou les tueurs d'Indiens reconvertis dans le trafic d'armes.

À l'heure où les collines de l'Iroquois disparaissent sous la brume, le soleil d'octobre finissait de roussir le long des façades de planches ou de briques et dans la poussière soulevée par les charrettes de retour des champs. Depuis la fenêtre de son office, la tête embrumée par l'alcool, McLeann vit le père Fox descendre de son cheval, l'attacher à la rampe de l'abreuvoir, et se diriger en boitillant vers le saloon, juste en face. L'homme et sa monture avaient soif. Il avait pu remarquer au passage l'air accablé du cavalier et se souvint de l'ancien locataire de la ferme de l'étang, le vieux Weekman, qui tous les soirs prenait lui aussi le chemin du cabaret d'un même pas irrégulier. Cet ex-chasseur de bisons devenu bon fermier, après son implantation au bord de la Longue Route, la mort de sa femme et quelques années sans autre tracas, avait attrapé coup sur coup deux ou trois ictères, de la tachycardie, des crises aiguës d'horripilation ainsi qu'une canitie accélérée. Au cabaret, peu pressé de rentrer chez lui, il racontait à la cantonade ses mécomptes de veuf esseulé : quelque chose d'inconcevable était advenu, la maison se manifestait à lui par des bruits et des mouvements intimes, ça craquait de bas en haut la nuit et des lueurs papillonnaient dans l'ombre épaisse. Weekman avait fini par aller dormir avec ses bêtes, dans le hangar ; il ne rentrait chez lui qu'au petit matin, pour se laver et déjeuner. L'effroi l'avait métamorphosé, il ressemblait étrangement à ses chevaux, la face longue, roulant des yeux blancs, terrorisé d'un rien. Et puis, il s'était décidé à quitter Hydesville avec ses meubles et le cercueil exhumé de sa femme.

Le marshal craqua une allumette pour ranimer un bout de cigare. Dans son métier, la peur des gens serait plutôt avantageuse, ça les tenait à peu près tranquilles. La paix civile consistant pour l'essentiel à ne pas se mêler des affaires des autres, une bonne dose de trouille partagée aidait son sommeil et celui de ses concitoyens. Toutefois il n'y avait rien de pire, de plus dangereux pour l'ordre public, qu'un excès de peur, surtout la peur de l'inconnu qui travaille secrètement les hommes et les femmes blottis autour du même clocher, malgré leur malveillance les uns envers les autres, tous prêts à retourner cette panique qu'ils ont d'eux-mêmes sur le premier venu, pourvu qu'il ne soit pas du troupeau. McLeann n'avait pas manqué, à l'occasion, d'en faire l'amère expérience. Par exemple ce jour maudit où il n'avait pu empêcher le meurtre collectif d'une jeune Mohawk échappée pour un motif obscur de sa réserve du côté du lac des Deux-Montagnes. Cette fille des étoiles avait contre elle une beauté de tous les diables, en plus des circonstances : une épidémie de typhus touchait des familles d'immigrants irlandais récemment débarqués. L'Indienne ligotée sur deux bouts de bois en forme de croix fut brûlée vive au fond d'une gravière et son corps enfoui sous trois mètres de sable. Les fièvres de la famine ne retombèrent pas pour autant chez les puritains. Sous prétexte de possession et d'esprits maléfiques, on pendait par dizaines les esclaves autrefois, on les écrasait sous des rochers, comme à Salem et dans la baie du Massachusetts voilà un peu plus d'un siècle. Des décrets permettaient aujourd'hui aux auxiliaires de police d'empêcher les débordements de la foi autant que ceux du vice et de la corruption.

Le marshal considéra les avis de recherche punaisés à son mur : des voleurs de chevaux, des trafiquants d'armes, des assassins. Tous méritaient les travaux forcés ou la corde, mais il se serait davantage senti en sécurité parmi eux qu'au milieu d'une foule de braves gens enflammés par un de ces prêcheurs d'apocalypse venus d'Europe ou des grandes villes. Sur l'une des affichettes, le nom de William Pill arrêta plus particulièrement son attention. Il se souvenait d'un tricheur professionnel, surnommé *Willie the Faker*, qui s'était installé sur la pointe des éperons à Hydesville, le temps d'écorcher la bourse de plus d'un éleveur de broutards. Le jeu n'était pour lui qu'un pis-aller, entre deux escroqueries majeures. Un soir, après la fermeture du cabaret, Pill était venu solliciter sa protection : les fermiers armés de gourdins et munis d'une bonne corde avaient plus d'un compte à régler avec lui. À l'abri, derrière les barreaux de la cellule de rétention, l'homme s'était vite prêté aux confidences, vraies ou fausses, pour passer le temps. Grand et solide, avec une belle figure grêlée de petite vérole qu'une mèche blonde balayait à chaque mouvement de menton, ce William Pill avait du bagout et même un certain esprit d'à-propos. Il prétendait avoir été officier de guérite, agent de commerce, représentant en pharmacopée et bien d'autres choses encore dans ses vies antérieures. Un de ces aventuriers sans scrupules, plutôt plaisants, comme il en traîne autour des cabarets et des temples. Ce soir-là, tandis qu'une foule de paroissiens allumaient des torches, le marshal McLeann s'était posé de vraies questions quant à sa légitimité : sur la balance, les hors-la-loi en effet provoquaient notablement moins de dégâts publics que les braves gens. Une geôle ne servait-elle pas davantage à protéger les individus répréhensibles des bons citoyens auxquels il s'agissait autant que possible de faire respecter la sixième instruction du décalogue ?

Mais voilà John D. Fox qui ressortait du saloon les genoux fléchis, son chapeau à large bord rabattu sur le nez, avec cette faiblesse de la nuque caractéristique du quatrième ou cinquième verre de whisky. Il tituba et, butant sur une futaille remplie d'eau de pluie, s'étala bientôt dans la poussière de la route. Le marshal accourut sans trop rire.

— Foutue barrique ! s'écria le fermier en s'appuyant sur un bras secourable. Ah ! c'est vous McLeann, grand merci de votre civilité…

— Je vous raccompagne ?

— Pas ce soir, ça va aller. Old Billy a l'habitude… Dites, vous y croyez, vous, à toutes ces sornettes ?

— Rentrez plutôt vous coucher, père Fox ! Et pensez qu'à l'heure qu'il est le Mexique capitule à ce qu'on dit : la guerre est finie ! C'est pas mal de fantômes en moins, non ?

Il aida le fermier ivre à mettre le pied dans l'étrier et détacha lui-même Old Billy de l'abreuvoir. Le cheval s'ébroua et partit d'un pas confiant en direction de la Longue Route.

McLeann considéra l'ombre bleutée sur les bas-côtés, le vol d'un héron au-dessus des plans d'eau et le liseré d'or des collines. À peine distincte encore de l'azur obscurci, la pleine lune se détachait des toits avec, plus brillante, une étoile en sautoir. La seule erreur de sa vie, c'est bien d'avoir pris Vénus pour une étoile. La sienne a vite pâli dans le ciel des lits et s'est même éteinte d'un coup, le laissant stupide avec une malle remplie de robes de scène en partage. On devient marshal par hasard, par amour ou dépit, pour avoir traqué une paire de coyotes ou s'être juré d'en finir avec la société des hommes.

Un sacré trembleur devant Dieu, bon artilleur, sortit à son tour du saloon, en tanguant et zigzaguant. La rue pour lui n'était pas assez large. C'était Isaac Post, un savant homme échoué à Hydesville, ex-télégraphiste à la Western Union, licencié pour avoir confondu le système révolutionnaire du Bostonien Samuel Morse avec un piano mécanique. Vent debout, il se prit à beugler comme à peu près tous les soirs depuis sa mise à la retraite anticipée :

O my home it was in Kansas
And my past you shall not know

IV

Es-tu venu aux trésors de la neige

L'hiver cette année-là avait été particulièrement vif. Le froid figea partout les eaux dor-
mantes. La terre devint si dure qu'on dut remiser
le cadavre d'un vieillard dans un grenier com-
munal, derrière le temple. Ouragans et tempêtes
de neige ne tardèrent pas à isoler Hydesville et
les fermes alentour. La diligence de Rochester
n'égayait plus la Longue Route depuis trois jours
au moins. Et personne ne s'aventurait au-delà
de la grange isolée, du côté des réservoirs, ou du
chemin aux Esclaves autrefois construit par les
nègres et les forçats du comté, lequel allait se
perdre au fond des collines, entre les ardoisières
abandonnées et les forêts de résineux. On ne
voyait plus passer le moindre convoi d'immigrants français ou irlandais en route pour la côte
Ouest : la ruée vers l'or attendrait le dégel. Les
loups et les coyotes affamés par ces scellés de
glace approchaient dangereusement des fermes,
rôdant autour des bergeries et des étables, malgré

les coups de fusil tirés au petit bonheur par des éleveurs transis.

Sa belle tête blonde tournée vers une fenêtre, Miss Pearl s'étonnait, entre effroi et enchantement, des tourbillons de neige qui venaient s'écraser contre les vitres aux contours brodés de festons de givre. Cela prenait tour à tour des apparences bonasses de gros ours polaire, ou terrifiantes, comme des goules surgissant d'une fosse commune arrosée de chaux vive. Mais elle fut plus alarmée encore en se tournant vers les minces visages qui l'observaient, surtout Kate au premier rang, ses yeux de chevêche fixés sur elle, un vague sourire errant sur ses lèvres entrouvertes.

— Excusez-moi, dit-elle, nous allons reprendre la leçon d'instruction morale. Prenez vite vos tablettes, ceux qui savent écrire noteront tous les noms propres, les autres feront une croix pour chacun...

La fille du pasteur ouvrit une vieille bible du roi Jacques héritée de son arrière-grand-père. Boursouflée par endroits, noircie à d'autres, elle devait son aspect de pain mal cuit à deux lessivages en mer et un incendie de roulotte du temps de l'émigration.

— «Il y avait dans le pays d'Uts un homme qui s'appelait Job. Et cet homme était intègre et droit ; il craignait Dieu, et se détournait du mal...»

Miss Pearl s'interrompit, distraite par tous ces visages penchés. Le poêle de fonte ronronnait dans le fond de la salle d'étude allouée au temple par la commune. Trois fils de fermiers, parmi les plus aisés, dont un nouveau âgé de dix-sept ans, à peu près analphabète, inscrit à l'automne pour apprendre à gérer les comptes d'une mère veuve, sept filles dont l'étrange Kate et parfois sa sœur Margaret, elles aussi nouvelles, mais assurément plus douées que ce nigaud de Samuel, le seul enfant rescapé de la phtisie de la veuve du Bout du Haut, aux cheveux et aux vêtements toujours trempés même par temps sec. Pearl était assez fière d'avoir convaincu plusieurs familles de Hydesville d'inscrire leurs filles, d'habitude confinées tout l'hiver aux travaux d'intérieur, à la Dame school du presbytère. Son argument, d'une fraîcheur biblique, effrayait les braves piqueurs de vaches soudain visités par une étincelle d'entendement : Ceux qui ne savent pas lire les Saintes Écritures resteront éloignés de Dieu, du fait que l'esprit du mal les aveugle ! Apprendre à lire et à écrire, c'était avoir accès au Salut à coup sûr, sans se targuer d'être un heureux simplet aux portes ouvertes du Royaume. Cette thèse abrupte fourbie par les puritains était de bonne guerre pour donner un peu d'air aux plus jeunes. Pourquoi songea-t-elle à la sage Ann Bradstreet qui, au temps des Pilgrim Fathers, avait perdu sa chère bibliothèque et ses manuscrits dans un incendie, mais par la grâce divine, conserva son cher mari et son troupeau d'enfants. Que restait-il sur Terre de la fumée des poèmes brûlés de la trop sage Ann Bradstreet ?

Miss Pearl chassa ces pensées et retourna à sa bible :

— « L'Éternel dit à Satan : D'où viens-tu ? Et Satan répondit à l'Éternel : De parcourir la terre et de m'y promener. L'Éternel dit à Satan : As-tu remarqué mon serviteur Job ? »

Assise au coin d'une des longues tables de cuisine derrière lesquelles se serraient les écoliers, filles d'un côté et garçons de l'autre, Kate écrivit Job en lettres pointues, après Satan, l'Éternel, Dieu, Uts ou Uwts. Elle se demandait si Dieu était un nom propre et pourquoi Miss Pearl se mordait les lèvres en regardant les spectres blancs de la fenêtre. Si blonde qu'un rayon de soleil l'enflammait, des yeux comme des fruits d'étoile et les joues d'une douce pâleur rosée, la fille du pasteur lui semblait plus belle que la neige aux rondeurs d'ange sur les collines.

— Dans quel monde êtes-vous, Katie ? lui demanda l'institutrice, à la fin gênée par la fixité de ses pupilles.

Elle n'ignorait pas les distractions de somnambule de la dernière-née des sœurs Fox, lesquelles pouvaient très bien s'inverser en une agitation d'esprit parfois des plus facétieuses. Kate avait rougi et souriait maintenant comme pour s'excuser.

— Dans aucun monde, Miss Pearl, c'est la neige...

Les autres élèves, déconcentrés, posèrent leurs bouts de craie ou leurs plumes métalliques de Birmingham. Harriett Mansfield, la benjamine du ranch des éleveurs de chevaux, Lily Brown qui, à seize ans, semblait avoir déjà vécu plusieurs vies, deux petites gardeuses d'oies encore innocentes, des chevriers de dix ans libérés pour quelques heures d'étude, Samuel Redfield au fond de la salle, les cheveux ruisselants, qui dodelinait du chef avec un rire muet. Celui-là, elle le soupçonnait de cacher de pénibles secrets. Vêtu d'une cotte de travail à larges bretelles teinte au bleu de Gênes, l'adolescent qui s'agitait drôlement sur son siège semblait davantage vouloir profiter de la chaleur du poêle qu'apprendre à lire et à compter. Elle s'arrangeait pour n'être jamais seule avec lui dans la classe et détournait la tête quand son regard s'agrandissait en même temps que sa bouche aux lèvres plus rouges qu'un cœur de veau fraîchement tranché en deux. Le dimanche, à l'office, vêtu des habits noirs empesés et trop vastes de son défunt père, il se dévouait volontiers pour la quête ou la distribution des cantiques. Le révérend le chargeait même de menues besognes contre la promesse d'un dollar sonnant à son anniversaire.

Miss Pearl referma sa bible ; un peu confuse, elle chercha la manière de capter les esprits.

— Dieu avait une telle confiance en Sa créature qu'Il l'abandonna au diable. Cette mise à l'épreuve, Job en sortira vainqueur. Lui qui était riche et intègre, il perdra tout, il deviendra affreusement pauvre et souffrant, mais à la fin, par la seule force de sa foi, il l'emportera sur les puissances du mal...

La jeune Harriett leva haut la main et, dans ce

geste brusque, perdit son bonnet de laine. Ses boucles couleur de cuivre se déployèrent comme une queue de renard.

— Pardon, dit-elle, est-ce que le diable existe vraiment ? Est-ce qu'il se promène, comme on dit, sous l'aspect d'un rôdeur, d'une vieille femme ou d'un bouc ?

— Satan n'existerait pas sans l'Éternel ! Laissons-le donc tranquille pour réfléchir sur le sort de Job. C'est avec résignation que le patriarche supporta la mort de ses sept fils et trois filles écrasés par l'effondrement d'une maison, il supporta toutes les calamités sans jamais renier son maître. Aussi Dieu le rétablit dans ses possessions et lui accorda plus d'enfants encore...

En bout de table, les bras croisés, Kate imagina sa maison sur la Longue Route tellement alourdie de neige et de glace que toutes les poutres du toit cèdent, brisant dans leur chute les planches des murs et tuant sur le coup sa sœur Maggie et sa bonne maman et peut-être même le père Fox bloqué à la ferme par l'intempérie. Allait-elle demander au Ciel une autre famille en remplacement ? Pouvait-on changer ainsi de compagnie sans désespoir ? Le souvenir d'Abbey, le petit frère mort à Rapstown autrefois, aucun don du bon Dieu n'aurait pu l'en guérir.

— C'est maintenant l'heure de rentrer ! dit Miss Pearl d'un air las. Couvrez-vous bien, on croirait qu'il neige pour mille ans...

La nuit tombait sur des castelets de glace nés du froid et du vent. Un employé du ranch des

Mansfield vint chercher la jeune Harriett à cheval, tout comme le père Fox pour une fois à jeun sur ses étriers : Kate soulevée d'un bras s'assit en amazone sur la croupe d'Old Billy. Les autres élèves longèrent les auvents des façades ou s'enfoncèrent dans la neige fraîche afin d'atteindre de proches demeures au centre de Hydesville.

La face empreinte d'une folle exultation, le jeune Samuel Redfield eut un moment d'arrêt devant les chemins disparus. Il se baissa pour brasser ces dispendieux trésors, pour dévorer la neige et s'en recouvrir tout le visage. Sans chercher le secours des uns ou des autres, il considéra les hauteurs de la Longue Route, puis mit ses pieds dans les sabots du dernier cheval avec aux lèvres un joyeux refrain :

A nice young ma-wa-wan
Lived on a hi-wi-will
A nice young ma-wa-wan
For I knew him we-we-well

V

Quand trembleront ciel et terre

Des torrents de pluie balayés par les bourrasques s'écrasaient sur le comté de Monroe. C'était une de ces nuits aveugles et traversées d'augures entre deux saisons, l'une à peine finissante sans que la suivante eût même débuté. Dans la chambre de l'étage ouverte sur l'escalier, Kate, assise sur son lit, observait les lueurs du poêle qui révélaient par intermittence trois marches et le palier. À force de se concentrer sur cette esquisse, une silhouette sans matière se mit à flotter dans l'ombre épaisse. La pendule en bas sonna onze heures. Il n'y avait pas d'autres lumières et la maison était déserte : bonne mère et le père Fox veillaient leur unique vache dans la grange aux animaux, une belle laitière du Devon qui n'allait pas manquer de vêler cette nuit. Et Maggie, curieuse de tout, avait exigé d'assister avec eux à l'heureux événement pour les besoins de son éducation. N'était-elle pas désormais une petite femme, avec ses seins pointus et tout ce qu'elle dévoilait sans réserve le jour du bain ?

Sa jeune sœur ramena la couverture sous son menton. Kate n'avait pas de poitrine encore, mais au fond d'elle d'insolites phénomènes, impatiences ou agacements en tout endroit du corps, modifiaient son humeur et ses moindres sensations. Dans cette maison de bois battue par les flots du ciel comme l'arche de Noé au moment du Déluge, elle savourait sa solitude même si les araignées de la peur parcouraient d'un long frisson la peau de ses bras et de ses cuisses. L'image d'Abbey, le petit frère mort dans son lit, lui revint avec force : à ce moment, elle se trouvait pareillement seule, peu avant l'aube ; les parents s'en étaient allés nourrir les bêtes. Souffrante elle aussi, Maggie dormait à l'autre bout de la maison dans le lit de jeune fille de Leah, laquelle, de plus de vingt ans leur aînée, venait de quitter définitivement et sans regret cette vie de fermiers. C'était à Rapstown, voilà bien des années. Bonne mère l'avait chargée de prendre soin du petit, pour une heure à peine. La fièvre s'était accrue la veille et maintenant il semblait guéri, la peau fraîche et les yeux doucement clos sur un sommeil de consolation. Mais il ne respirait plus. Elle s'en était rendu compte avec le jour naissant et son cri brisa la vitre d'un portrait du grand-père Fox dessiné au crayon par un peintre mendiant un jour de frairie.

Kate éternua. Le vent s'engouffrait en sifflant dans les conduits de cheminée, les lueurs sur le palier palpitèrent plus vivement. C'est alors que se fit entendre un claquement répété ; elle dénombra une douzaine de coups vivement martelés suivis de trois coups plus puissants et espacés, tout à fait comme l'annonce du brigadier sur le plancher des anciens théâtres, en signe des apôtres et de la Trinité. Elle crut un instant qu'un visiteur nocturne se signalait à la porte et bondit hors du lit, à demi nue et haletante. Vite revêtue d'une chemise, n'en menant pas large, Kate s'aventura dans l'escalier. Tout bruit avait cessé, les vents du dehors retenaient leur souffle, même l'averse ne grondait plus sur le toit. Ce soudain silence l'inquiéta davantage. C'est ainsi qu'à pas de loup, l'assassin se faufile. Prise de frissons, elle ploya malgré elle les jambes et se retrouva assise dans le noir, sur une des marches tournantes. Ces coups réguliers, distincts, déterminés, elle venait sans conteste de les entendre. Si personne n'avait tambouriné à la porte, à qui ou à quoi les attribuer ? Sûrement pas à l'horloge ou au poêle. Prise d'une envie d'uriner, Kate bondit vers le palier, se cogna aux cloisons et courut jusqu'au vase glissé sous le chevet. Le bruit d'eau la rassura presque. Elle se frotta les épaules en songeant à l'hostilité des maisons inconnues. Il faut du temps pour les amadouer, ne plus se blesser à leurs dents et à leurs griffes. Certaines, longtemps vénéneuses, semblent indifférentes, rassasiées de vies humaines, et puis brusquement entrouvrent un œil du fond de leur sommeil comateux. Grelottante à cette pensée, Kate eut l'impression de s'être fourrée *dans la gueule du loup* : avec ses marches abruptes, l'escalier n'en avait-il pas l'aspect ? Peut-être allait-il se refermer d'une grande secousse et broyer sa chair d'agnelle entre ses dents de bois. Cependant les coups reprirent plus sourdement, cette fois sous l'escalier, depuis la cave lui sembla-t-il, elle en ressentit les vibrations jusque dans les petits os de son squelette. Jamais encore elle n'y était descendue : les caves appartiennent au passé des maisons, elles sont toutes maudites comme ces cryptes peintes des papistes. La première jamais creusée, c'était pour la mort, c'était pour la tombe d'Abel.

Il y eut neuf coups cette fois. Minuscule dans son ample chemise de nuit à jabot et plis de dentelle, un œil sur le regard grillagé du poêle où des braises rougeoyaient encore, Kate se crut l'otage d'une de ces hallucinations qu'on prêtait jadis aux fous et aux sorcières. Elle secoua sa tête, les mains contre les oreilles, et se mit à réciter une prière. Prise de court, elle poursuivit à voix basse l'action de grâces, invoquant à sa façon la divinité austère du révérend Gascoigne. Qu'elle vienne gentiment l'assister dans cette barbare solitude des enfants.

— Éloigne de moi les démons qui n'existent pas, dis-leur de ne pas m'effrayer comme ça, en échange je n'irai plus dans les bois voir le Peau-Rouge à lunettes vertes, je ne fouillerai plus dans les affaires de Miss Pearl, j'aiderai bonne mère à tuer les taupes du potager… Mais je t'en supplie, éloigne de ma vue ces diables encore plus affreux que le père Fox quand il a bu.

Un grand bruit se fit en bas tandis que la pendule sonnait une heure : la famille rentrait de l'étable, claquant la porte et se débottant avec rudesse à peine entrée. Maggie riait, grondée par sa mère qui tisonnait déjà le poêle.

— Tu vas réveiller ta sœur !

Mais quand la flamme s'allongea dans la lampe à pétrole, celle-là leur apparut recroquevillée à mi-hauteur des marches, ses deux bras autour des genoux.

— Sang Dieu ! s'écria la fermière. Elle aura pris la mort dans ce courant d'air...

On reconduisit au lit la fillette qui, fiévreuse, fut soumise à la torture des ventouses sèches, ces quatre ou cinq gobelets de cuivre fourrés de filasse enflammée et happant comme de la baudruche la peau du dos.

C'est une petite vachette, une génisse à collerette, fredonnait Maggie près de s'endormir.

Bonne mère quitta la chambre avec son matériel et la lampe réglée en veilleuse. On entendait déjà ronfler le père Fox en dispute avec le poêle surchargé de charbon de bois. Le calme revint peu à peu dans la maison.

Kate, seule, ne dormait pas. Des images sans suite se bousculaient entre l'ombre environnante et la cavité insondable des orbites. Les paupières sans doute ouvertes, elle s'étonnait de la modification subtile de ce qui l'entourait dans la chambre close, cette enveloppe d'impressions parcourue de phosphènes et de souvenirs effilochés, comme si tout allait se révulser, du dehors au dedans. La sensation de sa main gauche un peu ankylosée l'accapara, elle lui parut prendre des proportions gigantesques tandis que le reste de son corps diminuait. C'était si désagréable qu'elle voulut changer de position, mais une armure invisible la maintenait sans qu'il lui fût possible de bouger le petit doigt. Impuissante à s'extraire de cette cangue, tentant d'appeler à l'aide, aucun son ne passa ses lèvres. Pourtant elle ne dormait pas et c'était bien dans sa chambre qu'elle se débattait ainsi, changée en statue de pierre. À force de lutter, Kate recouvra d'un coup l'usage de son corps ; elle avait jailli hors d'un tombeau de ciment et sa voix résonna alors bien audible dans ce monde.

— Eh, qu'as-tu encore ? lui demanda avec frayeur sa voisine de lit en se redressant sur ses coudes.

— Je rêvais... non je ne rêvais pas, comment dire, je rêvais que je ne rêvais pas parce que j'étais morte...

— C'est la fièvre ! Maintenant dors !

Fâchée d'avoir perdu le fil de ses chimères, Margaret se tourna côté ruelle et ramena la couette sur son épaule.

Les froides ténèbres parurent se figer comme gèle une eau. Il eût fallu ouvrir la porte à la chaleur du poêle ; mais Kate n'avait plus la force de se lever, il lui semblait même qu'elle eût pu se tromper de chemin pour celui, presque en tous points similaire, d'un autre monde. Au moment de fermer les yeux, l'appui de la réalité vacilla en elle. Quel sens donner à ce chaos minuscule de gestes et de sentiments ? Existait-il, derrière cette porte, autre chose qu'un magma de terre, d'air et d'eau prêt à prendre tous les aspects du feu ? Le monde manquait d'aplomb puisqu'on pouvait y mourir. L'image d'une grande baraque de toile et de planches se substitua au visage d'ivoire de son petit frère. Un vent noir y grondait, jetant la confusion. Tout volait sens dessus dessous, les parents, la vache, sa sœur Maggie, et même le Peau-Rouge à lunettes vertes des forêts au milieu des voliges et des draps déployés de l'armoire, sous une pluie battante aux gouttes plus énormes que des baisers mouillés de vieilles paysannes. La robe et les jupons à volants de Miss Pearl heureusement la protégeaient sous une cloche d'organsin rose et noir. Il fallait se distraire du démon en chantant bouche close :

O sister, O sister, come go with me
Go with me down to the sea !

VI

Dans l'abîme
où nous nous sommes perdus

L'hiver s'attardait dans les frimas de mars. Le vent ne cessait de tourner, glacial, du nord à l'est marin. Des averses incertaines de verre et de plumes à tout moment balayaient les premières floraisons. Mais on trouvait toujours une heure pour s'échapper sous un quartier de soleil avant que le soir tombât. Maggie et Kate se séparaient d'ordinaire à l'enfourchure du sentier de la ferme, après avoir remonté en partie la Longue Route, chacune allant à ses curiosités.

Ce jour-là, la présence à cent pas de Samuel qui lui aussi rentrait après la classe, les invita à plus de circonspection. Il avait pris le temps de s'immerger jusqu'aux épaules dans le baquet de la fontaine publique en actionnant la pompe sur sa tête ; inondé, il avançait comme un nuage de pluie. L'adolescent pouvait très bien s'en prendre à l'une ou à l'autre, balancer des pierres, les menacer avec un couteau de louvetier hérité de son père, ou bonnement passer son chemin en jetant sur elles des coups d'œil furtifs. Malgré sa taille, Kate ne le craignait pas ; le comparant volontiers à ces coyotes farceurs qui rôdent autour des fermes, elle n'hésitait pas à le défier. Pusillanime autant qu'imprévisible, le fils de la veuve du Bout du Haut ne mordait que de biais et par surprise. Un regard appuyé suffisait à le déconcerter. Quand il se rapprochait, le museau bas, à moins de vingt pas derrière elles, son jappement obscène effrayait la plus âgée tandis que l'autre s'en serait presque amusée si les mots proférés n'avaient suscité en elle une sorte d'émoi proche du dégoût. Que signifiait ce mélange d'insultes et de flatteries touchant les parties cachées de leur corps ? Dans sa vareuse bleue de bûcheron, les bras trop longs, l'os du crâne en pointe, Samuel s'excitait avec un accent de cruauté jusqu'à l'instant où bonne mère apparaissait au milieu du potager ou sur le seuil de la ferme. L'idée de se plaindre ne venait d'ailleurs à aucune, tellement il leur semblait invraisemblable et sans doute grotesque de décrire la chose à un adulte. De même, les sœurs Fox n'iraient-elles pas raconter à un tiers les manigances du Pecquot, certains soirs, lorsqu'il ramenait chèvres et brebis des hautes pâtures. Entre lui et son chien, un grand berger au poil roux, la différence tenait davantage à la posture que par l'esprit. On racontait qu'il aurait été recueilli tout jeune par des Indiens mohawks après l'abandon de sa famille, des colons dégénérés partis vers l'Ouest en caravane, et qu'on l'avait chassé de sa tribu d'adoption une fois adulte pour des motifs inconnus. Le Pecquot vivait en bête au milieu des bêtes. Personne n'eut jamais à s'en plaindre : il ramenait le bétail à demeure et avait peu d'exigences. Quand elles entendaient la sonnaille à distance du bourg, sur les routes des collines, Kate et Maggie tournaient vivement les talons pour fuir le démon ou grimpaient dans un arbre. C'était presque un jeu. La campagne du côté de leur ferme était riche en refuges naturels à partager avec les martres et les écureuils.

Derrière le hangar penché, après un champ de joncs et de capillaires où aimaient transiter les oies sauvages, l'étang noir profondément enfoncé dans une forêt de conifères était plus inquiétant que tous les Pecquot de rencontre. Kate arpentait ses bords sur le qui-vive, attentive au moindre frémissement. Les hauts sapins serrés sur l'autre rive jetaient leur ombre croissante avec le coucher du soleil. Que la mère de Miss Pearl se fût introduite de son plein gré dans ces eaux obscures la fascinait jusqu'au vertige ; elle ne pouvait quitter des yeux ces mouvances aux écœurantes senteurs florales agitées parfois de gargouillis et de hoquets bulleux. Il s'y lovait comme une intention informe prête à se répandre en tentacules de vapeur. Comment pouvait-on avoir été et n'être plus ? Forcément la mort cachait un grand secret.

Au long de la berge, Kate pénétra presque à son insu dans la forêt de résineux d'une hauteur prodigieuse. Jaillies d'une tapisserie d'aiguilles disposées selon un ordre mystérieux, les colonnades sans fin des fûts étaient coiffées d'une immense voûte de branchages à coupoles multiples et en étoilements continus d'où filtraient encore, par lances et hachures, les feux brisés du soleil. Le craquement d'une ramure, le cri tardif d'un oiseau ou, plus affolant, du fond de ces colossales galeries charpentées par des siècles de sève et d'intempéries, l'écho triste d'une plainte, aboi de chien sauvage ou appel du loup, saisissaient soudain Kate d'un frisson d'éveil, après sa torpeur fascinée à contempler l'étang – comme si les esprits épars de la forêt cherchaient à lui faire signe. Le Peau-Rouge à lunettes vertes, certaine fois, lui avait rapporté les paroles d'un homme des bois très savant : « La nature ne pose aucune question, elle ne répond pas non plus aux questions des mortels. » Nul besoin d'interrogatoire, un silence attentif suffisait. L'Indien myope s'instruisait d'une brindille cassée, d'un vol de libellule ou de la forme d'un nuage.

De retour à la ferme d'un pas alangui, dans les lueurs fauves du soir, alors qu'elle parvenait à l'angle de l'écurie, Kate tomba pile sur le père Fox qui, tenant les rênes d'Old Billy d'une main, venait de quitter l'étrier.

— D'où sors-tu donc, petite diablesse ? s'écria-t-il d'une voix éraillée par l'alcool et le tabac. Tu devrais être près des tiens, à cette heure !

— Je me promenais pas loin.

— Du côté de cet étang maudit ! Dans la forêt ? Il y a des ours, des sangliers, des loups même…

— Je n'ai pas peur…

— Nigaude ! Est-ce que le renard s'inquiète du courage de la poule ? Va donc panser le cheval, et change-lui sa litière !

Katie avait saisi la bride sans un mot. Dans la pénombre du box, elle s'activa autour de la longue tête. Bouchonner Old Billy, brosser sa robe, démêler sa crinière, le faire boire et manger quand une obscurité toute striée d'or par les interstices des planches s'accentuait et que les odeurs pénétrantes du soir s'exhalaient de la terre battue, c'était là pour Kate un apaisement sans pareil. Old Billy l'observait de son gros œil brun, la lèvre pendante. Au lieu de le desseller, elle aurait pu s'enfuir avec lui, galoper loin de Hydesville, gagner les clairières lumineuses au-delà de ce monde, découvrir la fraîcheur de l'eau et des étoiles quand la solitude se confond avec l'immensité, gagner les grandes prairies de miel décrites par le Peau-Rouge à lunettes, là où la mémoire se déchire comme un vieil habit, oublier le père Fox et ses congénères, tous âprement accrochés à l'air puant des étables et à la terre des morts, sans un regard pour les arbres, les crêtes des montagnes, l'eau scintillante des rivières, les fontaines cachées du vent. « C'est par le murmure des ruisseaux, des fleuves et de la pluie que parlent mes ancêtres », lui avait dit l'Indien. Quels pouvaient être ses ancêtres à elle, à part le grand-père de Rapstown dans la fosse du cimetière où, plus tard, les siens avaient glissé son petit frère pour économiser un trou ?

Old Billy se mit à hennir doucement en grattant la paille de la pointe du sabot. Cheval m'as-tu comprise, es-tu prêt toi aussi à quitter ce monde si peu fécond en prodiges, ce monde où même les vivants semblent morts...

Mais qui hurle si aigrement dans la nuit sans lune ?

C'est l'heure de rentrer
La soupe refroidit, le père va se fâcher
C'est l'heure de revenir
Le loup veille, la chouette étend ses ailes

Déformée par des épaisseurs de songe, une voix se répercute en écho dans la campagne assombrie. Sa sœur l'appelle sans mots depuis le seuil de la maison. Le vent du soir agite les branches des frênes et des ormes. Serrée dans son châle, Maggie scrute toute vacillante l'ombre saugrenue où bougent des mains et des têtes découpées. Elle s'étonne que seul Old Billy lui réponde mais n'ose pénétrer dans l'étang de ténèbres qui sépare le hangar du logis. Depuis quelques jours, avec le crépuscule, une appréhension la hérisse. Reptile glacial, l'épouvante glissant entre ses cuisses, sur son ventre, l'enserrant entre ses anneaux d'écailles, mordillant ses seins et sa nuque.

Soudainement, une voix claire et folâtre résonne à l'air libre :

Tramp, tramp, tramp, the girls are runnin'
Lie still, sweet comrades, the girls will come soon !

Une silhouette dansante d'elfe ou de lutin se dessine peu à peu sur fond de néant. C'est Katie, sa sœurette aux genoux griffés, qui revient triomphante de la chasse aux fantômes.

VII

Quelques détails sur le rendez-vous

Au dernier jour du mois de mars de l'an 1848, à la dernière heure du soir, juste avant que la pendule du rez-de-chaussée eût sonné minuit, Margaret Fox étouffa un cri d'effroi en mordant la pointe du traversin.

— Katie, Katie ! souffla-t-elle précipitamment, réveille-toi ! Quelque chose se passe…

— Je ne dormais pas, répondit sa voisine de lit.

— Alors, tu as entendu ?

— Bien sûr, et je crois que ça n'est pas fini…

À peine l'eut-elle dit que des craquements secs, comme des os qu'on brise, retentirent du côté de l'escalier. Margaret compta sept coups ; le carillon étouffé de l'horloge parut y répondre sur un mode musical.

— Minuit ! bredouilla-t-elle. Ah, je meurs de frousse. Il y a quelqu'un, c'est sûr ! Un esclave noir en fuite peut-être, un Indien de la réserve qui va se venger sur nous avec un couteau à dépecer les bisons…

Comme Katie restait muette, ses yeux grands

ouverts de somnambule brillant d'un rai de lune, Maggie sentit glisser entre ses omoplates la lame de glace de l'épouvante et tenta d'appeler à l'aide, incapable d'émettre d'autre son qu'un couic de poulet qu'on égorge. Une petite main bouillante se posa sur ses lèvres.

— Chut, lui souffla Kate, les parents dorment…

Il y avait un tel air d'exultation rebelle sur son museau de loutre que la peur se mua aussitôt en une frayeur ahurie qu'un fou rire nerveux acheva d'éloigner.

— Tiens, écoute, le père ronfle maintenant…

— À moins que ce soit la mère ! corrigea Maggie en pouffant de plus belle. Mais ces coups tout à l'heure ?

— Ce n'est pas la première fois.

— Tu ne dors donc jamais ?

— Il me semble que ça devient plus fort chaque nuit. On dirait que quelqu'un cherche à se rapprocher de nous…

— Es-tu folle ? Il n'y a personne ici que les parents et toi, et moi ! À moins que…

De nouveau la peur s'insinua entre sa peau et le drap de coton. Figée, la bouche sèche, le souffle suspendu, Margaret frissonna, les mains serrées contre sa gorge, avec l'impression que tous ses sens, tournés vers elle ne savait quel abîme – sa vue, son odorat, son ouïe, chaque grain de sa peau –, percevaient l'instant avec une intensité démesurée. Pourtant, démunie, elle se sentait comme un bloc de plâtre dans lequel un oiseau affolé bat désespérément des ailes.

Les bruits cessèrent à l'intérieur comme dehors. Le vent s'était couché au pied des grands arbres. Même le père ne ronflait plus. Le silence devint si total que la pensée du néant atteignit bientôt une sorte de perfection.

— Quelque chose est là ! chevrota Maggie du fond de sa terreur, la voix affaissée, sur un registre de très vieille femme.

Par les volets disjoints, le rayon de lune glissa sur une silhouette d'ombre dressée juste devant le lit et parfaitement immobile. Les yeux exorbités devant cette apparition, l'adolescente poussa un hurlement vide de toute substance, persuadée qu'elle-même devait être morte ou évanouie.

— Viens ! dit alors l'ombre. Suis-moi dans l'escalier...

Maggie émit un piaillement de souris en identifiant la voix ouatée de sa petite sœur. Aussitôt, l'espèce de catalepsie qui la clouait sur place se détacha d'elle comme une armure de plomb. Elle rabattit les draps et, rassérénée par ce courant d'air, marcha sans crainte à la suite de Katie.

— C'est de là que ça vient le plus souvent, dit celle-ci en montrant une cloison intérieure. Des fois, ça remonte de la cave...

— On n'entend plus rien, constata l'adolescente avec un soulagement de rescapée...

Kate releva vers elle son faciès de petit mammifère sur lequel affleuraient deux pupilles plus noires que la nuit.

— C'est qu'il attend, dit-elle.

— Mais quoi ? Et d'abord de qui tu parles ?

— Je ne sais pas. Il attend peut-être qu'on lui fasse signe.

Maggie détailla d'un lent regard de haut en bas les poutres du plafond, les murs de bois sombre, les marches usées qui s'enfonçaient dans l'obscurité, la lueur mourante du poêle et les ténèbres environnantes.

— Mais qui, qui donc ? répéta-t-elle.

— L'esprit ! lança vivement Kate.

— Tu veux dire un… un revenant ?

L'image d'un immense cercueil dressé au fond duquel l'aurait guettée un ver luisant énorme se substitua aux lieux dans sa conscience ensommeillée. Envahie par un sentiment de panique informe, Maggie se pâma pour de bon et roula à demi inconsciente au pied des marches avec la terreur d'être dévorée par le lampyre. Pour le coup, ce fut un branle-bas dans la maison. Le père Fox grommelant, une lampe à la main, et bonne mère affolée vinrent au secours de l'évanouie que sa jeune sœur s'imaginait ranimer par des caresses et des chatouillis.

On la reconduisit, grande poupée de son aux jambes emmêlées, jusqu'à sa chambre. Tandis que bonne mère s'employait déjà à lui rendre ses esprits avec des sels et des claques, le père Fox alluma une chandelle de suif neuve à son chevet.

— Qu'est-ce que vous fichiez donc dans l'escalier à pareille heure ?

En retrait, résolument muette, Kate souriait à ses pensées.

— C'est pas vrai possible de se mettre dans cet

état ! renchérit bonne mère. De jeunes personnes instruites comme vous ! Eh quoi, alliez-vous aux confitures de compagnie avec la pleine lune ?

Les paupières de Margaret battirent quelques instants sur une ombre découpée dans le chambranle de la porte. Le sourire d'ange de Kate prenait, sous la flamme dansante de la chandelle, un petit air démoniaque, d'autant que ses lèvres animées par les reflets dorés semblaient ravaler des paroles muettes, lazzis ou jurements, à l'adresse de la compagnie.

— Demandez-lui donc ! lança Margaret, le doigt accusateur. Katie m'a entraînée. Elle prétend qu'il y a un spectre dans la maison...

Bonne mère, déconcertée, jeta des regards inquiets sur son époux et les coins obscurs de la chambre. C'était une femme épaisse et soignée, attifée d'un éternel bonnet en broderie, les cheveux noirs rassemblés au-dessus du crâne, avec des mains potelées et très blanches malgré les travaux de la ferme, une poitrine copieuse sous la chemise et un fort nez au milieu d'une face plutôt agréable qui, maquillée, aurait convenu à un éleveur de chevaux ou à un commerçant de Rochester. Son œil vif finit par se poser sur la cadette.

— Qu'est-ce que c'est que cette histoire à effrayer le monde, hein, Katie ?

— C'est pas des histoires. Vous avez bien dû entendre les coups dans les murs et les meubles du bas...

— Goddammit ! s'écria le père Fox. Tu voudrais nous faire passer pour des possédés aux yeux du voisinage ? C'est qu'on se méfie des nouveaux venus en campagne ! Je ne veux plus entendre parler de ces folies, à compter de ce jour !

— Ne jure donc pas contre ta fille, supplia bonne mère. Ou c'est toi qui vas être mis à l'amende par le révérend…

— Pourtant, osa d'une voix fluette Margaret, c'est pas faux qu'il y a des bruits. Et si la maison nous voulait du mal ? J'aimerais tellement retourner à Rapstown !

— Y a pas de bruits ! coupa l'homme. Ou alors que le diable me brûle ! C'est les bêtes, c'est le vent, c'est l'usure du bois… Maintenant je m'en vais tourner de l'œil à mon tour pour un dernier bout de nuit…

Kate se déplaça vivement vers la fenêtre au passage de son père de sorte à éviter une de ces taloches affectueuses marquant l'issue d'un conflit mineur. C'est qu'il avait des pattes d'ours à vous arracher la tête ! Elle ne le détestait pas, le pauvre vieux. C'était une souche de paysan. Si dépourvu d'esprit qu'il ne pouvait croire qu'aux sermons du pasteur. Descendant de patriotes expulsés du Canada pendant la guerre d'Indépendance, il appartenait à la morne espèce des fermiers, tous bigots et butés, intermédiaires entre les esclaves noirs ou blancs et l'arrogante aristocratie des éleveurs.

Une fois le père sorti, Kate se mit à rire.

— C'est pas les bêtes, c'est pas le vent, c'est

pas l'usure du bois! C'est un pied fourchu, j'en jurerais, par les cornes de notre unique vache!

Bonne mère s'agita mollement, apeurée, son énorme poitrine ondoyant sous la chemise de nuit.

— N'es-tu pas folle! Le démon ne vient que si on l'appelle. Couche-toi vite près de ta sœur et plus un mot! Il faut dormir maintenant, le bon sommeil des petites filles chasse toutes ces vilaines inventions...

Kate s'était glissée sous la couverture, déjà à demi anesthésiée par la mélopée chevrotante de bonne mère. Remise de sa chute, Margaret soupirait à ses côtés. Ses longs cils qui papillonnaient juste à hauteur de la chandelle donnaient l'impression de s'enflammer à chaque clignement d'œil. Distinctement alors, venus d'en bas, trois coups secs se firent entendre.

— M'an! murmura Kate. Puisque je te dis qu'il y a quelqu'un...

— Chut, chut, c'est bien possible, mais dors, dors sans crainte, bonne mère le corrigera avec son tisonnier...

— Ne lui fais pas trop mal, s'il te plaît! Ne malmène pas Mister Splitfoot...

— Mister Splitfoot? Qui c'est celui-là encore, grand Dieu! Allons, oublie ça pour cette nuit, je souffle sur la chandelle et sur la lune, comme on disait dans le temps.

Mrs Fox mère, debout dans l'ombre reconstituée, et malgré elle saisie par les phénomènes qui semblaient assaillir ses filles, songea alors au passé le plus lointain, quand elle avait leur âge, quand elle croyait aux merveilleux fantômes de l'amour et de l'avenir. Doucement, là, au chevet de ses deux petites, la fermière se mit à chanter une très vieille complainte remontée d'elle ne savait quelle mémoire à ses lèvres…

Well a hundred years from now
I won't be crying
A hundred years from now
I won't be blue

VIII

Polk's war was not a polka

Après les montagnes arides de l'Ouest et les déserts de rocaille de l'Arizona, après les canyons périlleux tout au long du fleuve Colorado où il avait échappé sans trop de casse aux flèches des Mescaleros, après les carabines en embuscade d'une bande de déserteurs catholiques de retour au bercail, la plaine s'était étendue, infiniment calme. Il laissait derrière lui Denver et le souvenir d'une nuit arrosée de whisky dans un suave lit de plumes. En selle sur l'un de ses deux chevaux, depuis trois bonnes semaines, William Pill cheminait désormais sur les pistes du nord, immobiles sillages creusés par les chariots des colons et les troupeaux de bovins dans une mer frémissante de graminées sauvages. Quand l'Appaloosa fatiguait, il grimpait sur le Barbe espagnol délesté de son bagage, et ainsi de suite d'un point d'eau à l'autre. La Grande Prairie était pour lui à l'image d'un rude paradis sans bornages qui laisserait entière la liberté de mouvement : toute cette blondeur mouvante sous un ciel plus vaste que la mémoire des hommes ! Au pas ou au galop, il revenait de guerre sans trop de hâte, avec en poche le Certificat du mérite pour avoir suivi le général Zachary Taylor sur la piste de Santa Fe et s'être distingué plus tard aux côtés du Vieux Rustique sur les hauteurs de Buena Vista. Mais son plus grand exploit d'homme libre aura été d'avoir à endurer la vie de caserne des mois entiers dans les territoires occupés, en attendant que fût signé le traité d'armistice de Guadalupe Hidalgo, chef-d'œuvre de la Destinée manifeste et de l'artillerie volante : quelques millions de dollars de compensation au vaincu, contre le rattachement à l'Union de la moitié du Mexique, sans compter le Texas !

Grâce au décret d'amnistie accordé aux héros, William Pill pouvait rentrer à visage découvert. Le tout était de savoir quels pénates réintégrer. Toute sa vie, il avait brûlé les ponts, à commencer par ceux, branlants, de ses ancêtres, en s'embarquant à quinze ans sur un de ces bateaux cercueils qui déchargeaient au port de Dublin des pins blancs de la vallée des Outaouais et repartaient avec un fret d'immigrants chassés de leurs terres par la famine, les épidémies et les propriétaires. Cinq semaines de traversée sur le *Fraternité* – un ancien navire négrier de quatre cents tonneaux racheté et réformé par un armateur québécois – vieux gréement trois-mâts, aux cales et aux ponts remplis d'otages de la misère, ceux-là tous blancs et roux, l'avaient une fois pour toutes guéri de la miséricorde divine, après l'épouvantable promiscuité, les brusqueries de l'équipage, un cyclone qui emporta les chaloupes bâchées du pont avec quantité d'imprudents agrippés à l'intérieur, le typhus frappant les enfants par privilège et enfin une mise en quarantaine à Grosse-Île en compagnie des moribonds. Plusieurs, bien avant d'être parvenus à ce havre d'enfer, furent jetés dans un sac à la mer avec la bénédiction d'un prêtre d'occasion. Une femme qu'on croyait morte s'était mise à hurler en glissant sur la planche à bascule sans que les matelots eussent même tenté de la rattraper. William Pill n'avait pas oublié les petites filles jetées aux requins sous le regard blanchi de leurs mères. Pendant la traversée, en mission pour le Manitoba, un évangéliste des Frères de Plymouth appelé Edward Blair l'avait par chance pris en amitié, partageant ses victuailles et la lecture à haute voix d'une bible sans cesse consultée bien qu'il parût en connaître par cœur chaque verset. C'était un disciple d'un Allemand immigré, le fameux George Müller, ancien voleur, ancien débauché qui traînait le remords de s'être enivré pendant l'agonie de sa mère. Converti, ce dernier s'était consacré aux orphelins, créant partout des écoles, les sauvant de l'indigence par dizaines de milliers. Sur le trois-mâts sinistré, Edward Blair eut tout le loisir de lui narrer sa rencontre avec l'Allemand. La bible reliée qu'il ouvrait sans cesse était un cadeau d'adieu du missionnaire. Devenu à son tour frère large, il l'avait lue et relue à chaque heure du jour sans l'abîmer, puis la main sur sa reliure noire, il en avait nourri ses prédications. À bord du *Fraternité*, dans la mer houleuse, le seul à l'écouter était un fils de famine illettré. Le frère large parti évangéliser l'Amérique n'avait même pas réussi à convertir un gamin irlandais, lequel hérita tout de même de sa bible. Lorsqu'on jeta son cadavre ficelé dans un drap par-dessus bord, le jeune immigrant ne put s'empêcher d'ouvrir le livre au hasard avec la certitude d'y entendre la voix aimable d'Edward Blair.

Et le lit des mers apparut
Les assises du monde furent révélées
Sous l'effet de ton grondement, Seigneur
Sous le vent du souffle de ton souffle

Après le séjour obligé sur Grosse-Île où bien d'autres passagers du trois-mâts périrent et où une vieille prostituée lui apprit à danser la polka, William Pill, débarqué finalement à Québec, s'était juré de toujours maintenir sa tête au-dessus des flots, des hommes et des clochers.

À cette heure, sans mémoire aucune du vieux monde, les hautes plaines déployaient devant lui un spectacle enfin dépeuplé, immensément vide, avec seulement du vent, de la lumière, des chants d'oiseau épars, l'appel vacant du coyote, et, sous une brume vibrante de soleil, au loin, les ultimes contreforts des montagnes aux Arcs-en-ciel. Son Barbe espagnol en escorte, il chevauchait l'Appaloosa, l'épaule douloureuse encore d'un tir de mousquet essuyé pendant la bataille de Huamantla. Après tant de nuits et de jours au rythme somnolent des chevaux, William Pill avait une curieuse impression d'altération de ses repères, de perte irréparable, comme s'il laissait en chemin des bribes de lui-même, une traînée d'images s'écoulant de sa nuque trouée d'oubli. De son enfance aujourd'hui que restait-il ? Pas même un visage. Quand le crépuscule retenait le vin d'or des ténèbres, certaines fois, il remâchait le vague souvenir des jacinthes du jardin de sa mère. Mais il était seul face au ciel. Son fusil Springfield prêt à l'usage – un modèle à silex 1840 rectifié à percussion –, il se demandait pour l'heure s'il trouverait assez de combustibles au milieu des herbes hautes pour cuire le lapereau ou la caille convoités.

Le soleil était plein encore au-dessus des collines, mais l'azur déjà s'assombrissait sur la courbure des horizons. Un couple de busards croisant leurs vols circulaires attira son attention sur une charogne de mustang que balayaient les ailes d'autres rapaces. Le cavalier talonna sa monture. Brûlée par endroits et sur de vastes distances, sans doute par les chasseurs de bisons, la prairie s'asséchait peu à peu au bénéfice de friches pelées où affleurait la pierraille. Il poursuivit au petit trot le voyage, satisfait malgré la faim qui le tenaillait de voir poindre l'étoile du soir que les Indiens du Mexique au service des officiers assimilaient à Quetzalcoatl, leur dieu emplumé. Des constructions se profilèrent bientôt au détour de la piste qui se dégagea des terres incultes à cette hauteur.

Un panneau de bois peint indiquait Osage City. Il passa devant un réservoir juché sur une charpente de ferraille et des hangars béants, certains en ruine, leurs toitures de tôle affaissées sur un amas de sapines et de vieux fourrage. L'agglomération semblait parfaitement déserte, abandonnée à tous les vents. La poussière des chemins aveuglait les fenêtres et les devantures des officines. Un tas de planches noircies alternait, çà et là, avec des bâtisses encore habitables. Il y avait eu une vie par ici, de l'agitation, à voir les panneaux écaillés des façades, les enceintes d'attache à chevaux et les nombreux saloons. William Pill se dit qu'il pouvait bien s'offrir la meilleure auberge, pour lui et ses montures. Faute de bécasse, un croûton de pain et une conserve de bœuf en boîte garniraient sa table. À ce moment, une sorte de cochon sauvage traversa la route. Mais l'arme était dans son étui sur l'autre cheval, et le temps de s'en emparer, l'animal avait bifurqué à l'angle d'un abreuvoir. À sa poursuite, son fusil cette fois en main, William Pill passa devant un nègre albinos en costume de ville et chapeau haut de forme assis sur une caisse, sous l'auvent d'une droguerie. Tout comme un chien, le pécari était tranquillement couché à ses pieds.

— Aurais-tu soif ? dit l'inconnu en arborant un flacon de rhum quand le cavalier eut rompu son galop à vingt toises.

Pill sauta de selle et rengaina son fusil. Ses chevaux attachés à une barrière, il ne fut pas long à partager le contenu de la bouteille. L'homme avait ôté son couvre-chef, découvrant une calvitie liliale.

— Alors, tu rentres chez toi, avec une blessure à l'épaule et un certificat de bon soldat, dans l'État de New York ? Un ancien esclave peut bien te le dire, c'est là-bas une terre libre sous la protection du Ciel.

La nuit d'étoiles étendit vite un jour plus secret sur la ville fantôme. Au bord de la route, sous l'auvent du drugstore, les deux hommes partagèrent un plat de lentilles.

— Rien ne me manque, dit l'albinos, même pas les maîtres de ma jeunesse, des papistes qui m'ont appris à lire à coups de cravache. Regarde, toute cette ville est à moi. À force de voir passer les convois de chariots venus de l'est et du nord, les habitants d'Osage City ont fini par les imiter. Les éleveurs de chevaux et les cultivateurs qui s'entretuaient ici comme Abel et Caïn au moindre litige, les voilà partis bras dessus bras dessous dès qu'ils pipèrent la nouvelle : des tonnes d'or à l'ouest, de l'autre côté de la Sierra Nevada. Il suffit de se baisser à ce qu'on prétend. Les voilà partis en masse, abandonnant sur place tout ce qui ne bouge pas. Faute de clients, les commerçants ont fermé, le pasteur a rangé ses sermons, le shériff a rendu son étoile… Il n'y a plus que moi et ce cochon dans l'endroit. La liberté, c'est mon or à moi. Personne ne me cherche querelle, les Indiens du Kansas sont redevenus pacifiques depuis qu'on les laisse chasser le bison. Une fois les Blancs partis, ils ont brûlé les ranchs vides des éleveurs et toutes les cultures, les champs de blé, pour rendre la Prairie au vent comme disent les Kaws, c'est pas pour rien qu'on les appelle le Peuple du vent. Le jour où les Indiens se sont mis à lancer des torches dans la bourgade, j'ai bondi hors de ma tanière et leur ai crié dessus : « Osage City, c'est ma maison, faut pas la brûler ! » Ils ont pris peur je crois. Un nègre blanchi qui sort d'une ville fantôme en chapeau haut de forme, c'est forcément un démon. Ils sont remontés sur leurs chevaux en poussant des jappements de coyote, et bon vent !

William Pill, qui avait écouté son hôte une partie de la nuit, songea sans vrais motifs aux paroles d'une chanson mexicaine venue à lui par bribes du camp ennemi, peu avant l'aube, alors qu'il s'apprêtait à défendre au canon à barillet une hacienda sur un col abrupt.

Qui m'arrachera la fleur de cœur
Quel jaguar de craie, quel aigle de sang

IX

La nuit des somnambules par Maggie contée

C'est trop de folie maintenant. Ma sœur Katie doit être le diable, ou sa vilaine petite fille. Je l'ai écrit comme je le pense sur ce cahier à bordures offert par Miss Pearl. Ça a commencé par des coups sur le parquet, ou plutôt en dessous, sept et huit fois, par grappes, juste à l'endroit de notre lit. Cette nuit de mars et celles qui suivirent, le père Fox n'a pas dormi à la maison. Serré dans son vénérable costume noir, celui des noces et des enterrements, il a pris la diligence pour Rochester. Le pauvre vieux s'est mis en tête d'ouvrir un compte à la banque de crédit, il a rassemblé dans le fond de son sac à soufflets ses économies, pas grand-chose j'imagine. Il a déclaré qu'il en profiterait pour rendre visite à Leah. Notre sœur aînée, par coïncidence, avait besoin de sa signature pour une histoire de droit au bail. Elle donne des cours de piano aux filles des riches minotiers de Rochester. Leah méprise notre mode de vie. Elle n'aime que les jolies manières, les robes à coussin et les beaux messieurs. La doyenne des sœurs Fox rêve d'épouser un bourgeois de la ville. Il serait temps, à trente-cinq ans et quelques cheveux blancs !

Nous étions donc seules avec bonne mère la nuit passée, quand les coups ont recommencé. Katie, qui faisait semblant de dormir, s'est redressée comme un ressort. Je suis toujours aussi terrifiée lorsqu'elle se lève et marche les bras devant, ses yeux révulsés, vers la fenêtre ou l'escalier. Mais ce n'était pas une crise de somnambulisme, cette fois. Dans la pénombre de la chambre, je voyais bien son air malin, presque cruel lorsqu'elle sourit. Katie est adorable, toute menue, avec sa jolie figure d'actrice de théâtre, mais il y a en elle un drôle de petit démon. On dirait qu'elle cherche un secret derrière les choses partout où elle se trouve, dans la forêt, au village, à la maison.

Un jour d'automne (on avait parlé la veille à table de Joe Charlie-Joe, l'ancien esclave du ranch des Mansfield pendu autrefois au grand chêne du Pré-Courant), j'ai aperçu Katie occupée à souffler sur les toiles d'araignée de la cave en marmonnant une comptine idiote :

Attrape-moi si tu peux
Je suis l'esprit d'une mouche
Dévore-moi si tu veux
Je suis l'âme du pendouche

Assise sur le lit, un peu plus tard, elle s'est mise à claquer des doigts tout d'un coup, le pouce contre le majeur, comme les journaliers noirs qui chantent des prières après l'arrachage du maïs. Je n'ai pas pu m'empêcher de l'imiter. On a claqué des doigts en rythme et puis soudain, Kate a lancé : « Qui que tu sois, maintenant fais comme nous ! »

Il faut dire que le silence de la nuit nous avait rattrapées après ces semonces. Il n'y a rien de plus angoissant que le silence qui suit un phénomène incompréhensible. Tout était calme dehors, on entendait distinctement les chats-huants et les coyotes. Délivrée pour une nuit de son ronfleur de mari, bonne mère dormait à poings fermés. Il y eut de légers heurts sur les carreaux de la fenêtre. Ça ne pouvait être une phalène dans la fraîcheur de cette fin mars. Sans l'aide du fermier, bonne mère avait été trop occupée à mille besognes pour bassiner notre lit et bâcler les fenêtres.

« Fais comme moi ! » a répété Kate avec autorité, et de claquer bruyamment les os de ses phalanges ! Soudain, je l'écris ici sous serment, nous avons entendu en écho un bruit tout semblable. Mais c'était un écho tellement proche ! Katie exultait. Elle était terriblement excitée. À cette minute, je crois qu'elle n'imaginait pas vraiment la signification d'un pareil phénomène. À part les fées et les mages, personne au monde n'avait jamais vécu ça : nous commandions à l'invisible de se manifester et, pour la première fois depuis Notre Seigneur Jésus-Christ, l'invisible répondait ! Voilà ma sœur qui bondit hors du lit et se campe au milieu de la chambre, les bras sur les hanches : un vrai farfadet dans la pénombre avec sa chemise toute bouchonnée à mi-cuisses.

— Êtes-vous un homme ? osa-t-elle demander avec cette raucité que les voix des fillettes ont parfois.

Comme il n'y eut aucune manifestation, elle poursuivit son jeu des questions.

— Êtes-vous une femme… ? Un enfant… ? Un animal… ?

Katie se gratta la tête et se tourna vers moi.

— Aide-moi, toi ! T'as pas une idée ?

— On pourrait peut-être lui demander son nom et son âge ?

— Pas facile, s'il n'est personne ! Et puis comment nous le dirait-il ? La chose ne communique que par du raffut, ou bien des petits coups, des petits ronrons de tigre en secret…

Kate se mit à tourner doucement sur elle-même. Elle se figea, les bras écartés, comme au jeu de la statue.

— Êtes-vous un esprit ? s'exclama-t-elle alors, tout intimidée par sa question.

On entendit deux coups d'acquiescement, très nets, pareils au heurt d'un marteau ou d'un manche à balai.

Impressionnée mais radieuse, Katie vint me rejoindre au lit d'un bond.

— Nous avons réussi ! me chuchota-t-elle à l'oreille. C'est bien un fantôme…

À ces mots, n'ayant pas encore pris la mesure de ce que pouvait impliquer un tel mot, s'agissant de l'invisible, je sentis l'eau glacée de l'épouvante monter à ma gorge. Kate plaqua fermement ses deux mains sur ma bouche pour étouffer le cri qui gonflait en moi.

— Silence ! dit-elle. Les revenants sont plus farouches qu'un lapin de lune...

Retrouvant ma respiration, je m'affolais d'une voix sifflante.

— Et s'il allait boire notre sang ou nous faire un enfant !

Le blanc de l'œil de Katie étincela dans l'ombre ainsi que ses petites dents pointues.

— Chut ! fit-elle sans me rassurer le moins du monde. Si c'était une goule ou un vampire, nous serions mortes depuis longtemps.

Il pouvait être une heure du matin. La maison redevint singulièrement calme mais je sentais bien que le crâne de Kate fricotait je ne sais quelles détestables folies.

— Une chose est sûre, dit-elle enfin, l'esprit comprend l'anglais de chez nous, mais il semble avoir avalé sa langue, ou alors Mister Splitfoot a-t-il une voix de mulot bien trop fluette pour traverser le mur entre son monde et le nôtre...

Mister Splitfoot ! Où Kate était-elle allée chercher un pareil nom ! Son penchant pour les facéties ne connaît décidément aucune retenue.

Le silence exceptionnel des cloisons et des meubles la rendit loquace :

— Imagine un sourd et un aveugle perdus chacun de son côté sous l'orage. Eh bien, l'un n'entend pas le tonnerre et l'autre ne voit pas l'éclair. Ni l'un ni l'autre n'échapperont à la foudre...

— Qu'est-ce que tu cherches à me dire, Katie, avec tes airs de ouistiti ?

— Qu'à nous deux, pas de danger de se faire surprendre par l'orage...

Ma petite sœur aime bien les énigmes. Elle aime encore plus les chansons. Alors qu'elle fredonnait une de ses comptines préférées, bercée par sa voix, j'ai dû m'endormir...

What's your name, Mary Jane
What's your number, Cucumber

Mon rêve continua l'aventure de cette nuit. Sauf que Katie était à ma place et moi à la sienne. J'avais pour mon compte gardé ma réserve sous son aspect de lutin espiègle et je m'étonnais fort de voir subitement si intrépide, là, en face du corps que j'occupais, cette grande carcasse d'adolescente qui ne m'appartenait plus. Bref, nous descendions l'escalier bizarrement l'une dans l'autre, moi en elle ou elle dans moi, et je ne sais plus laquelle tremblait si fort que la maison entière en ressentait les secousses. «Allons n'aie pas peur, dit Katie en moi, il y a toujours une marche après la dernière marche.» Par le soupirail ouvert du poêle jaillissaient des langues de feu tandis qu'il grondait jusque dans ses épais tuyaux de ferraille. En me penchant pour le fermer, malgré l'intense chaleur, j'aperçus dans cet aquarium de braises des squelettes d'enfants de la couleur du fer en fusion. Ils s'agitaient avec lenteur comme de longs poissons délicats, aiguillettes ou hippocampes. Ma sœur au visage de miroir me tirait par la manche. «Viens, viens donc, disait-elle sans mots connus, l'incendie s'éteindra bien tout seul.» Nous nous laissâmes aussitôt couler dans le tourbillon d'un escalier d'eau vive qui me parut familier, même si je n'avais pas oublié qu'une sorte d'échelle de bois rivetée menait à la cave. On glissait à toute vitesse sur ces vaguelettes en forme de marches, bientôt sous terre, au milieu des racines des cèdres et des grands pins. De gros vers luisants faisaient leur office de réverbères dans ces profondeurs. D'ailleurs j'avais l'impression de m'enfouir dans une ancienne mine de sel gemme ou une de ces cavées toutes charpentées de branches en plein soleil. Katie, ma petite Katie transformée en Maggie (quelle désagréable impression d'ankylose!), s'exclamait déjà en dessous de moi: «C'est Mister Splitfoot! Le voilà donc dans sa gentilhommière! Mister Splitfoot en personne...» Et de chanter à tue-tête sans que j'aie vu qui que ce soit, à part un méchant feu follet montant des entrailles de la terre:

Where do you live?
In the grave!
What is your favorite song?
Hello maggot!

Réveillée en sursaut, je compris que ma voisine de lit avait à peine achevé sa comptine, d'ailleurs perçue avec d'étranges déformations, et que mon rêve s'était évanoui le temps d'un bâillement. Mais par précaution ou par superstition, je tâtais mes seins, assez développés pour mon âge, puis ceux de ma sœur qu'on peut dire inexistants.

— Qu'est-ce qui te prend ? s'irrita Katie.

— Oh rien vraiment ! lui dis-je sans rire. Je voulais seulement m'assurer que tu n'es pas moi...

Timidement, un bras tout engourdi, je lui demandai si elle voulait bien répéter la fin de sa chansonnette.

— Quelle chansonnette ? s'étonna-t-elle.

— Tu sais bien : « *Where do you live...* »

— Ah, la comptine pour Mister Splitfoot ! Je ne m'en souviens plus très bien. Attends, ça me revient :

Quel est ton nom ? Corne au menton
Quel est ton numéro ? Zéro plus zéro
Quel est ton pays ? Loin du paradis
Quelle est ton adresse ? Rue des deux diablesses
Où habites-tu ? Au noir logis qui tue

X

Première conversation
avec Mister Splitfoot

Au fil des nuits de ce mois de mars, les phénomènes prirent une ampleur sans précédent. Les
secousses du parquet, dans les chambres, faisaient trembler les lits et on ne pouvait se tenir
debout sans ressentir, à chaque coup, une longue
vibration de bas en haut de la colonne vertébrale.
À l'approche de minuit, les bruits tour à tour
sourds ou détonants, lointains ou proches, pareils
à l'effet d'une cognée sur une bûche ou d'une
masse de fonte contre quelque planche brisée
net, se précipitaient sans discontinuer, si bien que
le repos de la famille était suspendu aux caprices
mystérieux de leur demeure. Seul John D. Fox,
homme de certitude qui ne jurait que par les
croyances et théories de l'Église épiscopale
méthodiste, assez peu encline aux superstitions et
toujours habile à ramener l'insolite à la banalité
des causes, ne voulait en aucun cas renoncer à
son stertoreux sommeil. Face à l'inquiétude
croissante de son épouse, il affichait cette contenance butée du forçat volontaire que l'alcool

achève d'ensuquer. La baraque selon lui souffrait de son antiquité, le bois travaillait, il y avait des glissements de terrain. Ces histoires de revenants n'étaient que des âneries. On pouvait seulement craindre de se trouver emporté par un éboulement au fond de l'étang. Mais par la grâce du Seigneur et de quelques godets d'un honnête whisky, son digne repos n'aurait su en être perturbé.

Cette nuit-là, l'ultime du mois de mars 1848, le père Fox étant encore à ses affaires à Rochester, les trois habitantes de la ferme de la Longue Route, tout à fait épuisées par le désordre de la veille, se couchèrent dans la même chambre, celle des parents, dans l'espoir d'échapper aux affres de l'insomnie. Bonne mère et Margaret s'étaient depuis longtemps assoupies quand les heurts repartirent de plus belle peu avant minuit.

Kate ne dormait jamais que d'un œil. Comme la veille, elle guettait les signes avant-coureurs du phénomène, au fond d'elle-même impassible, pénétrée par l'immense prodige d'être vivante au cœur de ces ténèbres. Elle eût très bien pu disparaître inopinément ou se métamorphoser en chat ou en cruche sans que cela changeât d'un cheveu ou d'un monde cette étrangeté qui battait avec l'horloge au bout extrême de la seconde. Être soi, petite fille négligeable, et sentir avec une folle acuité l'enlacement des mystères de la nuit, était une épreuve dont elle voulait s'amuser pour ne pas mourir de terreur. Mister Split-foot, une fois pour toutes, rassemblait selon sa

fantaisie les énigmes des lieux clos et poussié-
reux, tandis que le Peau-Rouge à lunettes vertes
l'accompagnait dans les espaces ouverts, forêts
et hautes plaines, en messager du Peuple du
vent et de la lumière.

Cependant les coups se firent plus violents,
assez pour réveiller Maggie couchée à sa dextre,
là même où ronflait le père Fox d'ordinaire,
tandis que bonne mère soupirait doucement à
senestre. Maggie vit sa sœur occupée à faire craquer ses phalanges, pouces contre majeurs. À sa
grande stupeur, les coups répondirent en écho,
juste après les claquements de doigts. Un coup
pour un coup, deux pour deux et ainsi de suite.
Mister Splitfoot jouait à donnant-donnant.

Kate prit ce ton malicieux qui lui était si favorable avec les grandes personnes, à la fois séduites
et décontenancées.

— Si tu sais compter jusqu'à sept, prouve-le !

Sept coups suivirent, parfaitement espacés l'un
de l'autre et d'une proximité alarmante.

— Compte dix, maintenant...

Tandis que les coups se succédaient, bonne
mère réveillée par le raffut échangea avec Margaret, assise sur l'autre bord du lit, un long regard
où se mêlaient saisissement et circonspection. La
chose était si extravagante, dans cette solitude
sans recours des campagnes, que l'émotive précipitation des pensées qui les assaillirent toutes
deux alors dut brusquement ouvrir en elles,
femme simple portée aux superstitions et jeune
fille en dommage d'amitié, les canaux subtils et

rayonnants de la psyché. Sans préavis, par la fantaisie d'une fillette insomniaque, un autre monde toquait aux murs et aux planchers. L'espèce de communication spontanée avait pris une telle véhémence incontrôlable, que bonne mère perdant toute réserve s'aventura à poser une question d'ordre intime à l'entité.

— Tiens donc, combien ai-je eu d'enfants ?

Sept coups tonnèrent en réponse.

— C'est faux ! se récria-t-elle, soupçonnant avec une secrète désolation un caractère artificiel et mécanique au phénomène. Combien, combien en ai-je eu dans ma seule vie ?

Sept coups suivirent pareillement.

— Voyons, dit-elle, soudain très lasse, je n'ai eu que vous deux et Leah, et mon aîné David qui est si brave, et le pauvre Big Bill qu'il a fallu placer en hospice...

— Et Abbey, tu l'oublies ? murmura Kate toujours sur son séant, les yeux fixés droit devant elle.

— C'est vrai, Dieu me pardonne ! Avec le petit Abbey, ça fait six...

La fermière, absorbée dans une douloureuse rêverie, émit un bref gémissement.

— Les mort-nés comptent-il aussi ? Que la géhenne leur soit épargnée ! Au moins ont-ils vécu heureux au giron... Ça ferait donc un de plus. Un plus six...

Il y eut un silence à peine troublé par le grincement d'une branche maîtresse du cèdre, derrière la grange. Sur les draps et les visages, à travers les lattes disjointes des volets, la nuit entière jetait des éclats pareils à des insectes couleur de braise nés de l'oblique réfraction des étoiles dans le miroir sombre de l'étang.

Kate et Margaret écoutaient la respiration de la nuit elles aussi, sans raisons claires infiniment soulagées que bonne mère fût entrée dans la confidence. Une grande personne aux hanches larges les escorterait désormais en des parages douteux peut-être minés de pièges. Katie se souvint d'une visite d'adieu au cimetière de Rapstown, quelques jours avant le déménagement. C'était par une fin de journée du plus bel automne, et les tombes dispersées des notables jetaient leurs ombres lugubres dans l'herbe rouge. Jaillie des fosses fraîches en criaillant, une bande de corneilles parut endeuiller l'azur. Dans un coin perdu, à l'écart des monuments de pierre, le carré d'herbe de la famille Fox, avec sa stèle de granit, était envahi d'un mélange de ronces et de passiflores. Le grand-père et Abbey étaient allongés là-dessous, l'un par-dessus l'autre. Par quelle étourderie l'avait-on oubliée dans le crépuscule, seule au milieu des morts ? Elle gardait en elle l'image d'un champ empourpré de soleil couchant avec toutes ces pierres de guingois, ces croix de bois, ces inscriptions. Les ombres chinoisaient dans un contraste violent de lumières. Elle n'eût pas été surprise de voir se profiler les cornes de Belzébuth. « M'entends-tu petit frère, tout au fond, m'entends-tu ? – Ne me laisse pas tout seul, dans la nuit, dans la terre. – M'entends-tu tout au fond ? – Sœurette, ne me laisse pas, j'ai froid, la terre me brûle… »

À moins d'un mètre l'une de l'autre, bonne mère et Maggie ont échangé un signe de connivence. Il ne faut pas la réveiller. C'est dangereux de réveiller les somnambules. Katie, les pupilles agrandies, s'est levée du lit et marche dans la pièce obscure. Elle a quitté le cimetière. Elle cherche d'où viennent ces pleurs mélodieux comme un chant de tresseuse de panier. Les grands animaux aux pattes de fumée se mettent à fuir son approche dans ces plaines inexplorées. Quel est ce bruit de cymbales très haut dans la montagne et ces hordes parmi les ultimes flamboiements ? Le visage d'Abbey l'accompagne, fine brume vers la nuit plus aveuglante que les portes du paradis.

— Dieu, nous dormons ! constata-t-elle subitement.

Et elle se réveilla, vacillante, juste au pied de l'escalier. Accourues, la fermière et l'adolescente la reconduisirent dans son lit comme elle le demandait. Non, elle n'aurait pas peur d'être seule avec l'esprit. Bonne mère avait entendu dire qu'il ne faut pas contrarier un somnambule. Que même lorsqu'il semble tranquille sous l'édredon, il voyage, les bras devant, à travers l'autre monde.

Une fois Kate couchée et bordée, n'écoutant pas les appels angoissés de Maggie restée dans la chambre des parents, Mrs Fox se mit à murmurer lèvres closes cette comptine si gaie que lui chantait sa propre mère mourante pour la consoler d'avoir à continuer seule le chemin sans repos.

Good night little girl, sleep tight
Keep this ring on your finger, so bright!
In your sweet rosebud bed, good night

XI

Le révérend Gascoigne en famille

Le soleil d'avril, entre deux nuées où semblaient culbuter toutes les tombes de la mémoire, inonda soudain les prairies et les champs d'une lumière plus délicieuse qu'une gorgée d'eau pure. Assis devant son bureau de vieux chêne, sa planche à sermons comme il l'appelait, le révérend Gascoigne considérait les évolutions de Pearl. Elle s'était immobilisée à la fenêtre qu'elle venait d'ouvrir, légèrement penchée, sans doute saisie par cette éclaircie après l'averse. On entendait le pas tranquille d'un cheval conduit par quelque cow-boy. Allait-il s'arrêter à Hydesville ou poursuivre sa route vers Rochester ? Pearl avait refermé la fenêtre et légère, éloquente de beauté et de grâce dans sa robe de mousseline à ceinture incrustée, elle pivota sur elle-même dans un mouvement de déroulé à droite, exactement comme pour une valse, mais selon un ralenti qui donnait à chacun de ses gestes une nécessité simplement ménagère : un sulfure déplacé, un bouquet d'herbe d'amour et de muguet bleu recoiffé, un prétexte de poussière vite soufflé…

— Pearl, Pearl! s'impatienta le pasteur. As-tu une faveur à me demander pour tourner ainsi comme un pitoyable toton?

— Oh! non, mon père, je pensais à ces événements. Les sœurs Fox étaient absentes hier. Croyez-vous que…

— Il n'y a rien à croire ou à penser de ce côté-là!

— On dit que même Mr Fox, qui a pourtant la tête solide, raconte des histoires au village…

Le révérend eut un mouvement de lassitude. Sa figure pâlie par les veilles se creusa un peu plus. Mais voulant paraître aimable, les vertèbres mal empilées, il rectifia son assise sur le siège à vis.

— Ce chrétien-là communie avec plus d'ardeur au saloon qu'au temple. L'alcool et les dominos finiront par tous les déboussoler, lui et ses pareils. Quand ils ne sont pas accaparés par leur sainte besogne, les pêcheurs n'ont qu'une hâte: s'éloigner de la lumière divine…

Pearl s'était appuyée du bout des doigts contre la table d'étude, avec une délicatesse d'aigrette, lançant sur le vieil homme un de ces regards bleu de ciel sous la barre d'ombre des paupières.

— Vous montrez trop d'exigence envers ces pauvres fermiers, probablement…

Le révérend Gascoigne considéra sa fille avec un indémêlable sentiment de contrariété, de tendresse illimitée et de profonde mélancolie: à quelques années de différence, Pearl ressemblait tellement à Violet lorsque celle-ci était jeune mère, certes la raison en plus, mais la raison était chez elle davantage une revendication, presque un reproche, une manière de pétition systématique. Il admit sans le penser, par adhésion intime, que le deuil de son épouse avait brûlé en lui toute vraie charité, calciné le tissu cardiaque de la compassion, ne laissant qu'un peu de fibres blanches pour les virtualités de la grâce. Depuis le suicide de sa femme, son statut de pasteur flirtait avec l'imposture, pourtant il ne dérogeait à aucun de ses devoirs sacerdotaux ou civiques. Pearl pendant ce temps évoluait comme si la morale était sauve. Sa mère ne s'était-elle pas noyée par accident ? Elle n'entendait rien aux insinuations et autres désobligeances alentour. Tous les combats pour la liberté et l'égalité inscrits dans les Évangiles étaient siens. Il soupçonnait sa participation aux réseaux d'aide aux esclaves fugitifs, elle ne cachait rien de ses convictions émancipatrices radicales, tant pour les nègres que pour les femmes. Pearl avait une énergie sans faille et certainement l'aspect de ces beaux anges graciles que les papistes aiment à représenter. À qui marier sur cette glèbe à pourceaux un pareil phénomène ? Avant la liberté de culte, dans l'Ancien Monde, elle aurait été mise au rang des opiniâtres qu'on traînait jusqu'au supplice sur des claies d'infamie… Le révérend s'agaça des associations saugrenues qui ne cessent d'assaillir la vacuité de l'esprit.

— Pourrais-tu me laisser étudier mon prêche, j'ai à réajuster les cervelles d'un sacré lot de renégats en puissance...

— Pourquoi, vous n'y croyez pas? lui lança de front la jeune femme narquoise, son œil d'un bleu infini posé sur le couteau de ses lèvres.

— À ces stupides histoires d'esprits frappeurs? Je n'adhère qu'au Salut par Jésus-Christ!

Le révérend vit la silhouette de sa fille s'évanouir dans la pénombre du palier. Elle ne referma pas la porte derrière elle, et son rire tourné vers d'invisibles présences – sans doute son vieux yorkshire à poils longs dégringolant l'escalier ou le mainate discoureur en chaire dans sa cage du vestibule – lui parvint réverbéré, rendu presque irréel, comme d'un temps autre, bien avant la première crise de neurasthénie de la malheureuse Violet.

Le front baissé sur une bible, il prit sa tête entre ses poings pour ne plus rien entendre des bruits du monde. Quand il méditait un sermon, la veille de le prononcer, c'était pour lui un répit, une trêve au prosaïsme de sa fonction, laquelle consistait à divertir une masse de butors et de benêts ou à effrayer les enfants. Un rayon de vraie lumière dans ces crânes étroits ferait plus de dommages qu'une cartouche de poivrière. Comment leur laisser entrevoir les voies du Seigneur? Depuis Luther, les Frères Moraves et le Club des Saints, il n'y avait pas d'autres moyens d'annoncer la bonne nouvelle que de faire tonner le temple d'épouvantes et de malédictions. En plein air ou dans les mines de charbon, les mortels ne comprennent que le tonnerre de Dieu, tous aveugles à sa foudre. John Wesley, fondateur de l'Église, courait jadis comme Attila à travers les landes d'Angleterre, lisant et écrivant ses prêches à dos de cheval, avec la conquête des âmes pour exclusive ambition. Dans les hautes plaines hantées d'Amérique, mieux valait faire face à des masses d'incrédules ou de papistes esclavagistes qu'à un seul nécromant.

Le révérend Gascoigne feuilleta sa bible. Avec une dextérité de joueur de bonneteau, il passa du Pentateuque au Livre de Nahum, du Lévitique aux Proverbes. Son doigt se posait sans hésitation sur le verset utile, en écho d'innombrables homélies. Ainsi l'Éternel parlait-il à Moïse : « Ne vous tournez point vers ceux qui évoquent les esprits, ni vers les devins ; ne les recherchez point, de peur de vous souiller avec eux. » Ainsi le roi Manassé offensant l'Éternel plaça-t-il Baal et Astarté dans le Temple et immola-t-il son propre fils ; comme les Philistins, il s'entoura de mages et de faux prophètes.

— « Maison de Jacob, venez, et marchons à la lumière de l'Éternel ! » murmura le pasteur.

Puis, sans plus lire que dans les pliures de sa mémoire :

— « Qu'on ne trouve chez toi personne qui fasse passer son fils ou sa fille par le feu, personne qui exerce le métier de devin, d'astrologue, d'augure, de magicien... Entre dans les rochers, et cache-toi dans la poussière, afin d'éviter la terreur de l'Éternel et l'éclat de sa majesté. »

Brusquement à court, il se dit que si les Prophètes, grands et petits, s'étaient tous résolument détournés de cette prostitution funèbre, ce devait être parce que le don de vaticination s'en trouvait dévoyé. Rompant sa médiation, il s'écria :

— « Si quelqu'un s'adresse aux morts et aux esprits, pour s'avilir auprès d'eux, je tournerai ma face contre cet homme, je le retrancherai du milieu de son peuple. »

Mais quels pouvaient être les démoniaques qui, tombant en défaillance, auraient eu à cœur de ranimer les flammes de l'enfer ? Fermant les yeux, il reprit d'une voix plus assurée :

— « Réjouissez-vous d'être vivants et sans péché, abandonnez au Seigneur toute autorité et puissance sur les esprits impurs ! »

Le révérend se souvint du roi Saül en quête d'une nécromancienne capable de suppléer la farouche surdité de l'Éternel à son égard. Ses serviteurs lui trouvèrent une femme à En Dor. Déguisé en négociant, le roi alla la visiter et lui ordonna : « Prédis-moi l'avenir en évoquant un mort. » La femme répliqua qu'elle y risquait sa vie, qu'un décret royal le lui interdisait, mais Saül jura de la préserver si elle obéissait et il lui demanda de faire monter Samuel, le dernier Juge, du royaume souterrain. Et la femme épouvantée dit à Saül qu'elle reconnut alors comme son roi : « Je vois un dieu, il remonte de la terre ! » Mais le vieillard enveloppé d'un manteau, celui-là même qui de son vivant le plaça sur le trône, ne voulut pas répondre à la détresse de Saül. Pourquoi un prophète défunt prophétiserait-il ?

D'une voix vibrante d'indignation, le révérend s'écria :

— Les cavaliers s'élancent, l'épée étincelle, la lance brille… Une multitude de blessés !… Une foule de cadavres !… Des morts à l'infini !… On trébuche sur les morts !…

Puis, plus sourdement, au sortir d'un état second :

— Non, les morts ne répondent jamais aux implorations des vivants, sinon pour leur annoncer la déchirure de leur royauté ! Les morts sont sans mémoire et sans amour…

Le révérend baissa encore le ton, l'esprit confus. Pérorant jusque-là dans la tour de Babel de sa songerie, mêlant les Rois et les Prophètes, il retourna contre lui-même, contre sa solitude de veuf asséché en vaines exhortations, les versets de l'Ecclésiaste :

— « Et leur amour, et leur haine, et leur envie, ont déjà péri ; et ils n'auront plus jamais aucune part à tout ce qui se fait sous le soleil. »

XII

Si tu m'oublies au désert

Sur la Route Longue depuis l'aube, William
Pill supposait avoir franchi les limites du comté
de Monroe, sans pourtant rien reconnaître
encore : les champs de blé et autres fourrages à
bêtes ou à humains s'étendaient bien souvent là
où naguère les prairies sauvages alternaient avec
les lacs et les forêts. Ces jours derniers dans
l'Ohio, puis en Pennsylvanie, chevauchant sans
hâte vers une idée, il avait eu le temps de retourner sa mémoire dans tous les sens. Il lui restait
quelques dollars de sa solde auxquels s'ajoutait
une montre en argent massif gagnée au poker à
Cleveland. Non loin de Philadelphie, sur les
rives du fleuve Delaware, l'Appaloosa s'était mis
à rechigner salement tandis que le Barbe encouragé à la mutinerie avait décidé de se coucher en
vache à la moindre halte.

Ainsi dut-il changer de monture à grands frais,
car les siennes, ayant perdu toute prestance, ne lui
rapportèrent que le prix de la carcasse. L'essentiel
de son bagage rassemblé sur un solide Quarter

horse d'un mètre soixante au garrot acheté à un cow-boy en chaise roulante qui prétendait s'être brisé le dos dans un rodéo – ce qu'il fit mine de croire tant la jument à tête de reine lui paraissait de bonne composition –, William Pill remontait maintenant au pas la Longue Route, rassuré sur son étoile à l'issue d'une guerre et d'un périlleux voyage. Malgré quelques tribus d'Iroquois versatiles et les disputes sanglantes entre clans d'éleveurs et familles de cultivateurs, l'État de New York était un havre de paix en comparaison avec l'Ouest et les Grandes Plaines, aux confins du fleuve Colorado et des montagnes Rocheuses. Son épaule cicatrisée, la balle mexicaine en poche au titre de porte-bonheur, il ne possédait donc rien, à part cette montre de gousset à double boîtier gravé d'un aigle, un fusil Springfield et la vieille bible de son défunt bienfaiteur Edward Blair – aucun bien patrimonial, nulle famille, pas un ami de cœur. Il n'avait pour lui que l'avenir qui n'appartient à personne.

En fin d'après-midi, toujours au petit trot sur Altesse, sa remuante jument à crinière flammée, il lui sembla reconnaître enfin le panorama en perspective, comme un visage qui se rapproche. Il n'en douta plus quand, à main gauche, se dénouèrent des brumes les collines serrées de l'Iroquois, avec ces rochers abrupts çà et là, bornes entre les plaines cultivées et l'échappée des vallées hautes où les bouviers mènent leurs troupeaux aux beaux jours. Rompant cette distribution de part et d'autre d'une rivière aux apparitions variées, tantôt impétueuse, tantôt sinueuse et calme, de vastes massifs de trembles et de résineux aux fûts démesurés apportaient au paysage une sorte d'intériorité méditative, de frissonnement inquiet peuplé de chants d'oiseaux et d'échos indéfinissables, comme si le silence avait une respiration. Deux aigles enroulaient leurs vols, très haut, dans la meurtrissure du soleil couchant.

Une fois de plus, tel un feu sournois dans les brandes, la rivière étincela au détour d'un vallon assombri. Pill aperçut enfin le grand réservoir aux allures de moulin à vent et, plantée sur le bas-côté, une planche où était peinte en lettres noires l'inscription *Hydesville*. Un peu plus loin, au milieu d'un pacage cerné de basses falaises crayeuses que les souches noires des pins crevaient par endroits comme les doigts tordus du démon, un arbre monumental se dressait, solitaire, *dans son immensité d'ombre*. Il reconnut le chêne du Pré-Courant qui, au hasard d'une graine chue, avait conquis un tiers du ciel de ses ramures et devait explorer de ses racines les profondeurs de l'Enfer. À ses branches basses fut naguère pendu haut et court, après bien d'autres exécutions sommaires, un certain Joe Charlie-Joe, fils d'esclave rendu blanc comme neige au Seigneur par les éleveurs du ranch des Mansfield, à cause d'un baiser volé à la belle Emily, l'unique héritière du clan. Cette histoire vieille d'une quinzaine d'années, on la lui avait rabâchée au saloon. Celle qui avait dénoncé le malheureux garçon, devenue mère de famille à la figure penchée de vierge sur d'admirables seins, était désormais la maîtresse régnante du ranch qu'on pouvait voir au-delà des pâtures d'hiver, ample pavillon de bois profilé à l'antique avec son péristyle peint en blanc. Plus avant encore, un peu en contrebas de la Longue Route, les toits d'ardoise et de tôle du centre de Hydesville clignotaient au dernier soleil. Hormis quelques abois exténués et le transparent vacarme des oiseaux, aucun bruit ne s'élevait du bourg.

William Pill tira la bride du côté des habitations, curieux de ce silence. Prompte à la volte-face, une oreille en arrière, Altesse remonta au pas la rue principale. Ses sabots qui sonnaient en rythme les quatre temps soulevaient une poussière blanche. L'homme eut un doute dans ce désert ; il avait vu plus au sud des villages entiers vidés de leurs habitants. Les gens de par ici tenaient à leurs bonnes terres, mais l'or de Californie en avait rendu fous bien d'autres. Cependant deux jeunes Mohawks accroupis sur le perron du temple le tranquillisèrent : les Indiens n'aiment pas les maisons mortes. Il les salua en relevant d'un doigt son chapeau et poursuivit sa visite distraite des lieux. Un vieillard à bretelles fumant sur son seuil, des enfants en bas âge aux basques d'une nourrice noire, un cheval attelé à la barrière d'un comptoir de céréales, une tribu de chats autour d'un tanneur borgne : ces parcelles de vie dans la poussière qui vole impliquaient une communauté intacte, sans doute massivement accaparée ailleurs, par l'attraction d'un guérisseur venu de Boston ou de

Rochester, quelque prêcheur itinérant ou le lynchage d'un voleur de poules. À la fenêtre d'un assez bel édifice qu'il reconnut pour être la demeure du révérend Gascoigne, les rideaux de tulle s'entrouvrirent sur un visage de femme, si lumineux avec sa chevelure blonde dénouée, qu'il en fut pétrifié sur sa selle au point que le Quarter horse surpris tourna du col et broncha drôlement.

Dépité par une sensation de lacune des plus indicibles, quelque part entre le diaphragme et la glotte, William Pill reprit en main la bride. Il allait au trot maintenant, pressé de retrouver la Longue Route, et sa monture, crinière au vent, ne forgeait plus des quatre fers. C'est alors que le canon d'un fusil à répétition manuelle se profila non loin.

— Halte-là où je tire ! braillait un gaillard botté qui se précipita sans perdre sa mire au beau milieu de la chaussée.

Le nouveau venu obtempéra de bon cœur. Il avait reconnu le marshal malgré son empâtement et ses rides. Était-il possible que Robert McLeann l'eût gardé en mémoire ?

— Descends de cheval et approche ta main libre sur la nuque, *Willie the Faker* ! Nous avons à causer tous les deux…

Connaissant la détente peu fiable du type d'arme à feu braqué sur lui, il fit comme on lui demandait. Ce McLeann l'avait toujours bien amusé avec sa probité migraineuse et son honneur de fonction.

Assis derrière le bureau de l'office, canon baissé, le marshal dut convenir de sa bévue en déroulant le Certificat du mérite signé par le général Zachary Taylor en personne.

— S'il n'y avait pas ton nom et ta date de naissance écrits en toutes lettres, je pourrais croire que tu l'as gagné au poker sur un bougre de héros !

— Je l'ai gagné de mon sang ! répliqua avec une certaine emphase William Pill en découvrant la vilaine cicatrice à son épaule. Et si vous étiez seulement équipé du télégraphe, comme tous les shérifs qui se respectent, ça éviterait de fâcheux errements…

— Ce qui ne va pas m'empêcher d'envoyer une demande de renseignements sur ton compte dès demain par la malle-poste !

William Pill s'esclaffa, un œil sur la porte close du saloon, de l'autre côté de la route, à travers la fenêtre crasseuse.

— Mais que se passe-t-il par ici, marshal ? Une épidémie de dysenterie ?

— J'aurais préféré. Et même la fièvre jaune…

C'est sur ces paroles énigmatiques que le sergent de réserve de l'armée régulière quitta l'ancien shérif du comté de Jefferson déclassé en fonctionnaire de police auxiliaire au comté de Monroe à cause d'une femme inconstante ou, si l'on préfère, fidèle à son seul instinct.

La nuit allait tomber sans ressusciter davantage la population de Hydesville. Des chiens errants et une vache échappée occupaient seuls la rue principale dans la fausse clarté du crépuscule. On distinguait bien quelques lueurs aux fenêtres, et des faces d'ancêtres parfois se penchaient, mais tout ce qui avait jambe semblait évanoui en un secret pèlerinage. Altesse avait repris le chemin de la Longue Route, entre les profils d'ombre des bosquets et la fuite évanescente des collines en passe de se confondre avec les contours malléables de la rêverie. Empreints du mystère d'espaces transfigurés par l'inversion de la lumière, occultée et plus intense à la fois, les soirs de printemps avaient une fraîcheur piquante qui tombait des étoiles. À ces moments d'extinction entre chien et loup, William Pill se remémorait un fond outré d'images et de sensations béantes comme des plaies. Mais c'était dans un autre monde prétendu vieux, à la réflexion d'une cruelle juvénilité, avec son lot de calamités frappant en priorité les enfants : ses frères et sœurs emportés par le choléra gardaient intacte et au-dessus de toute raison la jeunesse de ce continent-là.

À voguer ainsi entre colline et vallon, chevauchant déjà la nuit, l'esprit cette fois rattrapé par l'espèce de naufrage continu qu'avait été anciennement sa traversée de l'Atlantique sur un rafiot d'amère discorde baptisé par dérision le *Fraternité*, William Pill crut entrevoir, cernée de ténèbres, toute une flottaison de fanaux scintillant sur cette mer de hautes herbes et de ramées.

XIII

Visiteurs d'un soir à la maison hantée

La curiosité poussée à son paroxysme se retourne souvent en émeute, mais la foule pour l'heure se pressait dans un silence avide autour de la ferme de la famille Fox, lanternes et lampions en main, à l'extérieur pour la grande majorité, tandis qu'à l'intérieur les premiers venus serrés contre les murs écoutaient avec un air d'effroi studieux les injonctions de Mrs Fox mère :

— Bougez pas, mes chers voisins, faites plus un bruit, c'est comme ça que, la nuit dernière, la frappe est survenue, contre le parquet et sous les lits qui tout de bon en sursautaient. Nous avons ouï des pas dans le garde-manger, et ici même, au pied de l'escalier. Impossible de fermer l'œil : un esprit malheureux rôdait autour de mes filles et de moi-même, cherchant par tous les moyens à se manifester à nous...

Traversées par des sentiments contraires, de la jovialité à la terreur en passant par la plus extrême perplexité, les faces des villageois godaillaient comme des tentures au vent sous les flammes dansantes des lampes à huile. De plus en plus assurée, la voix de la mère Fox s'identifiait à l'onde d'ébahissement qui modifiait à chaque instant les physionomies.

— Alors j'ai dit : « Est-ce un être humain qui est prêt à me répondre de manière honnête ? » Mais là, rien, pas de secousse à la clé. J'ajoute : « Est-ce un esprit ? Si c'est le cas, faites deux coups. » Deux coups, je le jure, ont aussitôt suivi. Je rajoute : « Si vous êtes un esprit blessé, faites trois coups. » La maison en fut tout ébranlée pour le compte. J'ai ensuite demandé, pas du tout rassurée : « Avez-vous donc été blessé sous ce toit ? » La réponse n'a pas tardé. « Serait-ce des fois que vous auriez été agressé ? » C'était oui, sans réplique ! Par les mêmes agissements, j'ai pu enregistrer que l'esprit du défunt qui me donnait toutes ces nouvelles avait été de son vivant colporteur et père de famille, qu'il fut assassiné pour son argent il y a quinze ans dans cette maison à l'âge de Notre Seigneur, et que son cadavre est bel et bien enterré dans la cave...

À cet instant précis, un bruit sec d'une rare violence se traduisit par l'éclatement d'un vase de verre blanc orné de bleuets, campanules et gentianes, lesquels se répandirent sur la table et le sol. Les yeux ronds, Mrs Fox montra du doigt les brisures.

— Et de deux ! s'exclama-t-elle. Y va-t-y comme ça me casser tous mes pots ?

Dans la salle commune pleine de monde, il y eut un mouvement général de recul en même temps qu'un grognement d'effroi jailli étouffé de toutes les gorges. Cet affolement contrastait avec le début de liesse qui avait saisi la foule rassemblée dehors, tant il est vrai que, même aux pires moments, quelques lampions aux mains de braves gens par nuit claire suffisent à mettre les cœurs en fête.

Debout sur une marche dans son costume de ville élimé qu'il ne quittait plus, le père Fox considérait son monde avec une certaine hauteur, les bras croisés sous sa barbe tel un mormon ombrageux. Il se passait sous son toit des événements considérables et l'idée s'insinua en lui tout naturellement d'en tirer quelque orgueil. Un pauvre fermier méthodiste ignoré de ses contemporains et moqué de ses filles pouvait bien, une fois dans son existence, s'imaginer élu pour des fins impénétrables. Car il était persuadé qu'une grande malédiction les avait frappés. Ne fut-il pas longtemps le seul dans la maisonnée à refuser toute cette folie ? Mais une volonté démoniaque s'était imposée d'un autre monde. Il n'y pouvait rien. Un homme simple qui n'est instruit que de Dieu ne saurait lutter contre de pareils phénomènes. Et que savait de plus que lui madame son épouse rendue en quelques jours plus loquace que le révérend Gascoigne ? L'esprit avait touché sa langue, faute d'atteindre sa cervelle ! C'est elle qui l'avait envoyé chercher la veuve du Bout du Haut, leur plus proche voisine. Mrs Redfield, la mâchoire tremblante, manqua s'évanouir quand la mère Fox partit à évoquer le colporteur égorgé, surtout qu'à cet instant précis un vase que la petite Kate avait garni peu avant de fleurs des champs s'était brisé en mille éclats.

Mrs Redfield et tous les autres ouvraient désormais des yeux de batracien sur le plancher et la table. Il y avait là en première ligne Isaac Post, le seul dans l'assemblée à s'y connaître en transmission. Presque à jeun, la moustache frémissante, ce bon Philadelphien hochait du chef comme une mule contrariée. Anciens éleveurs rendus à la terre à la suite d'une ruineuse épidémie de rhinopneumonie équine, les Duesler ne s'étaient pas fait prier pour accourir. C'est Mrs Duesler qui rameuta tout ce qui traînait de guêtres dans les environs. Rentière respectée, l'austère Mrs Hyde – la fille aujourd'hui septuagénaire du fondateur de Hydesville, un pasteur entreprenant qui fit bâtir dans la vallée une gigantesque scierie avec le projet de gagner à l'agriculture les massifs forestiers – remonta à pied la Longue Route flanquée de sa domestique, une lampe sourde à la main. Mr et Mrs Jewell ne manquèrent pas non plus à l'appel, ceux-ci tremblant d'une folle espérance. Et l'ours solitaire George Willets, toléré au village depuis qu'il avait poussé sa quête de la lumière intérieure jusqu'à se séparer de la Société des Amis. On comptait aussi Stephen B. Smith, grand chasseur et amateur d'armes, et sa femme Louise qui se trouvait être une lointaine parente de Mrs Fox. Ainsi que l'aîné de la fratrie, David S. Fox et son épouse, fermiers à trois lieues d'ici, dans le district de Pittsford. La maîtresse de séant considéra ce beau monde aux aguets. Jamais, même au temple les jours de confession publique, elle ne s'était trouvée au centre d'une pareille assemblée. Sans vraiment se le formuler, elle avait invité la communauté villageoise pour mettre un terme aux rumeurs et afin de partager un prodige. N'était-il pas épatant que, pour la première fois depuis la résurrection de Notre Seigneur, l'au-delà se manifestât aux pauvres mortels !

— J'ai demandé : Vas-tu continuer à faire ton raffut si je convoque le voisinage, qu'il en profite aussi ? L'esprit m'a répondu par l'affirmative…

— Dans ce cas, nous autorises-tu à l'interroger nous-mêmes ? coupa Isaac Post fatigué de cette homélie de bonne femme.

— J'aimerais lui poser des questions au sujet de mon cher fils, s'écria Mrs Jewell.

Dépassant le cercle des fermiers d'une bonne tête, bien campé dans ses bottes poussiéreuses, un solide gaillard à la face marquée de petite vérole lança avec gouaille de son côté :

— Et qu'est-ce qui nous prouve que vos demoiselles ne sont pas en train de nous berner dans un placard avec un manche à balai !

Aux écoutes sur le palier de l'étage depuis le début de l'invasion, Kate et Margaret descendirent dignement l'escalier pour contrer les rires méchants qui fusaient.

Isaac Post intervint alors de sa voix caverneuse, exhortant ses hôtes et le public à ne pas perturber la communication par d'intempestifs brouillages. Il disserta dans l'ennui général sur les codes chiffrés du télégraphe électrique de Morse et Vail.

— Où voulez-vous en venir ? l'interrompit Stephen B. Smith.

— C'est simple, puisqu'on peut aujourd'hui transmettre et recevoir des messages à des distances considérables, entre Washington et Baltimore par exemple, au moyen d'impulsions électriques, gageons que nous pourrions en faire autant avec l'au-delà...

— Mais puisqu'il répond par oui ou par non, pourquoi l'embêter avec vos codes, grommela l'autre quaker. Un fantôme n'est pas un petit télégraphiste...

Une rumeur inquiète parcourut l'assemblée. Les émanations âcres du poêle rallumé à cause des nuits fraîches avaient aux narines des fermiers Duesler et de Mrs Hyde comme une odeur de soufre.

Isaac Post s'avança vers la table et, du poing, dévoila clairement son système : à chaque lettre, un certain nombre de coups, de un à cinq pour les voyelles A, E, I, O, U, de six à vingt-six pour les consonnes B, C, D, F, G, H, J, K, L, M, N, P, Q, R, S, T, V, W, X, Y, Z. Deux coups brefs pour acquiescer, trois coups espacés pour dire non.

— *Esprit, es-tu là ?* tambourina-t-il lettre après lettre, sans oublier de traduire en bon anglais et de vive voix pour l'assistance.

La réponse codée des plus sonores, émanant indistinctement du parquet et des murs, subjugua les plus sceptiques.

— *Quels sont vos nom et prénom ?* télégraphia avec dextérité le quaker.

— 7. 11. 1. 19. 14. 2. 20. – 11. 1. 25. 16. 2. 20, répondit sans attendre l'entité.

Isaac Post poursuivit ses investigations sans plus se soucier du public. Un silence religieux suivit cette longue séquence de percussions. L'homme se tourna enfin vers les témoins comme un juge devant la salle d'audience :

— C.h.a.r.l.e.s… H.a.y.n.e.s…, l'Esprit s'appelle Charles Haynes ! C'est un moment historique que nous vivons, chers concitoyens. Pour la première fois au monde, en cette nuit d'avril 1848, nous sommes entrés en relation directe avec un mort, c'est-à-dire que les portes de l'autre monde se sont ouvertes pour nous avec l'assistance de Notre Sauveur. Soupçonnez-vous un seul instant les conséquences d'un tel événement ?

Dans une éruption de lumière intérieure, armoire soudain dressée, Mr Willets déclama tout d'une haleine :

— « J'ai encore beaucoup à vous dire mais vous ne pourriez pas le supporter à présent. Quand il viendra, lui, l'Esprit de vérité, il vous guidera dans toute la Vérité. »

Ses éperons tintinnabulant d'impatience, l'étranger à la veste de cuir se permit d'exprimer quelques doutes sur l'équilibre mental d'Isaac Post. Les rieurs acquis, il suggéra que chacune des personnes présentes posât à l'esprit frappeur une question d'ordre intime qui le concernât en propre, afin de déjouer d'éventuelles supercheries. Plus simple que la méthode de chiffrage de l'ex-télégraphiste, il proposa aux lanceurs d'énigmes de réciter l'alphabet dans l'ordre traditionnel et autant de fois qu'il le faudra, l'entité étant sommée de réagir par un coup sur chaque lettre afin de constituer la réponse. Un récitant volontaire, plume en main, transcrirait au fur et à mesure cette dernière. Le dévoué colosse George Willets accepta avec grâce ce rôle de greffier.

Une fois tout en place, Mrs veuve Redfield, retenant son souffle, finit par s'écrier hâtivement :

— De quel mal souffre mon fils Samuel ?

Les coups se mirent à pleuvoir tandis que le quaker débitait l'alphabet de plus en plus vite tout en faisant cracher sa plume. Rapportée enfin avec une certaine réserve et du bout des lèvres, la réponse laconique provoqua dans la salle un effarement hilare qui emplit la veuve de confusion.

— Quel est le prénom de mon aîné, demanda à son tour, très pâle, Mrs Jewell.

— *John*, transcrivit le quaker.

— Et que lui est-il arrivé ?

— *Scalpé par les Hurons*, récita-t-il d'une voix morne en conclusion du tambourinage et de sa ritournelle.

Mrs Jewell poussa un cri perçant et s'évanouit dans les bras de son époux. L'étranger, compatissant, proposa sa fiasque d'alcool. Devant le refus dédaigneux de Mr Jewell, il avala une forte rasade et déclara :

— Nous estimons posséder la science d'une

chose… quand il n'est pas possible que la chose soit autre qu'elle n'est, c'est ce bon vieux Aristote qui l'a dit. Je propose en conséquence que les résidents de cette maison dorment cette nuit chez leurs voisins et qu'une commission d'enquête y prenne ses quartiers pour vérifier la constance des phénomènes…

Impressionnés par la faconde du visiteur tombé de cheval, plusieurs en approuvèrent l'idée. La bride sur le cou depuis que sa femme habitait Rochester, Isaac Post se mit aussitôt au garde-à-vous. Le colosse et Mr Smith se déclarèrent eux aussi partants pour cette veillée funèbre d'un genre nouveau.

— Mais pas vous qu'on ne connaît ni d'Adam ni d'Ève ! lâcha l'ex-télégraphiste au sergent de réserve William Pill.

XIV

Maggie's Diary

Ma sœur Kate est sûrement folle. Ou bien possédée comme les sorcières de Salem. Sans elle, rien ne serait arrivé. Avec ses jeux malsains, elle a mis en branle une drôle de machine à rendre plus d'un chèvre, bouc ou démon. Personne n'y échappera désormais, je le sens. Comme si des forces invisibles allaient s'emparer de nous tous, bêtes, enfants et adultes. Je n'ai que quinze ans, mais je sais voir ce qui se cache derrière les visages, et sous les bonnes paroles des uns et des autres. Les événements ont pris un tour inimaginable quand mère a eu l'idée d'ameuter le voisinage, à commencer par la veuve du Bout du Haut. Jusque-là, tout se passait entre nous. Même si on avait très peur, Kate et moi nous nous faisions un amusement de ces échanges avec Mister Splitfoot, comme elle l'appelle. Tout ce que ce quaker échappé à la surveillance de sa femme a cru inventer pour communiquer avec l'esprit frappeur, nous le pratiquions depuis les premiers signes d'entente. Au début, nous ignorions qu'un colporteur avait été égorgé avec un couteau de boucher dans notre chambre, voici quinze ans environ, un mardi soir à minuit, avant d'être enterré au sous-sol la nuit suivante. Avions-nous besoin de le savoir ? Maintenant Kate ne cesse de se réveiller en sursaut dans le noir en bégayant qu'elle voit l'égorgeur, qu'il brandit son couteau sanglant juste au-dessus de notre lit. Moi, ce qui m'épouvante le plus, ce n'est pas l'assassin qui vivait dans cette maison, mais le fantôme avec ses plaies horribles. Par chance il reste invisible pour moi. C'est bien assez de subir son tohu-bohu, tous ces coups impatients du fond de la mort, et de voir brusquement les chaises se soulever d'un pied ou de l'autre, les portes claquer sans raison, les verres se briser. Parfois, j'ai si peur que cela finisse mal, qu'une sueur glacée coule entre mes seins. Pour couronner toute cette agitation, il y eut une espèce de kermesse infernale autour de la maison pendant qu'à l'intérieur se tassaient quantité de voisins que je connaissais seulement pour les avoir vus au temple. De la fenêtre, ce soir-là, Katie et moi avons compté des dizaines et des dizaines de lanternes. La plupart des gens rassemblés gardaient leur calme, mais il y avait des cris hostiles parfois. Nous nous regardions d'un air consterné, ma sœur et moi. Et si, par dépit ou colère, cette foule allait jeter les lampes à huile dans nos fenêtres, avant de s'en aller ? On raconte des histoires de ce genre, à la campagne. Voilà moins de vingt ans, pas loin d'ici, une vieille femme a été brûlée vive avec ses douze chats sous prétexte de sorcellerie. Un proverbe dit à peu près qu'il reste toujours plus de cendres que de remords.

Pour l'instant, nous sommes dans les flammes. Il ne se passe pas un jour sans que toutes sortes d'individus frappent à notre porte ou défilent autour de la maison comme ces Orientaux exaltés autour d'une niche à reliques. La fameuse nuit d'avril, ma sœur et moi avons été séparées, l'une chez notre frère aîné David et l'autre chez les Duesler, un couple impossible toujours à se mettre en scène, tandis que maman allait s'installer chez la vieille Mrs Hyde, une drôle de dame qui soir et matin repasse au fer les robes de sa défunte mère. Des hommes du village sont donc restés à veiller avec le père Fox. Leur but avoué était de contrôler les faits et, s'il s'en trouvait un, de harponner le mauvais plaisant. Bizarrement, les coups ne cessèrent pas cette nuit-là, malgré l'absence de Kate. Qu'on l'appelle Charles Haynes ou Mister Splitfoot, l'esprit frappeur s'était détaché d'elle. Au petit matin, n'y tenant plus, les guetteurs de fantôme sont tous descendus à la cave avec des pelles, ils ont commencé à creuser, déterrant des petits os et des touffes de poils, cependant ils ont creusé jusqu'à l'eau sans trouver le cadavre, à part ces débris. Ça ne me surprendrait pas que les fossoyeurs d'occasion aient aussi rêvé de trésor.

Nous sommes rentrées un peu sonnées toutes les trois, mère et nous, dans la journée, il fallait bien s'occuper de la basse-cour et de notre vache si renfrognée depuis qu'un chevillard est venu lui enlever son petit.

Mais une autre vie a commencé pour nous à Hydesville. De gosses sans grand prestige, nous voici donc passées au grade de prodiges. Le pouvoir de communiquer avec un mort n'est pas octroyé au commun des mortels. D'autant plus que notre hôte tapageur s'en donne à cœur joie, pour parler franc. Jamais il n'aura été si loquace. Kate l'asticote avec espièglerie. Je n'oserai pas rapporter toutes ses questions : ce qui passe par les lèvres d'une vilaine petite fille, même un forban à jambe de bois en serait offusqué. Elle a mis au point avec plus d'idées que nos austères bonshommes un système de conversation : on claque des doigts, même des doigts de pied, pour amorcer la pompe. Et puis on pose nos questions en bon anglais. « Eh, Mister Splitfoot, me regardes-tu quand je suis toute nue ? — La nudité, a-t-il un peu vivement répliqué, n'a aucun sens pour un esprit qui voit l'intérieur des êtres ! — Eh, Mister Splitfoot, veux-tu qu'on aille chercher ta femme ? » C'est dans un sacré chambard que nous avons appris qu'elle n'était plus de notre monde. Un mort ne pouvant être veuf, il aurait été idiot de lui présenter nos condoléances.

Depuis que tout le district s'est rassemblé devant notre ferme, les visites n'ont plus cessé. Le père Fox et bonne mère ont l'air d'avoir gagné une fortune au black jack, ils s'habillent pour recevoir, ils offrent à boire avec des manières, on croirait des limonadiers. Les jours fériés, un troupeau ininterrompu de curieux défile, les mains dans les poches, rigolant ou d'un pas solennel. Il y a les familles d'oies, jar en tête, les tribus effrayées de lièvres fureteurs, les buffles qui soufflent de colère, un anneau dans le nez, et puis de plus en plus, des messieurs dames de la ville en bel équipage. Les pataches et les coches s'arrêtent en bas, sur la Longue Route. Tout le monde veut voir la maison hantée. Il y a même un sorcier échappé de Virginie, un exorciste noir couvert de fétiches qui se prend pour un pasteur mais qu'on laisse faire à cause de son visage et de ses bras déchirés avec des barbelés par les esclavagistes. Pour qu'il parte, le père Fox a tiré en l'air en pointant son fusil à silex sur les chauves-souris, histoire de faire d'une pierre deux coups. Mais l'homme, rendu encore plus fou que ma sœur Kate, s'est mis à invoquer Lazare et saint Pierre à grands cris :

Protège-nous esprit du Voodoo !
Ouvre-nous les portes des deux mondes !

On dit que les anciens esclaves gardent vivant en eux l'esprit de leurs morts privés de sépulture. À Hydesville, on ne compte plus les toqués en pèlerinage venus se ravitailler. Grâce à Mister Splitfoot, nous faisons vivre le petit commerce.

À la maison, tout a changé depuis l'arrivée de Leah par la diligence de Rochester il y a cinq jours. Leah sait ce qu'elle veut. « J'ai passé l'âge des enfantillages ! » aime-t-elle dire à tout propos. Surgie une fin de matinée dans la salle commune avec sa jolie malle déposée là par un voiturier, elle n'a pas tardé à prendre en main la situation. «Voyons ce qu'il y a de vrai dans toutes vos histoires », a-t-elle aussitôt déclaré. Ma grande sœur est une dame habillée à la mode de New York. Une fois ôtée sa houppelande sous laquelle abriter cinq amants, le buste étroit comme un bréchet de poule dans son costume de voyage, elle arbore une longue jupe gonflée de crin par-derrière et des bottines de cuir jaune qui laissent voir sa cheville. Et là-dessus, posé sur les ailes de choucas de ses cheveux, un joli turban de fausses perles et de dentelles. Notre aînée a de la religion et le regard perçant. Elle comprend tout sans enquête mais avec l'œil de la chicane. Le Seigneur nous juge qu'elle dit, pour un oui pour un non. Devant elle, bonne mère n'en mène pas large.

La pauvre a vieilli subitement, après cette nuit de mars. Ses cheveux sont devenus plus blancs que la fleur de farine. Elle et notre vieux père sont convaincus de leur mission : dévoiler au monde la clé de l'autre monde. Eux qui ne sont jamais sortis du comté ! Notre bonne mère d'ordinaire si modeste se prend pour Anne la prophétesse. Leah, qui sait tout, dit qu'elle devrait plutôt prendre du repos, quitter la ferme, s'installer en ville. La campagne ne vaut rien aux paysans. À Rochester, Leah donne des leçons de piano et connaît du beau linge. Malgré un caractère plus tranchant qu'un couteau aiguisé sur le roc, elle ne doit pas manquer de fiancés avec un pareil corset et ses bottines de cuir jaune. En ville, par chance, les bigotes sont enfumées comme des abeilles ; elles piquent moins. Mais je crois que Leah attend l'oiseau rare, avec des plumes d'or massif qui l'empêchent de s'envoler.

Quel branle-bas chez nous quand elle a décidé de régenter notre emploi du temps ! D'abord, elle a voulu assister au numéro de l'esprit. C'était le premier soir. Le grand duc ululait au-dessus du cèdre. Des coyotes jappaient après la lune sur les collines. Au premier craquement, Katie a commencé l'invocation à sa manière : « Fais comme moi, Mister Splitfoot ! » Et de claquer des doigts pour l'encourager. Il y eut soudain un boucan d'enfer, comme si le squelette de Goliath craquait tout entier. Et puis ça s'est arrangé, l'esprit a dû trouver Leah avenante. Il lui a dévoilé à petits coups comptés des détails qu'elle-même ignorait, ce grain de beauté sous le duvet, à hauteur de la nuque, et cette tache de naissance dans le bas du dos. C'est moi qui lui ai confirmé la chose à l'abri des regards : juste dans le pli de ses grosses fesses, il y a bien une tache lie-de-vin de la largeur de l'index. Bonne mère avouera, confuse, avoir oublié ces détails, depuis le temps.

La veille de son départ, après quelques heures de sommeil sur un matelas déroulé dans la salle commune, Leah a eu une magnifique idée : et si nous allions tous habiter près d'elle à Rochester ! Nos parents l'ont traitée d'extravagante. Il n'en était pas question un quart de seconde. Kate et moi bien sûr étions d'accord, mais qui s'occuperait de la ferme ? Aujourd'hui, en lisant ses lettres, nous ne sommes pas loin de comprendre ce qu'elle avait derrière la tête.

Les ennuis commencèrent pour nous juste après son départ. La plupart des gens vivent dans une maison hantée sans s'en rendre compte. Certains en bonne intelligence, d'autres en se rongeant les sangs ou dans les diableries. Ce qui déplaisait chez nous, c'est que l'esprit avait rompu la glace. À cause de Kate, je crois, à cause de sa manière d'aller en somnambule d'un monde à l'autre.

XV

Les colonnes de la dualité

Ce dimanche de grand soleil, l'église de Hydesville avait été prise d'assaut dès l'ouverture par tout ce que le district comptait d'ouailles plus ou moins zélées ; s'y étaient adjoints quantité de protestants d'autres paroisses, tous furieusement curieux de l'événement, et parmi eux des personnalités locales, politiciens, hommes de loi, médecins, officiers en tenue. Et même, arrivés le matin de Rochester sur un cabriolet tiré par quatre chevaux, Harry Maur, riche négociant en fourrure et en opium flanqué de Miss Charlène Obo, fameuse comédienne, et d'un curieux spécimen au beau visage de cire et tout de noir vêtu sous sa pèlerine de vigogne.

Le révérend Gascoigne ne monta pas seul en chaire. Alexander Cruik, un brillant prédicateur de l'Église méthodiste formé à l'Université d'Oxford, était venu expressément pour l'occasion des monts Adirondacks, dans les territoires désertiques du comté voisin d'Hamilton, où il s'employait à convertir les tribus d'Indiens survivantes : Cruik, qui se revendiquait de George Whitefield et des Grands Itinérants, avait été appelé en renfort avec une chorale de jeunes filles noires que le public accueillit dans un brouhaha mêlé d'adhésion bon enfant et de furibonderie. L'évangélisateur comptait bien, après le sermon en excommunication du révérend que son prêche devait suivre sous la bannière du grand réveil, rendre visite le plus discrètement possible à la famille séditieuse. Un annonciateur du Retour du Christ ne saurait méjuger l'incessible don du Salut. Alexander Cruik considéra la foule rassemblée entre les murs de briques, sous la nef retournée des plafonds. Jamais ne vit-on au temple paysage si divers. Il y avait là, outre une majorité de méthodistes, toutes espèces de puritains venus des villages avoisinants, baptistes endimanchés, adventistes, luthériens et même un échantillon de quakers ébahis, avec dans le fond les nègres des plantations de maïs libérés pour l'office.

Le révérend Gascoigne brava d'emblée l'hérésie :

— Il n'y a pas d'obstacle entre Dieu et ses fidèles, aucune frontière, pas de douaniers, et la Nouvelle Jérusalem est ouverte à tous les chrétiens gardant foi et bonne volonté. Chacun puise en conscience, librement, dans sa propre lecture des Écritures. Cependant le Christ ne déclara-t-il pas à l'apôtre Pierre que ce qui nous lie et ce qui nous délie sur Terre nous liera et nous déliera pareillement au Ciel ? C'est pourquoi nous blâmons sans appel le dialogue avec les morts comme insane et hérétique. Les nécromants sont tous des imposteurs qui saisissent et se servent à mauvais escient de leur mémoire pour nourrir d'un sang pourri les démons du malheur et du ressentiment. Ces égarés accoutrent les morts de leurs propres terreurs et de leurs divagations. Mais la nécromancie est contraire à l'expérience spirituelle. Il n'y a aucune place pour notre poussière et nos cendres dans la lumière de l'au-delà ! Hier encore, sans succès, nous avons averti de vive voix les incriminables, nous les avons implorés d'abandonner leurs pratiques infâmes. Comme l'enseigne l'apôtre Matthieu : « Si ton frère a péché, va à lui et reprends-le seul à seul. S'il t'écoute, tu as gagné ton frère. Mais s'il ne t'entend pas, emmène avec toi une ou deux personnes, afin que toute l'affaire se règle sur la déclaration des témoins. S'il refuse de les écouter, dis-le à l'Église ; et s'il refuse aussi d'écouter l'Église, qu'il soit pour toi comme un païen et un publicain. » En conséquence, par décision collégiale, nous voyons-nous dans l'obligation de remettre solennellement entre les mains de Dieu le sort des époux John D. Fox, qui à partir de ce jour seront considérés comme bannis de l'Église méthodiste épiscopale. Ils ne font plus partie de notre fraternité ! Quiconque suivrait leur exemple ou serait tenté d'accompagner leur errance subirait à brève échéance un même ostracisme...

La foule des fermiers et des garçons d'écurie massés au fond de la salle ne put retenir un grondement de satisfaction animale qui fit se retourner Pearl, assise sur le premier banc. Dans ce mouvement inquiet, après avoir dévisagé quelques trognes aux fronts bas et aux mâchoires épaisses, elle croisa le regard de William Pill installé à cinq rangs de là, dans les travées des hommes. Gênée, elle battit des paupières et esquissa un sourire de convenance qu'elle regretta aussitôt. Cet individu avait une façon déplaisante de la fixer de ses yeux d'acier, comme s'il dialoguait crûment et de plein droit avec son silence. Pearl avait rectifié son maintien, les épaules creuses. Sa nuque la brûlait. Elle ne doutait pas qu'il détaillât sa coiffe et chaque cheveu folâtre qui pouvait s'en échapper.

Sur l'estrade, le ministre du saint Évangile achevait son imprécation. La gorge serrée, sa fille s'effrayait déjà des conséquences de ce rigorisme sur les sœurs Fox, leur vieille mère et ce stupide fermier qui se croyait, l'alcool aidant, investi d'une mission suprême : consoler tous les endeuillés de la Terre en les ouvrant aux confidences de l'autre monde.

Sur un signe d'Alexander Cruik soucieux d'apaiser les esprits, la chorale des jeunes filles noires entonna un cantique :

I am free
I am free, my Lord
I am free
I'm washed by the blood of the Lamb
You may knock me down

I'll rise again
I'm washed by the blood of the Lamb
I fight you with my sword and shield
I'm washed by the blood of the Lamb

L'orateur invité eut un léger vertige au moment de prendre la parole. Ces hymnes de la foi incorruptible nés dans les champs de coton avaient surgi viscéralement, bouches closes, chez les millions d'esclaves évangélisés par son Église, lesquels n'ambitionnaient rien d'autre que la liberté à l'horizon de leur martyre. Et à quoi donc aspiraient les fermiers blancs impécunieux qui chuchotaient dans l'oreille des morts ? Plus maigre qu'une attelle et d'une lividité de revenant, le prédicateur s'amusait de la frayeur qu'occasionnait ordinairement son apparition au milieu d'une société de fidèles. Si, par exception dans le conseil ecclésial méthodiste plutôt enclin à la sobriété en toute chose, son franc-parler et ses fantaisies de mage inspiré avaient été agréés pour services rendus, il savait d'expérience que l'équilibre tenait à presque rien chez ces défricheurs hallucinés, pionniers et fils de pionniers aux barbares appétences et nonobstant pourfendus de superstition et portés par une candeur de croisés. Avec ces gens – le sévère Gascoigne semblait l'avoir oublié à l'instant –, un seul mot de trop pouvait conduire au pire.

L'intuition plus que la raison guidait Alexander Cruik en pareille situation, et il se laissa aller d'une voix forte à maintes paraboles de son cru que l'assistance imaginait tirées de la Bible et que les plus savants donnaient pour fidèlement apocryphes. Mais illettrés et doctes étaient sous le charme. Sous l'épaule épaisse du négociant en fourrure, le sombre personnage à l'affublement de corsaire byronien eut ce sursaut contrarié de l'érudit confronté à un document indatable. Si Charlène et Harry Maur étaient accourus dans ces glèbes, affriandés par la chronique, lui, Lucian Nephtali, avait accepté de les suivre en apprenant quel rarissime procès en excommunication se fomentait sous la houlette d'un pasteur de district et d'un illuminé qui risquait son scalp avec les Nagarragansetts ou les Indiens de l'Oregon. Depuis que la jeune quakeresse Mary Dyer fut jugée et pendue à Boston voilà près de deux siècles, on n'avait plus connu dans l'Union de procès d'opinion. Mais où ce drôle d'oiseau prêcheur était-il allé chercher cette histoire de cadavre ramené à la vie au fond d'une caverne accueillant des jarres remplies de rouleaux manuscrits hébraïques ?

Le voilà maintenant qui citait le livre des Psaumes avec la même ferveur désinvolte :

— Je n'étais qu'un aliéné fait d'eau et d'argile et tes yeux m'ont vu !

Alexander Cruik entendit résonner sa propre voix sous ces voûtes. Depuis près d'une heure qu'il prêchait dans un silence impeccable, aucune allusion directe n'avait affleuré sur l'affaire. Une foule anesthésiée l'écoutait, prête à s'endormir tout à fait dans la grotte aux Élohim. Pour quels autres motifs que l'épouvante les pécheurs se réfugiaient-ils au temple ? Épuisé par sa performance et songeant qu'il n'était pas quitte, le prédicateur laissa monter à ses lèvres l'apologue de l'apôtre Marc :

— « Aussitôt que Jésus quitta la barque, vint au-devant de lui un homme sortant des sépulcres et possédé d'un esprit impur. Cet homme demeurait dans les tombeaux, rien ne pouvait l'empêcher, pas même une chaîne. Les fers aux pieds et aux bras, il avait rompu les fers, et personne n'avait la force de le dompter. Sans cesse, nuit et jour, dans les sépultures et sur les montagnes, il braillait et se meurtrissait avec des pierres. Ayant aperçu de loin Jésus, il accourut, se prosterna devant lui, et s'écria : "Qu'y a-t-il entre moi et toi, Jésus, Fils du Très-Haut ? Je t'en conjure au nom de Dieu, ne me tourmente pas." Alors Jésus s'avança et dit : "Sors de cet homme, esprit impur !" Et à sa face, il demanda : "Quel est ton nom ? — Légion est mon nom, répondit l'homme, car nous sommes plusieurs"... »

Tiraillé par autant d'impressions qu'il croisait de regards dans l'assistance, Alexander eut hâte de conclure :

— Si chaque faute nous éloigne un peu plus du Seigneur, un homme vraiment juste pourrait-il créer un monde ? Et si cet homme existe, qui d'autre pourrait-il être que Notre Seigneur ?

Tandis que les populations rassemblées songeaient à regagner leurs tanières sans plus se mélanger, le chœur reprit son antienne avec une intonation céleste.

I am free
I am free, my Lord
I am free
I'm washed by the blood of the Lamb

XVI

Dans les flots du sang bouillonnant

La tête en feu, tourmentée par un mal de ventre tenace, Kate hésitait encore à s'enfuir par une fenêtre basse de la maison transformée depuis trois jours en tribunal au sein duquel les inculpés n'étaient autres que la famille Fox dans son entier. Les médecins, les prêtres et les juges qui défilaient n'avaient pas cessé d'examiner toute chose, les meubles, le moindre objet et même le corps des sœurs Fox, l'intérieur de leur bouche, la conformation de leurs organes, les articulations des pieds et des mains, et de soumettre en outre la maisonnée à des mitrailles de questions comme si on pressait l'aveu des égorgeurs de Charles Haynes, colporteur de son état. Par chance George Willets et Isaac Post, les quakers, étaient venus contrer ces imputations en qualité de témoins intègres. Ces deux-là avaient assisté aux séances d'invocation et pouvaient jurer de la véracité des phénomènes sur n'importe quelle bible.

Parmi les investigateurs et les faux curieux, le plus insolite était assurément cet aimable

Mr Cruik, qui ne posait aucune question, mais observait avec pénétration les personnes présentes, que ce fussent les membres de la famille ou les hôtes forcés. Si efflanqué, la face creuse, avec ses longues mains d'envoûteur et les brandons étincelants au creux des orbites, il évoquait quelque convalescent en permission, un de ces poitrinaires condamnés à qui l'on eût bénignement accordé un peu d'air. Il n'empêche que le prédicateur ne perdait pas un mot de Margaret qui, naguère si timide, était devenue bien volubile en présence des messieurs à lavallière et chapeau haut de forme. Il accorda une attention particulière à Kate, déférente, étrangement concentrée, et songea que Myriam et Marta, les sœurs de Lazare au sépulcre, devaient ressembler à ces deux-là.

Dehors, le soleil en décroissant forgeait le plus bel or. Les ombres bleues des arbres s'allongeaient. Une lumière admirable auréolait chaque feuille. Kate, n'y tenant plus, avait enjambé la fenêtre et s'était éloignée du côté de l'étang en se tenant le ventre. Cette lourdeur cuisante, peut-être était-ce à cause de tant de heurts en elle, le long de ses jambes, dans ses entrailles ? La semaine passée, Lily Brown, la plus âgée des élèves de la classe de Miss Pearl, lui avait révélé avec force mimiques qu'une espèce de démon étouffeur lui sautait à la gorge, certaines nuits, pendant son sommeil. Elle racontait qu'un serpent d'eau avait glissé une fois dans son lit et qu'elle en gardait la trace sur son ventre, autour de son nombril. Kate aussi vivait d'épouvantables cauchemars, surtout depuis que Mister Splitfoot était entré dans sa vie. Un petit être velu et cornu avec des pieds de chèvre et des yeux blancs immenses venait s'asseoir sur sa poitrine, si pesant qu'elle s'en trouvait toute paralysée. Au bout d'une minute ou d'un siècle, elle parvenait à lui échapper et, comme jaillie d'un moule à gaufre, elle recouvrait aussitôt l'usage de ses fonctions vitales. Aucune des malpropretés décrites par Lily Brown, ces longs doigts durcis et ces boyaux à tête de souris qui vous rentrent par les trous, ne l'avait affectée, mais elle ressentait dans ces moments de paralysie une grande terreur. On allait la croire morte et la mettre dans la tombe pendant qu'elle s'agiterait et crierait en vain, prisonnière d'un charme, sans que cela apparût à personne, même pas à Maggie accaparée par ses rêvasseries ou toute gazouillante à son chevet...

Cette fois ce n'était pas un cauchemar qu'elle voulait fuir mais une douleur bien réelle sous le nombril. On ne parle pas de son ventre de fille à sa mère, aussi faut-il courir sous les grands arbres en se mordant les lèvres. L'étang noir étincelait dans l'éclat du couchant. Kate se dirigea vers un ruisseau de bulles et d'écume, en surplomb, du côté des trembles ; il jaillissait en cascade d'un rocher et dégringolait entre des pierres moussues avant de se perdre sans un remous au secret du plan d'eau où l'éclat naissant de la pleine lune mêlait des rais d'argent aux paillettes d'or du soleil. Là-bas, dans la campagne brumeuse, de petites lumières divaguaient comme en proue d'esquifs, pour une pêche à la torche. Un cavalier à distance allait au pas, se profilant en buste de centaure au-dessus d'un fort poitrail.

Sous les branches d'un saule, agenouillée devant le ruissellement, Kate roula sa robe au-dessus de ses cuisses et, les jambes écartées, poussa un cri d'horreur. Du sang à l'odeur âcre coulait d'une blessure inconnue ; il se répandait en minuscules perles sur une pierre plate comme la meule de granite où bonne mère décapitait ses poulets. Elle se souvint alors qu'un matin de l'hiver dernier, devant les draps tachés sous elle, sa sœur avait prétendu avoir saigné du nez, et qu'elle s'était demandé, perplexe, ce que pouvait bien fabriquer son nez sous ses fesses. À bientôt douze ans, Kate n'était pas tout à fait ignorante de ces mystères qui transforment petit à petit les fillettes en femmes pélicans pondeuses de gros œufs mous et laiteux tout de suite éclos. Prise de frénésie, elle se mit à asperger son ventre de cette eau vive qui scintillait encore, et des filets rosâtres se répandirent sur la pierre comme les veines d'une main. Serait-ce donc cela que les vieilles femmes appellent période de lune ? Son sang lui parut teinter la rivière. Sur l'autre rive, entre les branches, à ce moment, elle crut entrevoir deux yeux de feu qui la scrutaient. Elle rabattit vivement sa robe, effrayée. Était-ce une bête des bois, loutre ou renard attiré par l'odeur du sang ? Ou l'homme bouc des collines toujours à l'affût d'un lièvre ou d'une jocasse ? Mais le Pecquot et son troupeau bivouaquaient dans les montagnes avec la belle saison. D'autres créatures, plus indéfinissables que la bestialité ou la convoitise, erraient sur ces bords aux heures ténébreuses.

Longeant l'étang à rebours, Kate se pressa vers la ferme. Une clarté blafarde s'étendait des collines jusqu'aux lisières de la haute forêt tandis que l'azur virait au pourpre. Elle perçut des sortes de litanies, des cris, comme des appels. Follement inquiète pour les siens, elle se reprocha hors d'haleine son escapade. Bientôt, elle vit divaguer des lanternes et remarqua de nombreuses silhouettes. Plus encore que ces étrangers importuns venus enquêter sur des courants d'air, elle redoutait le voisinage, tous ces fermiers de tempérament placide qui, les coudes serrés par la peur, pouvaient se métamorphoser en meute dès que l'un ou l'autre lançait une imprécation. C'étaient eux qui rôdaient et hurlaient comme autant de loups autour de leur ferme.

Enfin à proximité, dans la pénombre balayée par la lueur des torches, son émoi l'emporta sur la honte de revenir si mal en point, la robe souillée de terre et de sang. Les paysans rassemblés devant les fenêtres montraient le poing en agitant leurs lanternes. L'un d'eux lança une pierre contre la porte.

— À mort, les sorcières ! brailla-t-il.

— Qu'on les pende ! renchérirent les plus excités.

Ce fut alors un branle-bas. Une pluie de cailloux sonna contre les murs de planches. Une vitre du rez-de-chaussée se brisa, ajoutant au tumulte.

— Arrêtez! Arrêtez! cria Kate en se précipitant sur le seuil.

Il y eut un mouvement furieux vers elle, une vague de tempête prête à tout emporter, mais la porte s'ouvrit à ce moment et Pearl Gascoigne, sans doute la dernière visiteuse du jour, repoussa la fillette dans son dos et se jeta au-devant de la foule, superbe dans sa tenue d'amazone, en veste de toile et jupe à l'anglaise, avec col et manchons de dentelle. Sans la moindre hésitation, provocante, elle leur tint tête.

— Avez-vous perdu tout entendement! Laissez ces gens tranquilles!

— Qu'on les pende, hurlèrent quantité d'autres museaux à l'arrière, plutôt éméchés par cette apparition.

Grand corps décapité qui s'en va courir dans son sang, la foule s'élançait déjà quand une détonation coupa son élan en jetant la confusion. Chacun cherchait autour de lui la victime éventuelle. Un deuxième coup de feu figea pour de bon tout ce petit monde.

Son fusil Springfield rectifié tenu d'une main, William Pill serra les jambes, ses éperons rentrés, et tira sur les rênes de sorte que sa monumentale jument jaillie de l'ombre se cabrât en hennissant face aux villageois sous le choc.

— Rentrez gentiment chez vous! dit-il sur un ton enjoué et féroce, son canon baissé à bonne hauteur. Allez retrouver vos femmes! Ce serait dommage pour elles de finir leurs jours avec un pauvre esprit frappeur pour seule compagnie…

Soulagée, une moue radieuse aux lèvres, Pearl avait rejoint la famille Fox à l'intérieur. De son côté, le fermier décidé à tenir un siège se campait avec son fusil de chasse derrière le carreau brisé. Son épouse et ses deux filles s'étaient blotties dans le vestibule, au pied de l'escalier.

— Tout va pour l'heure, dit la fille du pasteur. Ils se dispersent. Mais ils reviendront plus nombreux demain ou dans un mois si rien ne change ici.

— Qu'y pouvons-nous ? déclara Mrs Fox avec un aplomb d'élue.

Pearl remarqua les petites mains de Kate qui, un peu en retrait, s'amusait à faire claquer ses doigts. Elle admit que, en dépit des plus grosses frayeurs, rien n'arrête l'appétit de jeu des enfants.

Dans le silence revenu, la benjamine des sœurs Fox lança d'une voix un peu rauque :

— Allez Mister Splitfoot ! Fais comme moi ! Un, deux, trois, quatre…

Le parquet retentit bruyamment en écho, laissant Pearl saisie de stupeur.

À ce moment précis, la porte d'entrée miaula sur ses gonds. Le fermier tétanisé mit en joue cette nébulosité faite de brume baignée de lune. Une silhouette sur ses gardes s'y découpa sans avancer davantage. On reconnut vite la voix de l'étranger à la face grêlée de petite vérole.

— Votre monture s'impatiente, Miss Pearl ! Vaudrait mieux que je vous raccompagne par cette nuit agitée…

DEUXIÈME PARTIE

ROCHESTER

Pour être hanté – nul besoin de Chambre
Nul besoin de Maison
Le Cerveau – a des Couloirs pires
Qu'un Lieu matériel

EMILY DICKINSON

Je ne veux qu'une longue ivresse

À cette époque de l'année, toutes les minoteries de Rochester, qui fournissaient à elles seules plus de farine que le reste de l'État de New York, broyaient activement le grain en amont comme en aval des High Falls, les trois puissantes cascades de la rivière Genesee grondant pour l'éternité au cœur de la ville, en écho d'autres chutes aussi puissantes au fil de son cours, entre le lac Canandaigua, où vivaient encore quelques tribus Seneca et Tsonnontouan, et cette mer d'eau douce qu'on appelle le lac Ontario, à la pointe sud de quatre autres plus vastes encore. Grâce à l'énergie hydraulique, plusieurs industries s'étaient assez vite établies autour de la rivière, dans la capitale du comté de Monroe, usines textiles, papeteries, manufactures d'habits et d'outils divers, lesquelles, depuis que le canal Érié reliait la cité d'Albany et celle de New York par l'Hudson, exportaient quantité de marchandises à bord de péniches, de barges et des steamboats dont les roues à aube évoquaient les moulins à l'attache. La prospérité croissante de Rochester – toute première *boomtown* d'Amérique fondée un demi-siècle plus tôt par des propriétaires fonciers industrieux – s'accommodait plus que jamais d'un afflux d'immigrants misérables fraîchement débarqués. Le centre de Flour City, comme on surnommait aussi cette métropole des moulins, s'enrichissait depuis peu d'imposants édifices de pierre, tandis que se construisaient aux périphéries de nouveaux quartiers de baraquements de rondins où s'entassaient les familles d'ouvriers, Allemands et Irlandais réchappés du typhus ou du choléra, pionniers erratiques, Afro-Américains au statut délicat d'affranchis sans état civil que l'arbitraire pouvait à tout moment renchaîner, fermiers ruinés par la sécheresse ou les guerres indiennes. Entre les grèves du Grand Lac, les quais du canal Érié et les rives secouées de la Genesee, dans les belles avenues autour de Midtown Place ou les voies de terre battue au-delà de Mont-Espoir Avenue, évoluait un monde divers de dockers et de marins, de quémandeurs faméliques courant l'embauche, de prédicateurs d'apocalypse et de camelots, de transporteurs en tous genres, d'artisans fixés à leur échoppe, d'aventuriers dans l'expectative considérant sans aménité les mendiants aveugles et les orphelins des rues, de travailleurs à la tâche, de commerçants inventifs et enfin de frais bourgeois gardant d'autant plus leur distance qu'eux-mêmes ou que leurs pères s'étaient extraits sans égards ni remords, une bible à la main, des marécages de la survie et commandaient désormais à pied sec gérants, entremetteurs et autres intermédiaires, lesquels constituaient avec les fonctionnaires des administrations et les professions libérales cette classe moyenne qui rendait la ville habitable et même recommandable à toutes les âmes pieuses, jeunes filles des institutions et congrégationistes des multiples sectes vibrionnant pour le salut universel. À Rochester davantage que dans maint État du Sud ou du Nord, l'esprit d'entreprise s'ouvrait aux aspirations ultralibérales des abolitionnistes et des démocrates pacifistes, des mouvements des droits des femmes, des prêcheurs du Second Éveil ou des anarchistes fédérateurs du travail clandestin en faveur des réfugiés des quatre continents.

Déambulant un peu ivre à la tombée du jour entre l'aqueduc et l'ancien cimetière, Lucian Nephtali songeait à l'étrangeté de ses multiples existences, dans cette ville de tous les déluges qu'il avait presque vue naître, comme au bout du monde. À considérer le fond des choses, la crédulité expliquait assez les cascades d'aventures emportant un individu sans scrupules particuliers ni grande scélératesse. C'était son tempérament de croire à tout ce qu'on lui suggérait, fût-ce l'impossible. Sa profession d'avocat, d'ailleurs bien délaissée, ne pouvait être en cause : un promoteur de justice ne préjuge d'aucune vérité et irait froidement mettre en doute jusqu'aux calculs de l'arpenteur. Lucian Nephtali au contraire cherchait l'enchantement en toute circonstance, quitte à s'émerveiller d'une paillette au creux de la paume après qu'un fleuve lui eut passé dessus.

Subrepticement, entre deux hangars, au détour d'une voie déserte, il pénétra dans une cour obscure que signalait le lumignon d'une lanterne sourde. Une suite d'escaliers tortueux, chacun annoncé par un protège-chandelle, le conduisit sur un palier éclairé cette fois d'une lampe à huile puis, après avoir montré patte blanche, dans un vestibule que rien ne signalait hormis le heurtoir de bronze en forme de dragon chinois. Le colosse vêtu à l'occidentale à l'entrée ne fit que s'incliner pour lui laisser le passage. À travers des vapeurs mêlées, Lucian Nephtali suivit le pas feutré d'un jeune domestique qui le mena au salon où deux ou trois clients affalés sur des sortes d'ottomanes fumaient tranquillement leurs pipes à eau à l'abri de tentures. C'est le gérant de l'établissement, un Chinois de Hongkong à l'accent britannique exemplaire, débarqué il y avait peu en grand équipage de la ville-forêt de Cleveland, qui vint en personne installer les trois plateaux sur la table basse attenante.

— Peu de monde au Golden Dream ? s'enquit le visiteur en ôtant ses bottes et sa pèlerine.

— Peu de monde. Votre ami le coroner dort comme un ange dans le coin. Vous n'êtes pas avec madame ?

— Ce n'est pas bon pour elle. Elle joue ce soir à l'Eastman Theatre…

Allongé, la tête relevée sur un coude, le bec d'ivoire entre les lèvres, Lucian regarda s'éloigner le gérant du cabaret, tout en aspirant une première bouffée. La bienséance voulait que

Charlène Obo, qui était à peine sa maîtresse, fût son épouse en pareil lieu. Outre l'opium brut ou le chandoo importé dans des boîtes de laiton, on servait aussi l'absinthe entre autres alcools et le thé noir. Lucian pouvait très bien se contenter d'une boisson chaude, comme cet automate de policier, lorsqu'il devait faire usage de ses facultés d'éveil. Mais ce soir valait pour lui une descente de croix en enfer. Les funérailles de Nat, si jeune et si vieil allié, au cimetière de Buffalo Street, marquaient l'entrée sans retour au grand canyon de la solitude – il l'avait su d'intuition en considérant cette fosse tout à l'heure, et les visages soudain indifférents de rares intimes, tandis que, monstrueuses pardessus les tombes, les grues géantes tournaient sur Pinacle Hill où se construisait un dernier édifice du grand hôpital encore vacant. Nat Astor reposait depuis trois heures à peine au fond d'un trou, désormais contemporain de tous les disparus ayant hanté cette Terre, à mille éternités de la durée vécue. Il songea aux mots terribles d'Harry Maur devant le cadavre encore chaud de son ami, dans la serre d'hiver où les domestiques l'avaient transporté : « C'est pire qu'une vengeance, on ne se tue pas comme ça chez son hôte. » Dans sa main droite, comme s'il allait achever de vider le barillet sur le mort, il empoignait le colt Paterson avec lequel Nat s'était tiré une balle en plein cœur. La veille ou l'avant-veille de sa mort, la semaine passée, ils s'étaient retrouvés tous les trois lors d'une réception dans la nouvelle villa de Leah Fish, sur South Avenue. Le professeur de musique, assez médiocre pianiste, était en passe de devenir une célébrité depuis l'affaire de Hydesville. C'est Harry, le plus superstitieux des millionnaires, qui les avait entraînés chez l'aînée des sœurs Fox, une divorcée jalouse de son nom matrimonial et pleine d'ambition pour sa petite famille.

Le léger bouillonnement de la pipe et le ronflement d'un voisin d'illusions se mêlèrent aux bruits du dehors, cascades de la rivière et soudaine averse dégringolant sur les toits enchâssés d'ardoise ou de zinc. La mèche en veilleuse de la lampe à huile sur l'un des plateaux ouvrait un éventail d'or vieilli au feu des siècles ; à mieux scruter la flamme, des figures translucides très anciennes s'animaient tout autour, faune inépuisable où la mémoire dispensait en silence ses effigies aussitôt déployées en d'infinies hybridations florales, avec une exubérance au moins égale à la nature sauvage. La vue pour le fumeur d'opium est plus envoûtante que tous les chants de sirènes. Là où un membre de la Société de Tempérance ou de la Ligue anti-saloon eût discerné à la rigueur un visage ou la forme d'un paysage, entre autres ineptes rébus, lui découvrait des univers avec, y affleurant, leurs démoniaques ingénieries tirées d'insondables équations. Une noisette d'opium suffisait à déglacer la gemme des sept sceaux. Pour quelques heures, une liberté plus insaisissable que le songe de l'agonie achèverait d'altérer en lui toute sentimentalité. Ses puits et ses fontaines étaient désormais à sec ; son seul ami en terre, où trouver encore au monde un semblant d'intimité ? Charlène Obo n'attendait de lui qu'un brin d'esprit et d'amusement. Et si Harry Maur, qu'assiégeaient incessamment courtisans et autres flagorneurs, eût volontiers payé l'avocat à plaider pour les nuages ou les roses de son parc, ce n'était que par manque cruel d'interlocuteurs.

Un domestique filiforme se faufila entre les compartiments des fumeurs pareils à de minuscules loges de théâtre. Massif, la nuque taurine et les épaules tombantes, un habitué, sans doute averti de l'heure, se releva péniblement et tituba dans la pénombre mordorée du salon. Sa démarche engourdie tenait du plantigrade : un ours sortant d'hibernation. Lucian ne chercha pas à se dissimuler. Le coroner connaissait tous les clients du Golden Dream, la plupart appartenant à l'espèce des juristes et des fonctionnaires. Ceux-ci y constituaient en toute désinvolture, par un gage tacite de discrétion, une manière de club de la double vue.

Ce qui n'empêchait pas le policier de mener cahin-caha ses enquêtes entre deux léthargies divinatoires. Dans un état d'absolu détachement, ce dernier esquissa vers l'avocat un signe d'une lenteur accablante.

— Une voiture m'attend devant le vieux cimetière, je vous raccompagne ?

— Je préfère rentrer à l'aube, murmura Lucian.

Le coroner acquiesça d'un simple affaissement

du visage, paupières, bajoues et lèvres. Il avait hésité à évoquer d'un mot choisi le suicide de ce jeune magnétiseur de vieille rentière. Bien que son sabordage semblât ne faire aucun doute, le sieur Nat Astor laissait une énigme gravée sur sa pierre tombale : qui avait bien pu se camoufler si longtemps derrière un nom pareil ! Grande ouverte aux invasions, l'Amérique était le paradis des identités tronquées, controuvées, usurpées. Avec l'obligeance d'un juge et quelques dollars, on s'inventait sans grand mal un état civil doré sur tranche. Personne n'irait vérifier dans les archives du vieux monde vos qualités et aptitudes. Les diplômés d'introuvables sociétés savantes, les officiers de Napoléon, les financiers internationaux et les aristocrates anglais ou russes abondaient à la ville comme à la campagne, sans compter les charlatans avérés paradant sur les places de village ou les salles de congrès.

Le coroner manqua plusieurs fois dégringoler ces fichus escaliers labyrinthiques qui résonnaient comme des empilements de cercueils vides. Il se dit que le thé lui restait sur l'estomac. Jamais il n'aurait dû boire ce thé plus noir que l'atrabile. Finalement plutôt satisfait d'être seul dans la nuit, il se mit à fredonner, la main sur sa poche revolver :

A house without love
Is an empty homestead
But wherever love lives
Is home indeed

II

Maggie's Diary

Quel tourbillon depuis notre départ précipité de Hydesville ! Les événements les plus bizarres se sont succédé sans que Kate et moi, il faut bien l'avouer à l'origine de tout ce désordre, n'ayons été en rien prévenues ni éclairées. Aiguillonnés par le révérend Gascoigne qui nous a bannis de son église, les fermiers nous ont harcelés chaque jour un peu plus, certains se rassemblaient devant chez nous avec des torches. Une fois, alors que nous rentrions du village toutes les deux, une bande de gardiens de vaches nous a poursuivies sur la Longue Route en hurlant des horreurs. Au lieu de gagner la ferme, Kate a couru vers l'étang, m'entraînant dans sa fuite absurde. On nous lançait des cailloux et des mottes de terre, on nous traitait de guenaudes et de pisseuses du diable. En lisière de forêt, nous avons aperçu une ombre, une silhouette dégoulinante à moitié nue qui tenait d'une main un voile blanc, comme un étendard, et de l'autre, de l'autre... C'était Samuel, le fils de la veuve du Bout du Haut, il s'est rajusté et nous a fait signe avec un drôle de sourire tandis que la meute approchait. Sans réfléchir, privées d'autre choix, nous l'avons suivi dans une grotte dissimulée par la rivière qui à cet endroit tombe en cascade. À l'intérieur, il y avait de la lingerie accrochée à des piquets. Des effets en charpie de Violet Gascoigne, la noyée de l'étang : ma sœur l'a tout de suite deviné. Et des dessous dérobés sur les cordes à linge aux jeunes filles des fermes. Quand la horde est passée, Samuel s'est caché le visage dans un pantalon de flanelle. Malgré son air de dément et ses singulières distractions, il nous a peut-être bien sauvé la vie.

C'est le lendemain que nous avons quitté à tout jamais Hydesville.

Nous voilà donc embarquées bonne mère, Katie et moi dans la diligence pour Rochester. Avant de nous rejoindre, le père devrait travailler seul encore quelque temps à la ferme. Notre frère aîné David, que ma jeune sœur et moi connaissons à peine tant il y a d'années entre lui et nous, a bien voulu reprendre l'exploitation, d'un meilleur rapport que la sienne. C'est évidemment Leah qui a tout orga-nisé. Nous l'admirons pour son discernement et sa débrouillardise. Avec ses corsets et ses robes de satin, elle a tout de même une autre dégaine que les fermières de Hydesville ! Notre grande sœur est en outre une pianiste virtuose, elle joue sans une fausse note les sonates de Bach et de Mozart. Avec ses trente-sept ans, elle pourrait facilement être notre mère. C'est tellement plus chic d'avoir une mère élégante.

Kate et moi, nous avons un mal fou à prendre la mesure de notre nouvelle vie. C'est insensé ce qui nous arrive grâce à ce Mister Splitfoot! Un vrai conte de fées, même si les puritains nous traitent de sorcières. Bonne mère qui ne sait lire qu'à haute voix reçoit chaque jour des dizaines de lettres, souvent anonymes. Il y a de quoi s'effrayer à l'entendre!

Mais c'est trop d'émotions, je mélange tout, je ne sais plus par quel bout raconter. Leah nous a trouvé une grande maison meublée sur Central Avenue, plus belle encore que la sienne, un palais à côté de notre baraque de Hydesville, avec au moins douze portes, sans compter les placards, et des plafonds hauts comme ceux des églises. Nous avons chacune notre chambre, avec du beau linge neuf acquis chez Fashion Park dans nos coffres et nos commodes. Leah bien sûr s'est occupée de tout. Même bonne mère a l'air d'une bourgeoise anglaise maintenant. Dans ses beaux habits, elle ne parle plus à tort et à travers. Elle se fait entendre d'ailleurs le moins possible, sur la recommandation de sa fille aînée.

Leah a promis de soigner notre éducation. Elle nous apprend à chanter juste et à ne plus proférer de jurons paysans à tout propos. Il s'agit pour lui plaire d'être des jeunes filles accomplies, de ne plus crier aux lutins sous prétexte que la crinière d'Old Billy est couverte de nœuds de fée. Mais Old Billy est mort de vieillesse cet hiver! Katie le pleure comme elle pleurait hier la chienne Iroise et, sempiternellement, notre petit frère de Rapstown.

Katie, elle, n'a pas trop changé, malgré une taille de libellule et des petits seins en l'air. Tellement drôle, un peu minaudière, il y a chez elle une sacrée naïveté et un chagrin qui vient de loin. Nous sommes restées assez complices pour que les gens s'imaginent qu'elle et moi partageons les mêmes pouvoirs. De mon côté, j'ai appris bien des tours depuis nos nuits à Hydesville, au contraire de Kate qui ne manque jamais de ressources, comme tous les rêveurs éveillés (on raconte que les somnambules sont nés avec un œil en trop). Le secret à ne pas sortir de ce cahier, c'est que Mister Splitfoot ne nous a pas quittées. Les fantômes comme les chats choisissent leurs maîtres. Ils ne sont pas si casaniers. Désormais l'esprit accompagne Kate où qu'elle aille. C'est lui qui nous a demandé de révéler au monde entier son histoire, un des derniers soirs, à Hydesville. Nous savons presque tout de sa vie antérieure, lorsqu'il n'était qu'un représentant de commerce itinérant chargé d'une lourde mallette remplie de mercerie. Un esprit, si j'ai bien compris, c'est un soupçon d'infini accroché à des impressions passées, ou plutôt l'ombre d'une âme pleine de regrets, et tout cela captif de notre étroitesse de créatures vivantes. À cause d'une mort violente, suicide ou assassinat, d'un chagrin immense ou d'une terrible contrariété au moment de gagner la porte de l'au-delà.

Lorsque son regard se voile et devient fixe, Kate se met parfois à dire des choses terrifiantes.

Elle prétend par exemple que la noyée de l'étang de Hydesville suit partout Miss Pearl, notre ancienne institutrice, avec d'abominables intentions, et que celle-ci doit s'enfuir loin, très loin, sinon elle en trépasserait ou perdrait la raison. Comment une mère pourrait-elle vouloir du mal à sa fille ? Elle dit aussi qu'il y a des milliers d'ombres qui nous observent, partout, mais que seulement quelques-unes cherchent à sortir du silence. Et puis ses yeux redeviennent rieurs et elle me propose une partie de whist ou de dominos. J'ai l'impression qu'elle ignore ce qui se passe en elle à ces moments, comme lorsqu'elle se lève la nuit, toute débraillée, les bras devant, sa chemise blanche en traîne derrière elle.

Quand j'invoque un esprit, puisque c'est ce qu'on attend de nous ici, il y a une telle tension autour de moi, une telle attente chez toutes les personnes qui m'entourent, qu'à la fin ça craque forcément dans les meubles et dans mon squelette, au bout de mes mains et de mes pieds, dans l'articulation des genoux. Mes dents aussi s'en mêlent. Kate, au contraire, n'est pas contractée, tendue comme un arc, on croirait qu'elle s'abandonne tout entière au mystère, imperturbable et tellement triste. Même au bord de défaillir, elle sourit d'un air absent. Mister Splitfoot l'asticote sûrement de l'autre côté des apparences pour qu'elle ne tourne pas de l'œil.

Nous ne manquons pas de visites dans notre somptueux logis. Des gens du monde, comme dit Leah. De riches commerçants, des bourgeois de toutes les professions. Et puis il y a les journalistes qui défilent, insolents, moqueurs, ou à l'inverse si attentionnés qu'ils posent leurs grosses pattes sur mes bras ou effleurent d'un doigt mes cuisses ou mon corsage. Leurs questions ont parfois de quoi surprendre : quelles sont vos astuces, croyez-vous au magnétisme animal, les spectres sont-ils restés de bons Américains, n'avez-vous jamais été violentées par eux ?

Sans perdre son temps dans ce charivari, notre sœur aînée a sollicité un ensemblier très couru du centre-ville qui est venu nous installer ce qu'elle appelle « un cabinet de consultations spiritualistes », avec des paravents de palissandre, des chandeliers de bronze à neuf branches et d'épaisses tentures de velours cramoisi.

Convoqué lui aussi par Leah, un dinandier chauve et portant guêtres a tantôt apposé sur notre façade une plaque en cuivre avec l'inscription :

Fox & Fish
Spiritualist Institute

Notre rôle consiste à mettre les visiteurs en communication avec leurs chers disparus. Même Leah donne des consultations. Bonne mère, quant à elle, s'occupe d'encaisser nos rétributions et de tenir les comptes à jour. Elle y met bien de la joyeuse humeur. En quelques séances, paraît-il, chacune de nous rapporte des mois de fermage.

Certains soirs, des personnalités de Rochester viennent s'entretenir avec nous. Parmi elles des savants en je ne sais quoi parlent sérieusement de commissions d'experts et de contrôles. Tous ne sont pas bienveillants. Même la police et les Églises se mettent de la partie, des fois qu'on cacherait des vilenies. Par chance, nous avons nos défenseurs, comme les quakers Amy et Isaac Post ou ce grand séquoia de même confession dont j'oublie le nom. Et puis Leah, pour mettre un terme à toutes ces médisances, a loué la plus grande salle de Rochester. Nous allons y faire bientôt une démonstration publique contrôlée par une assemblée d'experts. Kate est terrorisée. Je n'en mène pas large moi aussi. Des filles comme nous n'ont pas l'habitude de s'exhiber. Nous ne savons rien, nous ne sommes que les intermédiaires d'un autre monde. Kate sort des séances divinatoires comme d'un rêve, sans souvenirs. Moi, c'est pire, j'ai l'impression de m'avancer sur un pont qui s'écroule ou de conduire un énorme bateau dans un gouffre noir où tout grince et ruisselle. Et il faut, dans de telles conditions, que j'aie l'air d'être tranquillement assise dans un salon, à attendre le déluge ! Alors, quand rien ne vient, c'est vrai, je fais craquer mes doigts de pieds. Est-ce que des personnes charitables demanderaient à un agonisant de ne pas tricher avec la mort ?

III

Exploration d'un terrain minier

Après avoir révoqué un mari sans lustre qui
lui laissait une agréable pension, Leah Fish
s'était mise en congé de l'école de musique
d'Irondequoit où elle avait si longtemps enseigné
le piano et le solfège aux ineptes donzelles de la
bourgeoisie parvenue. Le *Spiritualist Institute*, sa
création, lui demandait une disponibilité entière.
Elle avait l'impression de cumuler toutes les
fonctions d'un théâtre : administration, direction d'acteurs, régie, accessoiriste, changements
de décors, jusqu'aux costumes et au maquillage.
Sans compter la maîtrise de la diction, l'une de
ses tâches les plus ingrates avec une pareille
famille mâchant son anglais comme du fourrage ! C'était un mystère pour elle, et sans doute
pour quantité de ses concitoyens des deuxième,
troisième ou ixième générations, cette indigente
extraction dont elle avait su s'arracher par un
mariage sans postérité. Et d'où sortaient-ils
eux-mêmes, ces puritains inconsolables, tous
marqués au fer rouge de la Faute, sinon des

putréfactions de l'Ancien Monde et des abysses de l'infortune ? Mais bon sang ne saurait mentir – chacun par ici armait son cœur, un fusil derrière la porte, prêt à jouer quitte ou double pour obtenir prospérité et considération avec sa part de salut.

Tout en arrangeant des bouquets de lys et d'arums sur les commodes et les tables basses du salon, l'aînée des sœurs Fox se demandait avec une pointe d'anxiété si elle ne forçait pas un peu l'aventure en louant Corinthian Hall à la société de lecture gestionnaire, après les conférences données en ce haut lieu par quelques-uns des orateurs les plus prestigieux du pays comme Oliver Wendell Holmes, fameux homme de lettres, le directeur du *New-York Tribune* Horace Greeley, le grand théologien Charles Finney, auteur du si subtil *Cœur de la vérité*, le très assommant Ralph Waldo Emerson qu'elle avait pu écouter l'an passé, ou encore le prédicateur Alexander Cruik qu'on ne présente plus. Leah eut un soupir d'orgueil en songeant que ce dernier avait accepté d'être des leurs à sa soirée. L'invitation d'une femme divorcée, certes musicienne et somme toute assez lettrée, ne peut être honorée que par de grands esprits. Il y aurait d'autres cœurs à prendre ce soir, comme la superbe Wanda Jedna, qui militait pour l'émancipation des femmes, cet impayable Lucian Nephtali avec ses faux airs à la Manfred, ainsi que d'affreux barbons toujours utiles pour les finances et la réclame.

Le clocher d'une église presbytérienne voisine sonna sept heures.

Nerveuse, Leah interpella la plus jeune de ses deux domestiques : elle avait oublié les lampes de cinabre et les parfums à brûler !

— Inutile d'ajouter la lumière des lustres, ajouta-t-elle. L'ambiance n'est qu'affaire d'ombres et d'odeurs.

Elle alla fermer le couvercle de son demi-queue, certaine qu'on la supplierait de le rouvrir après les pâtisseries. Prise de vertige à ce moment, elle s'appuya contre l'angle du piano et vit défiler sur les touches d'ivoire les jours et les nuits. Les événements, depuis qu'elle avait pris en main le destin de la famille pour sa bonne fortune, ressemblaient aux cartes favorables du tarot. Cette brusque célébrité l'inquiétait presque néanmoins : elle advenait comme un présage, une mise à l'épreuve. L'autre monde – ses anges ou ses démons – avait visité Katie et Maggie, incontestablement. Mais c'était elle qui, en prosélyte avisée, maintenait la communication à son niveau spirituel. Ni ses sœurs ni sa pauvre mère ne s'y entendaient en doctrine. Ce qui leur était arrivé à Hydesville, ce voisin invisible tapant contre la porte de l'au-delà, elles n'en retenaient que les aspects triviaux ou saugrenus. Comme si la sainte Nature laissait place à la fantaisie ! En petite-fille de pasteur, même si son père n'était qu'un ivrogne déraciné, elle avait tout de suite perçu la dimension quasi liturgique de cette télégraphie des âmes, nonobstant ce qu'un tel procédé pouvait avoir de laborieux en comparaison avec l'Eucharistie. Leah étouffa un petit rire. Elle s'était émancipée à Rochester des deux sacrements utiles et de l'emprise des ministres sacerdotaux. Elle avait longtemps penché pour la religion naturelle de ses consœurs déistes, ces amantes raisonnées de Dieu qui se moquent des prophéties et des miracles. La révélation de Hydesville était venue lui rendre sa foi d'enfant pour le mystère, mais n'étant plus une enfant, elle envisageait un mystère qui fût un réel objet d'étude et de dévotion. Ne pourrait-on pas parvenir un jour à une sorte de science pratique de l'au-delà ?

La chaussée macadamisée résonna bientôt du fer des attelages. Cabriolets et berlines se succédèrent sur South Avenue. Les salons panoramiques de l'étage vibrèrent d'éclats de voix mêlés et de rires intelligents. Les couples se congratulaient selon la coutume. Plus circonspects, les invités célibataires examinaient distraitement les lieux. Un lorgnon vissé dans l'orbite gauche, face aux murs encombrés de cadres, Lucian Nephtali s'extasiait du mauvais goût de son hôtesse. Il y avait cependant, mal accrochée, une aquarelle acceptable d'un petit maître de l'Hudson River School. Les rideaux de tulle des baies laissaient voir la rivière Genesee, couleur lie-de-vin dans la pénombre du soir, et les trois cascades en partie illuminées. Wanda Jedna, que ses admirateurs surnommaient *Only One*, contemplait sereinement le point de vue en se demandant ce que

Leah Fish espérait d'elle encore. En retrait, l'industriel habilleur Freeman et son épouse parlaient déjà investissements et capitaux avec le pépiniériste Barry Nursery qui possédait toutes les forêts du côté de Braddock Bay et des étangs Mendon.

— On envisage sérieusement un pont de chemin de fer sur Upper Falls. Un immense pont de bois, le plus grand jamais construit, environ cinquante mille stères toujours sur pied à cette heure !

— Il s'agirait déjà de construire une gare ! osa Mrs Freeman.

— Pourquoi donc ? Les ponts, d'abord les ponts !

Un vieux militaire à la retraite, toutes médailles dehors, s'imposa dans la conversation, l'œil sur le nouvel aqueduc.

— J'étais moi-même présent en 1829 sur la rive droite, jeune et fringant officier, quand Sam Patch, un vrai casse-cou, fit son saut de la mort du haut des cascades devant tout Rochester. Bah ! le malheureux s'y est cassé le cou…

Derrière le buffet où un extra noir en livrée avait charge des apéritifs, Leah faisait mine de le seconder dans le service.

— Vous n'avez rien de plus corsé ? grommela drôlement un financier blond à petites moustaches au maintien d'aristocrate de l'*Alta Italia*.

Sachant pertinemment que Sylvester Silvestri, outre qu'il fût le neveu par alliance du colonel William Fitzhugh Junior – cofondateur de la ville avec son homologue, le colonel Nathaniel Rochester –, avait été le vice-président local de l'Ordre Indépendant des Bons Templiers, une des plus actives sociétés de tempérance, c'est avec un clin d'œil complice que Leah lui servit sa citronnade.

— Nous aurons du vin de France à table, cher ami !

L'arrivée du prédicateur, à la suite d'Harry Maur tirant sur son cigare et de la comédienne Charlène Obo vêtue en reine de la nuit, provoqua un mouvement de curiosité qui froissa visiblement cette dernière. Parmi les ouvreurs de ban, les époux Post se tenaient côte à côte, raidis dans leur costume de puritains, l'air ennuyé, à se demander s'il n'y avait pas maldonne. L'ancien télégraphiste, rendu tempérant par la proximité de sa conjointe, regrettait plus que jamais Hydesville et son saloon. Ces deux-là s'étonnèrent de ne repérer aucun autre membre de la famille Fox ou de son entourage dans l'assemblée.

Mais les invités trouvèrent tous leurs couverts nommément fichés autour d'une table arthurienne. Amy et Isaac Post furent soulagés de n'avoir pas un trop fâcheux voisinage, comme cette comédienne expansive ou ce sombre personnage vêtu en flibustier, lesquels étaient tombés dans les bras l'un de l'autre avec une scabreuse affectation. Encadrée du jeune Andrew Jackson Davis à sa dextre – un brillant adepte du mesmérisme portant lunettes fines et barbe de patriarche – et du banquier d'origine milanaise côté du cœur, la maîtresse de maison ne s'attendait pas à ce que le prédicateur placé en vis-à-vis l'interpellât assez bruyamment pour qu'une dizaine de têtes changeassent d'axe.

— Mais où sont donc vos chères sœurs, Mrs Fish ? J'espérais tant…

— Elles sont si jeunes ! se défendit Leah en jetant des coups d'œil gênés sur ses invités les plus proches. Et puis vous pourrez bientôt les applaudir à Corinthian Hall…

Les deux domestiques servirent dos à dos un potage bouillant jusqu'à ce que, d'assiette en assiette, les fumées eussent fermé le cercle.

— Oui, bien sûr, à leur âge ! ajouta d'une voix aussi tonnante l'étique Alexander Cruik. Mais il m'aurait été agréable de m'entretenir avec elles. Surtout la plus jeune…

— Avec Kate ? Ah, tiens donc ! ne sut que répondre Mrs Fish pour cacher son trouble, voyant bien que l'évangélisateur de Peaux-Rouges, avec sa voix forgée aux congrès de plein air, était du genre à poursuivre son idée sans faillir.

— Votre Kate est douée d'une exceptionnelle sensibilité, elle capte des ondes psychiques non perceptibles au commun. C'est une forme d'intuition aiguë des êtres et des situations, sans qu'elle puisse elle-même en rien déduire. J'ai connu des Indiens cherokees capables d'une pareille extra-sensorialité, l'un d'eux surtout, un sorcier à la crinière de mustang qui lisait l'avenir dans les rides des morts. Dans ses transes, il désignait sans jamais faillir les guerriers condamnés, les femmes bientôt enceintes, les enfants frappés par nos maladies…

— Que le Seigneur nous préserve des sorciers ! s'écria Mrs Freeman, grosse dame à la coiffure en forme de nid de corneilles.

— Si naturelle et si candide – poursuivit sur le même ton le prédicateur –, la petite Kate est une sorte de chamane qui s'ignore, cela d'ailleurs lui octroie des pouvoirs que devaient avoir les premiers apôtres. Elle est un intercesseur entre deux espaces de perception et de compréhension d'ordinaire hermétiquement séparés, une espèce de… de *médium*, si vous me concédez le néologisme…

— Médium, médium… ? s'exclama Leah. Voilà un mot qui nous manquait ! Mais permettez-moi de vous dire que le spiritualisme moderne, si vous m'autorisez à votre tour cette expression, est autant l'affaire de Margaret Fox et de moi-même, sans exclure notre chère Kate, ni même ma mère et mon vieux père…

— C'est une affaire de famille ! plaisanta à distance le corpulent Barry Nursery.

— Vous considérez-vous appartenir au courant du Réveil religieux ? demanda avec plus de circonspection son voisin de droite, le magnétiseur Andrew Jackson Davis.

— Assurément, balbutia Leah, un peu désolée de voir sa soupe refroidir. Nous nous sommes, mes sœurs et moi-même, passionnément enflammées dans notre foi et cet incendie mystique se propage par extraordinaire aujourd'hui, réveillant chacun dans sa piété pour l'au-delà d'où nos chers disparus ne cessent de se manifester. Les morts sont nos anges, croyez-le. La résurrection de Notre Seigneur n'était-elle pas la première manifestation de spiritualisme ?

— Il y en eut bien d'autres depuis Osiris, Dionysos ou Orphée, soupira d'un air exténué Lucian Nephtali qui s'épongeait le front.

— Et le prophète Élie ! renchérit avec un élan amusé le prédicateur. Souvenez-vous de la veuve de Sarepta au temps d'Achab, le roi idolâtre : « Il arriva que le fils de la maîtresse de maison tomba malade, et sa maladie fut si violente qu'à la fin il expira... » Logé dans une chambre haute chez la veuve, Élie y fit monter le petit cadavre, s'étendit trois fois sur lui, et se tourna vers l'Éternel : « Yahvé, mon Seigneur, veux-tu donc aussi du mal à la veuve qui m'héberge, pour que tu fasses mourir son fils ? » Aussitôt, l'âme du petit garçon fut réintégrée dans son corps par la volonté divine. Élie descendit le remettre à sa mère et déclara : « Voici, ton fils est vivant. »

— Mais il ne s'agit pas de réveiller les morts ! Nous avons, Dieu soit loué, de bien moindres ambitions que l'annonciateur du Messie. Notre mission est simplement de mettre les endeuillés en présence des esprits, de permettre ainsi la consolation, d'ouvrir enfin le monde à l'espérance...

Les dames présentes, épouses et phénomènes, applaudirent vivement Leah.

À l'issue du dîner, Wanda Jedna, charmée par cette nouvelle cause, après celles, prioritaires, des nègres et des femmes – car nos vertueux défunts ne participaient-ils pas de plein droit à la grande famille humaine ? –, prit tout à fait de court la maîtresse de maison, qui en écarta les bras de surprise, en allant décoiffer le demi-queue pour se mettre à clamer un air récent venu de Paris, sur des accords martiaux si entraînants, que Charlène Obo et le banquier aux fines moustaches partirent à claquer des mains.

L'homme, ce despote sauvage
Eut soin de proclamer ses droits
Créons des droits à notre usage
À notre usage, ayons des lois !

IV

Oneida ! Oneida !

On n'avait demandé aucune explication à Pearl
Gascoigne lorsqu'elle s'était présentée un soir
d'été aux portes de la communauté. De retour de
fenaison, leurs outils sur l'épaule, les Parfaits
contemplèrent ébahis cette sublime cavale et son
pur-sang, encore enlacés d'une même énergie,
toutes crinières déployées, l'une comme l'autre
visiblement rompus par une course de longue
haleine. On eût dit que cette fille avait fui tout à la
fois un incendie, la foudre de Dieu et quelque
bande d'Algonquins anthropophages. Comme
le cheval effrayé s'emballait au milieu des clô-
tures et des cabanes de rondins, plusieurs jeunes
femmes court vêtues du service du soir étaient
intervenues.

Pearl s'était retrouvée titubante au milieu d'un
étrange rassemblement de paysans barbus aux
airs de mages et de fermières en blouses, de
vieilles régentes drapées de sombre, un sourire
indéfinissable aux incisives, avec entre les robes
légères ou les frocs à bretelles, de très jeunes

enfants soudainement figés dans leurs jeux. Pearl avait d'emblée remarqué les cheveux courts des adolescentes, leur air à la fois allègre et défiant, l'espèce de hiérarchie propre aux hardes animales dans l'aspect physique des mâles, selon les âges, mais aussi une sorte de quiétude lasse sur tous ces visages. Ce tableau pastoral, digne d'une peinture de genre de l'époque des treize colonies, s'était inscrit en elle, un peu irréel, après cette journée entière à galoper sans but dans la poussière des chemins.

Elle avait quitté Hydesville sans explication, l'esprit en feu, par une nuit d'orage. Tout d'un coup, à la suite d'un accrochage avec son père sur la question de ses toilettes et d'une dépense en rubans de dentelle, elle avait tourné les talons en silence. Courant de sa chambre à l'écurie, après avoir enfilé sa tenue d'équitation, Pearl ne s'était souciée d'aucun lendemain, comme anesthésiée, abandonnant sans le moindre regret petits trésors et grands devoirs. Le pur-sang, rarissime White Beauty légué par un éleveur du comté, était le seul luxe du révérend Gascoigne. Submergée de colère, impétueusement décidée à s'enfuir le plus loin possible, elle n'avait pas hésité à s'emparer du cheval d'ordinaire attelé à une charrette anglaise. Et c'est à bride abattue, dans la touffeur nocturne du plein été, étourdie par les parfums des chaumes et les fades exhalaisons d'eaux stagnantes, qu'elle avait parcouru la moitié du comté de Monroe et tout celui de Wayne, avant de galoper erratiquement les jours qui suivirent entre montagnes et forêts, puis à travers les plaines sans fin, dans les territoires d'Oswego et d'Oneida où, se croyant égarée dans une réserve d'Indiens, Pearl s'était retrouvée à son insu l'otage de la plus singulière tribu de visages pâles.

Elle se souviendra longtemps de l'accueil emporté des femmes de sa génération sous l'œil gourmand des jeunes gens, une fois passée la stupeur générale devant sa survenue – bel archange équestre encrassé de sueur et de poussière mais flamboyant dans le crépuscule. Plusieurs s'étaient emparés d'elle après quelques paroles. Pearl avait faim et soif, elle voulait dormir tout son saoul à l'issue de sa chevauchée hypnotique. Une fois tombée de selle, la portant presque, les femmes l'entraînèrent au creux d'un étroit vallon où coulait une rivière. Elles la débottèrent et la dévêtirent entièrement avec des rires tandis que les patriarches s'approchaient là-haut à juste distance. Ensuite elles l'immergèrent comme ces statues de Durga, déesse inaccessible dans les eaux du Gange, elles-mêmes à moitié nues, la frottant et la savonnant des pieds à la tête, baisant ses cheveux et ses lèvres, la sauvant presque de la noyade enfin. Ruisselante, ses longs cheveux plaqués sur ses hanches, il y eut autour d'elle alors un murmure d'admiration presque religieux. La statue, lavée, avait la beauté des séraphins et des démons, d'une perfection mortifiante, marbre sculpté dans le feu d'un désir qui s'aveugle à trop s'exalter. Même les enfants rassemblés en pâlissaient d'émoi sur le coteau.

Plus que jamais à cette minute, une main sur le cœur, John Humphrey Noyes devait songer à cette humanité de pur sang et d'âme sainte que sa communauté avait mission d'accomplir, par *attraction passionnée*, hors de l'abominable sacrement du mariage. Cette glorieuse anatomie, exempte des tortures de la génération, lui rappela douloureusement son épouse d'autrefois au corps déformé par des grossesses avortées successives.

Mais il y avait dans ce baptême improvisé un relâchement bachique intolérable. Au titre de guide spirituel, il s'était enquis sévèrement du trouble causé par l'intruse puis avait convoqué celle-ci dans la salle de réflexion. Après ces jeux d'eau, revêtue d'une robe courte sans manches fournie par les buandières, Pearl, les paupières lourdes, dut affronter un curieux interrogatoire, d'une fermeté paterne, proche du sermon. L'homme lui rappelait le révérend par son maintien austère, sa grande taille, sa voix grave, un visage émacié aux fortes mâchoires qu'une barbe en collier dissimulait mal. Mais John Humphrey Noyes tenait un tout autre discours où il était question de Libre Esprit Céleste et d'Amour Universel, de sainteté du travail et de confession volontaire. Il y avait dans son regard une grande douceur persuasive. Pearl, désemparée, accepta la protection et les leçons du mentor.

C'est ainsi qu'elle devint sa compagnonne de chambre prioritaire avant d'agréer, selon l'usage à Oneida, un changement hebdomadaire de partenaire. En recrue du hasard ou du sort, ses journées étaient vouées pour une part à la cueillette des fruits, au sarclage du potager ou à la fabrication de conserves, et pour une autre à l'étude livresque graduée. Consacrée enfant de Dieu, elle partageait par privilège l'appétence éclairée des plus vieux pionniers de cette confrérie du mariage complexe, lesquels l'initièrent longuement à la technique de l'étreinte réservée – de même que les vieilles femmes avaient charge d'éduquer avec une patience toute maternelle les novices en la matière. Pour éviter d'intempestives gestations et pour décupler la jouissance féminine, les officiants étaient contraints à la maîtrise de l'acte, il ne s'agissait nullement ici d'abstinence comme dans maintes sectes concurrentes, mais de copulation sèche perpétuelle : chaque membre de la communauté d'Oneida, une fois sa part de besogne accomplie, s'adonnait avec une allégresse pudique au partage simultané de l'amour charnel et de la propriété. Liberté spirituelle et contraception étant indissociables, la communauté ne cessait de s'étoffer grâce à l'arrivée de nouveaux adeptes plutôt que par les rares naissances sélectives.

Le rêve édénique de l'austère père Noyes, décliné en partie de sa lecture d'un philosophe français imaginatif et de la découverte des sociétés coopératives de Robert Owen, flottait par haut paradoxe sur ces têtes qui n'avaient rien oublié de la bienséance puritaine mais qu'une permission évangélique délivrait des miasmes et des nécroses du péché. On chantait des hymnes et des cantiques à toute occasion. Le soir, à la veillée, les plus belles voix s'élevaient vers les étoiles :

Let us go, brothers, go
To the Eden of heart-love
Where the fruits of life grow
And no death e'er can part love

Ce qu'avait pu ressentir Pearl, pendant ces longs mois d'abdication de son intégrité résultant d'un mouvement irréfléchi de révolte, ne ressemblait à rien qu'elle eût pu soupçonner. Passer d'une virginité résolue au commerce gracieux des épidermes avait annihilé une fois pour toutes en elle cette constriction de réticences vertueuses et toutes ces duplicités de la morale publique qui finissent par paralyser les corps et les âmes. Soumise à la Famille et à sa discipline, Pearl en oublia presque le monde – et son père davantage encore. N'en avait-elle pas un autre à demeure, tout-puissant et d'une tendresse aussi transgressive qu'étrangement respectueuse ?

Mais cette vie d'aucun lieu, où la quête de perfection prenait des voies insolites, avait son revers qui finit par lui devenir intolérable. Noyes et son conseil d'anciens convoquaient deux ou trois fois par semaine la tribu des enfants de Dieu, dérangée de ses généreux instincts pour des réunions inquisitoriales de critique réciproque. Sous les grands arbres aux beaux jours, dans le seul édifice aux murs de pierre – vaste hangar qui servait, outre la remise à grains et à fourrage, de lieu de réjouissances, d'espace de méditation et de cantine les autres saisons –, on se présentait en silence à l'appel de son nom devant le conseil des Parfaits. Tout le monde avait le devoir alors de mettre en lumière les lacunes et les crimes de chacun, ses écarts les plus intimes. Ces séances de *criticisme*, selon l'expression usitée, étaient censées être purgatives, laver quiconque de son orgueil et de son égoïsme par la seule force de l'amour mutuel et dans l'appréhension de la vérité divine. Appelée à ce tribunal qui pratiquait, en guise de pardon, le partage collectif des fautes, Pearl se faisait obstinément vilipender par une majorité d'accusatrices : elles lui reprochaient sa coquetterie, ses cheveux trop longs, ses récidives d'ensorceleuse, sa désinvolture dans l'éducation des enfants, son peu d'entrain aux labeurs ménagers. Les Parfaits acquiesçaient avec mansuétude. Pour satisfaire le communisme biblique instauré à Oneida – et apaiser l'ombrage des femmes – on n'allait pas manquer de la sélectionner un jour ou l'autre comme mère porteuse.

Lorsqu'elle commença à regretter son White Beauty, vendu en dédommagement des frais d'accueil par les chefs de la communauté à des éleveurs voisins qui ne perdaient aucune occasion de traiter leur engeance de bâtards du Christ, Pearl sut qu'elle ne leur appartenait plus. Les cantiques aux veillées autour d'un grand feu de joie l'attristaient au souvenir de sa vie rangée à Hydesville. Mais il ne pouvait être question pour elle de retourner en arrière.

Tous les soirs, aux beaux jours, les Parfaits entonnaient leur hymne sous les étoiles.

Allons, frères, allons !
Bientôt le véritable amour demeurera
Dans la paix et la joie pour toujours

C'est à travers bois qu'elle quitta une nuit Oneida au milieu des chants sans attendre l'aube, les cheveux courts, plus démunie qu'à son arrivée dans ses vêtements de sœur des pauvres payés en *coïtus reservatus*, mais avec au fond d'elle, palpitante, la violence exquise de la liberté.

V

Comme des chevaux de fiacre
au galop

Deux forts attelages s'étaient tranquillement alignés à la suite du cabriolet de Charlène Obo, devant la maison de Central Avenue. La famille Fox et ses fidèles s'apprêtaient au départ après une répétition générale conduite nerveusement par Leah sous l'œil expert de la comédienne. Dans le grand salon transformé en vestiaire de théâtre, elle malmenait ses deux jeunes sœurs au milieu d'entassements d'habits et de boîtes à couture.

— Regardez-moi cet air godiche ! s'exclamait-elle sous le nez de bonne mère épuisée et inquiète. Vous ne serez jamais que de petites paysannes...

Elle épingla des rubans aux cols, serra les tailles, supprima d'horribles bijoux fantaisie.

— Et toi, maman, ajouta-t-elle d'un ton catégorique, tu peux garder cette broche et ce collier. On ne te verra pas sur scène...

— Mais j'aurais bien aimé tout de même dire un mot...

— Avec ton accent et ta naïveté de roi mage, tu plaisantes ? Nos ennemis nous tourneraient en dérision…

— Votre fille a certainement raison, se permit Isaac Post avec l'assentiment de son épouse. Il s'agit d'abord de convaincre ces gens-là, et croyez-moi que dans cette bonne ville de Rochester, les incrédules peuvent être féroces…

Pudiquement tourné vers une fenêtre, sa grande carcasse pliée en trois sur le siège à vis du piano, George Willets réagit avec flamme :

— Mais il y aura aussi une foule de gens acquis à votre cause ! Ceux de notre Église en particulier, vous savez bien que nos amis quakers vous sont dévoués ! Et les mormons dont je suis loin de partager les égarements. Et les adventistes ! Je parierais que la merveilleuse Ellen White sera dans la salle…

— Vous avez lu le journal ? s'alarma Amy Post.

— Le *Rochester Herald* n'est qu'un asile de conservateurs égrotants ! ironisa Charlène Obo. Demain nous aurons un panégyrique dans le *New-York Tribune* !

En professionnelle du spectacle, la jeune femme pressa le départ pour Corinthian Hall. On n'affronte pas le public sans avoir inspecté le plateau et repris son souffle et quelques couleurs dans les coulisses. D'autant que c'était une première, et avec des novices ! Quant à elle, Charlène Obo ne doutait plus des fabuleuses dispositions des sœurs Fox. Elle s'était prêtée avec une joie poignante au jeu de la divination rétrospective :

toutes ses demandes avaient été récompensées. Jane, sa jumelle morte du typhus à dix-sept ans, lui avait répondu avec clémence à travers l'esprit innocent de Kate. Dans l'au-delà, plus proche du cœur humain que le poids des choses, sa sœur jumelle veillait à sa sauvegarde, elle ne pouvait plus en douter après tant d'années de cauchemars atroces où les mêmes gnomes rouges et noirs lui arrachaient incessamment une moitié d'elle, un bras, une jambe, un œil, et dans son ventre, cette part sanglante indicible. Grâce à son amie Leah, grâce aux pouvoirs singuliers de Kate et de Margaret, elle était délivrée de ces nabots si longtemps identifiés au public des loges et des parterres, alors qu'elle ne savait plus, dans son trouble, laquelle des deux jouait la comédie sous les cintres, entre sa sœur jumelle et elle-même, entre Jane et Charlène Obo.

— Les chevaux piaffent ! s'écria-t-elle enfin sur le perron. Nous leur transmettons notre impatience...

Les trois voitures remontèrent à la file les larges avenues du centre-ville. Sur un coin de banquette de la deuxième voiture, le front contre la vitre, Kate s'était isolée de l'agitation bavarde qui l'entourait. L'aventure prenait une tournure menaçante. Déguisée en jeune fille modèle, elle avait l'impression d'être conduite à la potence comme au temps jadis cette classe d'écolières anglaises accusées de menus larcins. Bonne mère en face d'elle montrait une figure ébahie de grand poisson d'eau douce, blafarde et violacée, qui semblait devoir se détacher d'elle et choir à ses pieds. Kate s'étonnait de la distance ressentie à ce moment, ses proches révélant une nature aquatique insoupçonnée au secret de l'habitacle, sorte d'aquarium aux eaux remuantes. Une pensée intempestive la fit sourire : les esprits peut-être agaçaient ces poissons-là avec des lignes invisibles, du haut de l'autre monde...

Dehors, une pluie fine lustrait l'asphalte gris des chaussées qui alternait avec le pavage des esplanades. Les allumeurs de becs de gaz commençaient leur tournée, d'un trottoir l'autre, et des halos pailletés suivaient leur pas tranquille. Les grands magasins fermaient à peine au nez de flâneurs indécis. Dans le contre-jour des vitrines, défilaient quantité d'ombres chinoises – commis, mendiants, marchands ambulants, familles, filles publiques – à tout moment balayées par les crinières des attelages. Kate scrutait ces météores sans plus se situer nulle part. Tout allait trop vite, plus rien ne ressemblait à hier. Les adultes autour d'elle voulaient absolument jouer au chat et à l'esprit. Ils avaient tous un tas de victimes sur la conscience. Qui peut jurer qu'il n'est pas responsable du suicide de l'un, de la maladie fatale de l'autre ? Kate ainsi était certaine de son entière responsabilité dans la mort du petit frère. Elle avait bien remarqué son manque d'appétit et ses joues brûlantes pendant son premier sommeil. Il aurait fallu l'aider à manger et le serrer contre elle chaque nuit pour absorber sa fièvre.

Mais la mort est inattendue comme chaque instant ici-bas. Dans son délire d'agonie, Abbey avait des sourires protecteurs, il balbutiait des mots immenses, montrait d'un doigt effrayé une minuscule fissure dans le mur. L'enfant sait tout parce que sa peur n'est d'aucun monde.

Kate croisa le regard endormi de bonne mère. Les cahots du fiacre agitaient ses bajoues et ses mèches blanches. Une vieille femme pétrie de songes en face d'un précipice, c'est le sentiment pénible qu'à cette seconde elle en eut. Qu'est-ce qui les différenciait vraiment, les vivants et les morts ? Elle reposa son front sur la vitre, les yeux ouverts, sensible aux vibrations qui modifiaient sa vision des objets, devenus eux-mêmes tremblés, indécis. Parmi toutes ces ombres s'esquivant en tous sens, combien d'esprits errants ou de cadavres ranimés par le souffle d'un magicien ? Pour l'endormir autant que pour parfaire son éducation, Leah lui avait raconté bien des soirs, avec des moues d'ensorceleuse, des histoires de morts vivants et de sombres prophéties tirées d'auteurs anglais, tel ce fantasque Horace Walpole qui aimait porter une cravate de bois sculpté, Ann Radcliffe dans son château de fatalité et la créature toute couturée de Mary Shelley ou celle encore, si affreusement pâle, d'un certain Polidori. Elle chuchotait alors à son chevet, yeux agrandis et dents pointues, sa vieille sœur penchée : « Le lord à l'exsangue beauté avait soif de sang frais. » Sans doute, tout en enrichissant quelque peu son vocabulaire, avait-elle cherché à entretenir en elle, par l'effroi, le feu noir de ce qu'on appelait désormais *Modern Spiritualism...*

Kate écoutait les sabots des trois voitures battre en averse le sol pierreux ; elle crut voir voler des têtes de femmes au milieu d'une danse de coutelas. Quand Leah s'appliquait à lui narrer ces horreurs choisies, elle avait pris l'habitude de se réciter des contre-sorts idiots, du fond de son lit, pour ne pas mourir d'épouvante :

Je donne mon éléphant
Contre son poids de bêtes à bon Dieu
Ah, quel bonheur ! quel bonheur !

Recroquevillée contre la portière du fiacre, elle n'était pas loin d'user du même stratagème pour exorciser son angoisse à l'approche de leur destination. On allait les livrer aux fauves, elle et sa sœur. Oh Maggie, Maggie, trouvons vite une formule magique pour leur échapper !

Le page du roi des soles à collier
Nage à plat ventre jusqu'au pôle nord

— Que baragouines-tu encore, Katie ? demanda la maigre Amy Post serrée à ses côtés.

Sans répondre, parfaitement apaisée soudain, elle se remémorait l'elfe aux genoux griffés des bois et des ruisseaux de Hydesville. Mais l'enfance avait ravalé son éternité comme du sucre filé. Une jeune fille doit trouver sa force dans les plis de sa robe grise plutôt que sur l'échiquier en carton bouilli de ses rêves. Pourtant, nom d'un bijou noir ! elle serrait tout contre elle son vieil allié tapageur. N'est-ce pas Mister Splitfoot ?

De grands coups secs résonnèrent dans l'étroit logement de bois et de cuir, provoquant un sursaut d'inquiétude chez les passagers.

— Ah ! s'exclama bonne mère. C'est l'annonce que nous voilà bientôt rendus !

Kate n'était pas seule à remarquer quantité de beaux équipages, calèches d'acajou marqueté, carricks à pompe, véhicules hippomobiles en tous genres ralentis par une foule mêlée où des cohortes de puritains osseux et barbus montraient les dents à côté de grandes femmes à chapeaux et de vieillards plutôt joyeux sous leur deuil d'arbre mort. Mais où donc se dirigeaient ces multitudes ? Isaac Post pencha sa longue tête de haridelle à la fenêtre du fiacre.

— Aurions-nous de la concurrence ? Une chorale réputée sûrement, ou un sermonneur du deuxième Réveil…

— Allons donc, vieille bête ! lança Amy Post secouée d'exaltation. Ce beau monde-là vient pour nous, pour notre cause ! Ô doux Seigneur ! C'est l'espérance qui les amène !

VI

Raout à Corinthian Hall

Les hauts murs de Corinthian Hall ne furent pas longtemps le théâtre d'un siège : la place était prise et conquise au-delà de toute attente et les organisateurs, à commencer par le directeur de la salle en contrat avec Leah Fish, envisageaient déjà d'autres séances. On se pressait par toutes les entrées pour sauvegarder un siège numéroté ou se l'accaparer. La rumeur publique amplifiée par le télégraphe et la presse avait rameuté tout ce que l'État de New York et ses environs connaissaient d'amateurs – érudits et simples curieux –, de non-conformistes ou de frondeurs alléchés par un relent sulfureux de nouvelle Réforme, d'astrologues et de magnétiseurs ambulants de passage à Flour City, la plupart fervents épigones de Franz Anton Mesmer, de savants attitrés, d'hommes de lettres et d'universitaires jaloux de leurs mérites – tout ce beau monde en concurrence avec le peuple fourmillant des puritains accouru sans trop savoir encore s'il fallait applaudir ou huer l'événement.

Dans les premiers rangs préservés de l'invasion par des appariteurs, d'importants personnages prenaient place après avoir confié cannes, gibus et fourrures au vestiaire. Les étudiants et les précepteurs massés dans les travées des balcons patientaient en mettant des noms sur ces nuques plus ou moins huppées qui, l'une après l'autre, glissaient comme des cartes à jouer derrière les dossiers de velours des fauteuils. On reconnaissait le riche fabricant de chariots James Cunningham, le banquier Sylvester Silvestri et l'homme d'affaires Harry Maur rejoint par une célèbre actrice au deuil éternel descendue des coulisses, le très influent directeur du *New-York Tribune* Horace Greeley, ainsi qu'Alexander Cruik, célèbre évangélisateur suspecté de connivence occulte avec les Peaux-Rouges idolâtres du Grand Esprit. Des sommités de la vie politique alors en campagne dans le comté de Monroe préférèrent garder l'anonymat en se rencognant au fond des loges. La présence à titre privé du vieux lion du Parti whig Henry Clay, actuel Speaker à la Chambre des représentants, passa ainsi inaperçue des journalistes. L'entrée solennelle du juge Edmonds, éminent jurisconsulte, du chimiste James J. Mapes, professeur à l'Académie nationale, ou de son collègue Robert Hare, suscita moins l'intérêt que celles des patrons locaux des minoteries et des usines textiles. On applaudit et siffla le maire de la ville, petit-fils du colonel Rochester, et sa lymphatique épouse. Personne ne remarqua les nombreuses figures du renouveau spirituel éparses dans la salle, certaines accompagnées de leurs disciples, comme la visionnaire adventiste Ellen White, toute vêtue de blanc, le front ceint d'un bandeau, l'éditeur du déiste Thomas Paine, auteur d'un *Age of Reason* où il rejetait le petit Jésus avec les eaux baptismales des Évangiles, le cachectique Andrew Jackson Davis déjà tout acquis à la pittoresque Leah Fish, bien d'autres qui n'avaient aucun nom encore, sans compter les histrions de frairie ou de gala férus en illusions diverses, les démarcheurs et camelots à l'affût de toute nouveauté, les aventuriers dubitatifs concentrés sur l'affaire du siècle ou d'un soir.

Parmi ces derniers, bien calé dans son siège après avoir rudement joué des coudes, William Pill fumait un cigare nauséabond en méditant sur son avenir immédiat. Grâce à l'amnistie des braves et à son certificat militaire, quitte pour longtemps des hautes plaines, il avait à peu près réparé sa réputation dans les maisons de jeux de Rochester. Mais ces bonnes fortunes à la petite semaine ne lui autorisaient qu'un assez modeste train de vie, des amours faciles, un whisky juste potable. Il avait connu d'autres fastes à l'époque de ses frasques texanes, de retour du Mexique pacifié. Mais ici comme ailleurs, la chance le narguait. L'argent, ce vent des mains, ne l'ébouriffait que pour sa prochaine ruine. Il ne lui restait jamais de bien acquis qu'une bible récupérée dans un naufrage, outre la petite vérole qui lui grêlait la face. À l'annonce de la démonstration spiritualiste de ce jour, lue chez un barbier dans le *Rochester Herald*, il ne s'était guère douté du lien avec les gamines facétieuses de Hydesville jusqu'à ce que les commentaires acerbes du journaliste lui eussent rafraîchi la mémoire. Cette « bouffonnerie des esprits frappeurs » était une idée de génie : à l'estime, huit à neuf cents personnes s'entassaient sous les colonnes de Corinthian Hall, la plus grande salle de la ville, ce qui devait rapporter environ un bon millier de dollars, en soustrayant les resquilleurs dans son genre et les entrées gratuites des premiers rangs. William Pill savait apprécier les mystifications. Il avait connu dans l'Ontario un escamoteur de cabaret capable d'intervertir les têtes de ses sujets, choisis parmi les plus imbibés d'alcool. À Philadelphie, il avait eu le privilège d'observer de près un ventriloque, disciple déchu de l'utopien William Abbey, fort habile à dépouiller les bourgeois de leurs montres à gousset en déclamant, bouche close, la *Déclaration d'indépendance mentale*.

Entre deux puritaines blêmes de nausée, son cigarillo collé à la lèvre, Pill bâilla à s'en décrocher les maxillaires. En retard d'une nuit, il se laissa engourdir par la bonne chaleur de l'endroit. Aussitôt, le galop d'un cheval l'emporta dans l'immense prairie rêvée. Lui aussi était visité par un spectre, toujours le même. Rencontrée au coin d'une rue ou dans une vie antérieure, c'était une jeune femme très blonde et bien trop belle pour être décrite. Seule certitude, il ne la connaissait ni d'Ève ni d'Adam et l'aimait pourtant à la folie. Rien, rien n'avait de sens sur cette Terre où tout advient hormis ce qu'on attend. *Un étranger*

devant moi, c'est celui que je fus autrefois avant
qu'une fille inconnue me dise : qui es-tu homme sans
visage et que me veux-tu avec tes mains vides, tes
mains pareilles à deux cadavres...

Une voix tonnait maintenant d'un lieu insituable. Les paupières mi-closes, il aperçut sur l'estrade illuminée un personnage vêtu d'un frac, la face olivâtre et le cheveu noir corbeau, aux allures compassées de maître de cérémonie. Pill s'extirpa de sa somnolente paralysie d'un haut-le-corps. Le spectacle commençait enfin.

— J'ai l'insigne honneur de vous présenter ce soir les invitées de Corinthian Hall...

En disant ces mots, Lucian Nephtali discerna la physionomie replète du coroner au troisième rang. Il ne l'avait pas revu depuis cette nuit d'oubli au Golden Dream, après les funérailles de son ami. Le frisson de surprise qui suspendit sa voix une seconde, il crut en percevoir l'incidence dans le fugace rictus d'ironie du policier. Mais il se ressaisit la seconde d'après, avec en lui l'image d'une tombe voilée par les fumées de l'opium.

— Écoutez le prophète Ézéchiel ! C'est sur la Colline du printemps qu'il fut sommé de rappeler à la vie l'Esprit nombreux des morts : « La main de Yahvé fut sur moi, et Il m'emmena par son Souffle, et Il me déposa au milieu de la vallée, une vallée remplie d'ossements, et Il me dit : Fils d'homme, ces ossements vivront-ils ?... Prophétise sur ces ossements. Tu leur diras : Ossements desséchés, écoutez la parole de Yahvé... Voici que je vais insuffler en vous l'Esprit, et vous vivrez… Ainsi prophétisai-je selon l'ordre divin… Les os se rapprochèrent l'un de l'autre. Je regardai : les squelettes étaient maintenant recouverts de nerfs, la chair poussait et la peau s'étendait par-dessus, mais il n'y avait pas encore d'esprit en eux. Et Yahvé m'ordonna : Prophétise à l'Esprit… Et tous les morts reprirent souffle et se dressèrent sur leurs pieds : grande, immense armée vivante des âmes. » Comme Ézéchiel, comme Ulysse ou Hamlet, nous avons tous été en contact avec l'âme d'un disparu, celle d'un petit enfant ou d'une épouse aimée, ou d'un ami très cher… Il nous est désormais possible de provoquer à volonté cette gratification de la Providence.

— Qu'on fasse taire le croque-mort ! vociféra inopinément un ouvrier des minoteries.

— Cormoran ! renchérit un marin des lacs en imitant le cri du volatile.

— Emballeur de refroidis ! ajouta par souci d'équilibre un tueur des abattoirs.

Du fond de la salle, les quolibets et les rires ne cessèrent plus.

Sans se démonter, songeant au défi lancé par Leah et ses amis en quête d'un orateur, défi qu'il avait relevé avec un certain cynisme mais en parfait gentleman, Lucian haussa le ton :

— On a voulu inutilement mettre en cause l'intégrité des sœurs Fox sous le prétexte qu'on pourrait contrefaire certains phénomènes ou leur allouer une interprétation physique ou même psychique. Mais prenez garde ! Les sœurs Fox ne défendent aucune fantaisie sectaire. Avec le spiritualisme moderne, nous assistons à l'effondrement du mur de silence qui nous séparait de nos précieux disparus. Il s'agit là d'une révolution morale qui va changer la face du monde…

Les huées redoublant cette fois dans toutes les travées, Lucian Nephtali se dit qu'il pouvait en rester là, que le fichu service sollicité par Leah et sa complice Charlène était largement rendu.

Un bras tendu vers les coulisses, il ébaucha un mouvement de retrait presque dansé.

— Les sœurs Fox ici présentes vont maintenant vous exécuter selon les règles une authentique démonstration de télégraphie spirituelle…

Les lanternes à becs de gaz et lentilles de Fresnel s'éteignirent à propos, ne laissant la scène éclairée que par deux lampes astrales à globe bleuâtre. Des appariteurs trimbalèrent une belle table ovale en noyer, des chaises hautes ainsi qu'une armoire imposante au milieu du plateau comme si devait s'y jouer quelque drame boulevardier.

Il y eut une brusque accalmie dans la salle. On cessa de s'esclaffer ; les perturbateurs eux-mêmes furent saisis de surprise à la vue des trois sœurs aux sombres et austères toilettes qui avançaient du fond de la scène d'un pas irrésistible. Leah, que beaucoup prirent pour la mère des deux autres, se détacha du groupe et rompit le silence.

— Le monde des Esprits nous préexiste. Les Esprits nous entourent, ce sont vos défunts enfants, ce sont vos pères et mères ! La plupart sont disposés à répondre à notre appel. Il en est de bienveillants, si proches des anges, d'autres sont torturés par leurs fautes terrestres et reviennent hanter des lieux délictueux. Certains parmi les plus souffrants ne comprennent même pas qu'ils sont morts. Mais tous, tous sans exception, cheminent vers la perfection. Tous les Esprits parviendront après bien des errements à la délivrance au sein de l'Être suprême. Tous seront sauvés…

Des marmonnements sourds et des sanglots montèrent de la multitude. Kate et Margaret, en retrait dans le clair-obscur des lampes, attendaient un signe de leur aînée. La plus jeune considérait le gouffre de la salle avec le même effroi qu'elle avait découvert le lac Ontario secoué par une bourrasque. Une puissance élémentaire se tenait à ses pieds, aveugle malgré ses mille orbites, prête à l'engloutir. Qui était-elle pour risquer un pareil affrontement ? Et que savait-elle de plus que les filles de son âge ? La tension alentour était si intense, son crâne recevait un tel influx nerveux qu'elle songea fuir par n'importe quel moyen, pâmoison ou crise hypnotique. Cependant elle serra les poings et invoqua de toute son énergie Mister Splitfoot.

À côté d'elle, Margaret, constatant sa pâleur, pressa avec discrétion son épaule. Elle n'en menait pas large non plus mais s'amusait malgré tout de l'énormité du phénomène : prodige bien plus considérable que leur histoire d'esprit frappeur, cette foule avait payé rien que pour les voir ! Elle se dit, les genoux serrés, que les confidences abonderaient sous sa plume dès qu'elle ouvrirait son journal intime. Ne vivait-elle pas, godiche, un pur moment d'Histoire ?

Après un avertissement solennel aux sceptiques qui risquaient d'éloigner les Esprits, ou même de les rendre dangereux, Leah s'était tournée comme prévu de leur côté.

— Margaret et Kate Fox vont s'asseoir à cette table sous votre contrôle. Au nom de Dieu qui leur a octroyé ce don sacré entre tous, ne troublez pas les médiums dans leur recueillement pour canaliser les fluides extra-sensoriels...

Au bord de l'affolement, Kate et Margaret se jetèrent des coups d'œil furtifs. Le sourire espiègle de l'une à l'abri de sa paume rasséréna l'autre, et toutes deux se concentrèrent, du fond de leurs entrailles à la pointe des cheveux, les mains et les pieds déjà parcourus de vibrations électriques. « Oh oh ! Mister Splitfoot, ne m'abandonne pas ! » supplia Kate. Car elle ne doutait pas que l'esprit du colporteur l'eût suivie depuis Hydesville. Elle imaginait son pied fourchu incroyablement véloce, capable de franchir d'un bond la distance entre la Terre et la Lune. En un clin d'œil, Mister Splitfoot pouvait l'extraire du fond d'un puits ou de la gueule d'un ours brun. D'ailleurs, le voilà qui bondissait à l'insu de tous sur la table avec l'air de dire : « Mais que me veux-tu encore, vilaine petite fille ! — Wow ! As-tu vu cette clique d'ogres et de méchants corbeaux ? Nous voici Maggie et moi en bien mauvaise posture… — Vous l'avez cherché, foi d'égorgé ! Allons parle ! Qu'attends-tu de moi ? »

— Esprit, es-tu là ? s'exclama de vive voix Kate en réponse directe à Mister Splitfoot. Si tu es là, frappe deux fois…

L'armoire ou la table furent aussitôt l'instrument de deux puissants heurts d'une sécheresse de tir à balles réelles ou de cognée abattue contre un arbre creux.

On se récria dans la salle, une femme poussa un ululement sinistre. Charlène Obo, secouée de convulsions, applaudit frénétiquement. Campé derrière le dégagement d'une issue des coulisses après sa prestation bouffonne, lui-même invisible du public et des protagonistes qu'il pouvait observer à loisir, Lucian Nephtali fumait un cigarillo en s'interrogeant sur le degré de fantaisie placée dans son ouvrage par le Grand Horloger. De bien curieux phénomènes entouraient ces jeunes filles. Les meubles semblaient leur répondre en personnes sensées, comme des paralytiques aux squelettes ardents. Et pourquoi diable les morts se montreraient-ils si turbulents à la moindre invocation ? Leah surveillait ses sœurs de son œil d'oiseau de nuit : blancs lapins de lune, cernés par la forêt lugubre des puritains, elles folâtraient entre deux cercueils de vieux bois, l'un en forme d'armoire et l'autre de table.

Les coups secs s'étaient mis à pleuvoir, plus réguliers qu'un carillon de potence, et la foule éprouvée grondait d'effarement et de colère. Redoutait-elle l'apparition dans la lumière livide des lampes astrales du vaste peuple des transis, avec des faux et des crocs, tel que Breughel le montre dans son *Triomphe de la Mort*, venus par milliers de millions mettre un terme au scandale de la séparation de l'ici-bas et de l'au-delà ? Si des gamines avaient le pouvoir d'en abolir les frontières, une apocalypse devrait logiquement s'ensuivre. Lucian pouffa à cette perspective. Lui-même serait prêt à créditer toutes les inepties pour revoir son ami, pour lui demander pardon et le serrer une fois encore contre son cœur. Mais Nat Astor gisait sans états d'âme dans le vieux cimetière de Buffalo Street. Et de quoi pourrait répondre le mystère de l'abîme ? Ô vous qui n'entrez pas, *ou pas encore*, laissez ici toute espérance !

VII

Fox & Fish Spiritualist Institute

La maison de Central Avenue à l'enseigne du *Fox & Fish Spiritualist Institute* était désormais fréquentée par toute la bonne société de Rochester. On venait même de New York City et de Boston, de l'Illinois et de Pennsylvanie afin de consulter l'une ou l'autre des sœurs Fox. Leah gérait l'affaire avec détermination et rigueur, sélectionnant la clientèle, prenant soin du rituel d'accueil et de la mise en scène dans chacun des trois cabinets décorés dans un style néo-gothique sans surcharge ornementale. Le plus difficile pour elle était de proscrire toute velléité d'indépendance chez ses deux sœurs qui avaient certes l'une et l'autre l'âge de se marier, surtout Margaret. Mais les petites paysannes s'étaient dégrossies grâce à ses leçons et savaient aujourd'hui apprécier les belles robes corsetées, de taffetas ou de satin noir, les bijoux discrets et les sages coiffures à bandeaux et chignons sur la nuque qui vont si bien aux chevelures généreuses. Elles s'en trouvaient si embellies que les prétendants affluaient, même parmi les veufs venus dans l'espoir de correspondre avec leur défunte. À quoi bon s'embarrasser d'un époux, c'est ce qu'elle leur répétait à loisir, en femme divorcée et heureuse de l'être. Grâce aux séances rémunérées et aux subventions de leurs riches adeptes, elles ne manquaient ni de l'ordinaire ni du superflu – même si les comptes leur restaient cachés. La fortune acquise hors du mariage a pour une femme un goût exquis de revanche.

Leah gardait un souvenir cuisant des épreuves qu'il avait fallu traverser avant de s'établir réellement et de fonder leur réputation par-delà le comté de Monroe, l'État de New York, puis dans toute l'Union ! L'épisode de Corinthian Hall, pourtant décisif dans leur carrière, alimentait ses pires cauchemars, quand soudainement une voix anonyme déstabilise l'équilibre précaire de la crédulité publique. « Sorcières ! » avait renchéri la foule au moment où un spectateur désigné au hasard apprenait du comptage des coups frappés un secret inavouable. Il y eut alors dans la salle une bataille d'invectives, remportée haut le bec par le peuple des puritains déjà prêt à passer à l'acte. La démonstration touchait par chance à son terme, mais le public déchaîné s'était massé à l'extérieur, débridant son animosité. Les plus virulents avaient dérobé d'épaisses cordes à la devanture d'une sellerie qu'ils brandissaient dans la pénombre du soir. Juché sur un fardier, un pasteur sentencieux nommé Ryan excitait les lyncheurs. « Qui s'amuse avec Satan ne se réjouira pas en Dieu ! » s'était-il mis à clamer, entre autres slogans à l'emporte-pièce.

Les envoyés de presse donnèrent à l'événement une publicité considérable, quoique fort contrastée dans ses relations. Où les journaux du Sud et du Middle West parlaient de tromperie honteuse des clans abolitionnistes et des mouvements des droits des femmes, le *New-York Tribune*, sous la plume d'un jeune adepte du transcendantalisme à la mode chez les progressistes du Nord, annonçait une découverte fondamentale prouvant rien de moins que l'immortalité de l'âme. La chronique s'achevait sur une citation de Ralph Waldo Emerson : « Il y a des personnes de qui nous attendrons toujours de féeriques témoignages. Ne cessons pas de les attendre. » Les quakers de leur côté s'étaient engagés massivement dans la voie spiritualiste, en concurrence avec les mormons qui avaient pour ambition de rappeler en Dieu par leur nom de baptême légitime ou de bon droit, sans en négliger aucune, toutes les âmes ayant vécu sur Terre depuis Adam et Ève.

Toutefois les juristes et les scientifiques présents à Corinthian Hall, soupçonnant une mystification, s'étaient concertés afin de constituer des commissions d'experts. N'y voyant que manœuvres et concussion, la populace s'était promis de pendre les trois sœurs et leurs protecteurs en cas de rapport favorable. C'est à leur risque et péril qu'elles se rendirent à ces rendez-vous en forme d'audience publique à Corinthian Hall. Ni la première commission ni la deuxième ne purent déceler le moindre stigmate de fraude. Toutes sortes d'examens furent pourtant rapportés par un clerc de justice. On ausculta l'armoire et la table avec un stéthoscope. On plaça des feutrines sous les pieds de chaise. Après les avoir inspectées sous toutes les coutures et jusque dans leur intimité, on entrava les jambes et les bras des jeunes femmes durant les invocations. Le médecin légiste Brinley Simmons comprima avec des courroies leur épigastre pour contrarier toute tentative de ventriloquie. Rien de suspect ne put être décelé dans le déroulement de ces extravagances. Les expertises se bornèrent à constater l'absence de causalité mécanique entre l'action des médiums et les divers supports où les heurts se produisirent. Une commission épiscopalienne présidée par un évêque itinérant de l'Association évangélique conclut même à l'entière bonne foi des deux plus jeunes sœurs, sans pour autant expliquer ni cautionner le phénomène.

Après les lyncheurs, la fortune attachée à la renommée n'avait pas manqué d'attirer les prédateurs. Un certain Norman Culver, vague cousin par alliance, s'était essayé vainement à les faire chanter. Il finit par déclarer haut et fort que Margaret lui avait dévoilé son procédé en faisant craquer entre eux les os de ses doigts de pied. Avec un peu d'entraînement, prétendait-il, n'importe qui pouvait donner le change aux simples d'esprit recrutés dans le public des foires. Les marchands de faillites n'étaient pas en reste ; l'un d'eux, Irlandais de souche, voulut leur céder très cher le plan manuscrit d'une mine d'or des Rocheuses légué par un père illettré, certain que le magnétisme animal dont cette pelure était chargée servirait de boussole. Mais ces aléas n'étaient que la rançon d'une gloire qui promettait d'être universelle.

Leah avait elle-même beaucoup appris dans l'adversité ; quoique privée de la grâce naturelle de ses sœurs, en médium conséquente, elle s'estimait préservée par sa grande piété des dérives charlatanesques qui ne cessaient de féconder une concurrence inepte. Mais pouvait-elle se plaindre ? L'argent placé chaque semaine à la banque Silvestri fructifiait gentiment désormais. Des amis sûrs l'entouraient et la conseillaient, à commencer par le dévoué Sylvester, ainsi que George Willets, ce bon géant qui les avait sauvées du lynchage après les délibérations favorables de la commission épiscopalienne, sans oublier la chère Charlène Obo et cette singulière Wanda Jedna, égérie de toutes les grandes causes égalitaristes. Partisans et disciples affluaient aux réunions privées du *Spiritualist Institute* tels l'enthousiaste Andrew Jackson Davis venu de Blooming Grove, la très ébouriffante Anna Blackwell qui portait le deuil spirituel d'un poète luciférien de Baltimore, le marchand de tissus Freeman, Jonathan Koons, un fermier de l'Ohio qui jurait de bâtir un sanctuaire aux Esprits, et ces dizaines de veuves de guerre, de mères éplorées ou d'étudiantes en théologie toutes frémissantes aux invocations comme les feuilles d'un saule quand souffle la nuit. À tel point qu'elle ne savait plus différencier un patient d'un affilié ou un courtisan d'un possible rival.

La langueur de bonne mère, à la longue affectée par tous les drames que venaient déverser sur ses filles tant d'inconnus accourus d'éternelles funérailles, et l'hostilité croissante de Margaret toujours à fleur de nerf, prête à lui payer en caprices son dévouement, n'étaient pas sans influer sur l'humeur de Leah. La réussite du *Fox & Fish Institute* était toutefois à son zénith depuis l'ingénieuse trouvaille de ses jeunes sœurs. Désœuvrées un dimanche dans la villa de South Avenue, elles s'étaient emparées d'une petite table ronde au piétement tripode s'évasant à partir d'une entretoise sertie d'une galerie à décor de palmettes, avec l'idée d'interroger les cartes à la manière de la marquise de Fortia. Mais la table étant trop étroite, les cartes se répandirent au sol, une partie sur leur dos taroté, l'autre côté face. Margaret avait prétendu alors que ce ne pouvait être un hasard. Tandis qu'elle s'agenouillait pour lire l'avenir, sa sœur, les mains à plat sur le plateau d'acajou, s'était mise à invoquer son esprit frappeur élu, lequel sembla trouver fort pratique ce nouveau mode de communication : la délicate petite table, littéralement possédée, partit à taper d'un pied ou de l'autre et à tourner sur elle-même comme une danseuse bavaroise. Par hasard avertie du prodige qu'elle eût volontiers attribué au magnétisme animal, Leah sut en tirer un parti immédiat lors de ses séances privées. Avec ses plus fidèles amis spiritualistes – tous autant qu'elle ignorants des antiques *mensa divinatoriæ* – le maniement des tables tournantes fut sciemment élaboré selon maints codes et variantes avec, prolongement qui la ravissait, une réflexion approfondie sur la Science et le Progrès révélés à travers les esprits par l'Intelligence céleste.

Dès qu'elle le pouvait, les soirs sans obligations, Leah se réfugiait dans son havre de South Avenue et tentait d'oublier cette folle agitation dont elle ne voulait pas se croire seule responsable. La volonté divine n'est-elle pas invincible ? À ces moments, déliée des anxiétés de la plus roide vigilance, elle rêvait de glisser à la surface des choses, bulle de savon sur une peau nue.

Dans son déshabillé de tulle, après s'être baignée dans un baquet rempli à la bouilloire par sa domestique virginienne courant entre le puits du sous-sol et la cuisinière à charbon, Leah fumait une de ces longues cigarettes offertes par Sylvester, son ami banquier, en songeant au chemin parcouru depuis l'enfance pouilleuse dans une ferme quelconque de Rapstown. Face aux lumières des High Falls qui surplombaient l'énorme chantier du nouveau viaduc par où allait passer le train reliant New York, Cleveland ou Buffalo, elle eut le sentiment de perdre ses repères. À quoi ressemblait une vie si absolument tournée vers l'incorporel ? Un sang vif coulait dans ses veines. Ce qu'elle ressentait pouvait se comparer au mal du pays, mais le pays perdu était celui de la chair, des grands fleuves et des averses d'étoiles. Entrouvrant ses fenêtres, elle respira l'air pénétré d'embruns. On entendait gronder les cascades de la rivière Genesee entre deux bourrasques. Leah fut prise d'un long frisson. Trop de folie se mêlait à son entreprise. Ses sœurs et sa mère, le père Fox réfugié chez leur frère David – toute sa famille allait se disperser au vent d'hiver et elle resterait solitaire et stérile au milieu des désincarnés, comme un jardin à l'abandon. Les paroles d'un lied lui revinrent à l'esprit :

Le vent d'automne
Pleurera-t-il mes cendres
Avant d'y souffler ?

Elle ouvrit grand la baie. Les voiles de son peignoir flottèrent jusqu'à son piano. Une parure de larmes aux cils, elle effleura alors des deux mains les touches basses du clavier. C'était sa ruse de vaincre la mélancolie par davantage de mélancolie.

VIII

Adieu bonne mère

La mort de bonne mère advint à l'improviste, une nuit de décembre, surprenant tout le monde. Si bien installée depuis des années, sa dépression avait fini par sembler la forme même d'un tempérament que les dommages de la santé venaient seulement accuser aux yeux de son entourage. Devenu un fidèle de la maison, le médecin légiste Brinley Simmons, toujours encombré de sa trousse de chirurgie, avait suivi avec une grande aménité l'évolution de sa langueur, qu'il traitait principalement au mercure, comme la vérole.

Mais bonne mère à la fin rendit l'âme sans jamais s'être plainte d'autres tourments qu'une irrépressible terreur pour l'avenir de ses enfants. C'est la benjamine des sœurs Fox, un matin cotonneux, qui la découvrit dans son lit, la croyant endormie, mais si tranquille, si identique à elle-même, statue parfaite du sommeil d'une vie. Kate avait justement rêvé d'elle et, heureuse d'en garder intact le souvenir, s'était empressée d'aller le lui raconter au petit jour. « Bonne mère, j'ai rêvé que tu étais guérie de tous tes maux. Il neigeait. Tu étais tellement heureuse de partir en voyage seule et sans bagages... »

Kate avait croisé les mains froides sur la couverture et s'était penchée pour effleurer des lèvres cette joue de marbre. Revenue dans sa chambre, elle avait attendu plus d'une heure que l'une ou l'autre se manifeste, de Janet, la domestique, ou de Margaret. Les pleurs déchirants de Maggie étaient inimitables. Encore dans l'irréalité de l'instant présent, c'est avec un air d'exaltée que celle-ci entra dans sa chambre en criant : « Maman est morte ! » Muette, Kate la considérait sans réagir, tétanisée par une terrible impression de déjà-vu. « Oui, je sais », dit-elle enfin. « Mais comment peux-tu savoir ? » s'effara aussitôt Margaret. « J'ai dû le rêver », répondit-elle d'une voix faible, comme si elle rêvait encore.

Paradoxalement, la mort de leur vieille mère fut pour les sœurs Fox une parenthèse opportune dans leur éprouvante activité de médiums. En congé *pour cause de décès*, elles ne voulurent pas entendre parler d'esprits et d'au-delà plus que les circonstances ne l'exigeaient. Leah s'occupa des démarches et formalités d'usage. Un faire-part avisa la famille et quelques proches. Parmi les premiers avertis, témoins de la renommée croissante de l'Institut, quelques shakers en pèlerinage, des baptistes d'obédience milleriste, un couple d'adventistes du septième jour ainsi qu'un vieux mormon échappé de prison se présentèrent à l'adresse de Central Avenue afin de saluer la dépouille exposée entre quatre chandeliers.

Le jour des funérailles, réfugiée dans sa chambre, Kate déjà prête au départ considérait les va-et-vient sur l'avenue. Un corbillard attelé à quatre chevaux blancs attendait la fin du rituel de clôture. Ses sœurs et Janet l'appelaient à travers la maison pour le baiser d'adieu. Ignorait-on qu'il n'y avait pas d'adieu pour elle ? Bonne mère habitait toujours ses rêves, affairée, soucieuse du moindre limaçon égaré sur ses bras maigres, mais elle ne voulait plus s'approcher d'elle, d'un coup passée de l'autre côté du grand mur de verre qui empêche les mains de s'étreindre, les souffles de caresser les paupières et les parfums de se rappeler à vous.

Cette nuit, depuis son lit, une silhouette lui était apparue derrière les vitres, entre les tentures de sa fenêtre. Il y en avait tellement dans ses rêves, de ces promeneuses du néant. Solitaires, elles allaient et venaient d'un monde à l'autre et souvent, en ville, on les reconnaissait à leur allure penchée et à cette vapeur sur leurs visages trop lisses.

— Qu'attends-tu pour venir ! s'écria Margaret en forçant sa porte. C'est l'adieu ! C'est l'adieu !

Imprévisible, Kate courut sans mot dire jusqu'à la chambre ardente. Un employé des pompes funèbres s'apprêtait à sceller le couvercle de bois verni. Des deux mains, alors qu'il soulevait la planche, elle le repoussa comme le dieu des portes.

— Je vous interdis ! lança-t-elle, furieuse, avant de se coucher presque dans le cercueil, enfouissant la morte sous sa chevelure dénouée.

Mais la boîte fut vissée et le convoi gagna sans retard le cimetière de Buffalo Street. D'autres voitures attendaient devant l'entrée. C'est à pied que la famille Fox et les proches suivirent le corbillard dans l'allée bordée d'ifs desservant les divisions. Placide après sa bouffée de désespoir, Kate marchait d'un pas distrait à la suite de ses sœurs qui, de temps à autre, lui lançaient des regards soucieux. Elle s'étonna de leur extraordinaire ressemblance : mêmes habits, robes de taffetas noir et capelines, mêmes coiffures compliquées à chignon et ailes de corbeau. Malgré la différence d'âge, leurs traits semblaient décalqués, avec ces bouches étroites et ces yeux immenses de divinités hindoues sur des faces larges comme les deux mains. Il ne lui échappait pas que Maggie se débattait en vain contre l'influence de son aînée, tant le mimétisme était flagrant. Pareillement, Kate détailla la petite foule compassée au fur et à mesure qu'elle en était devancée. Son frère David qu'elle connaissait si peu allait d'un pas lourd de paysan en compagnie du père Fox, vieillard indifférent au monde. Comment se faisait-il que ses père et mère eussent conçu deux générations distinctes de rejetons, à près de vingt ans d'écart ? Se seraient-ils séparés entre l'une et l'autre, le temps de refaire chacun leur vie, ou bien dissimuleraient-ils quelque hécatombe de fausses couches et de maladies infantiles ?

Le convoi maintenant cheminait sur les pentes du vaste parc planté de dalles dressées ou couchées, de croix taillées dans le granit, de cippes et de colonnes tronquées. Comme des îlots urbains sur cette mer de pelouses où semblaient dériver les pierres éparses, se profilaient de maigres quartiers de chapelles et de mausolées avec, isolé par des cyprès, l'enclos sinistre de la fosse commune.

Kate aperçut, chacun dans sa pensée, les habitués de l'une ou l'autre maison, les premiers fidèles Amy et Isaac Post, si chétifs sur leur carré d'herbe jaunie, George Willets, portant de guingois sa digne tête de statue sur une carcasse de colosse, Mr et Mrs Jewell aussi, et Charlène Obo sous son voile grainé de perles d'obsidienne. Lucian Nephtali vêtu plus sobrement que d'ordinaire appuyait devant lui la pointe d'une canne à pommeau d'ivoire et semblait la suivre des yeux avec une étrange fixité de portrait peint. Avait-il le projet de l'hypnotiser ? Le médecin légiste Brinley Simmons, qui fut l'un des experts de la commission épiscopalienne avant de se prendre au jeu du spiritualisme et, à l'occasion, de soigner les médiums, observait gravement le travail élémentaire des fossoyeurs. Un spécialiste de la mort violente qui découpait les cadavres des suicidés et des assassinés comme une fermière ses poulets pouvait-il avoir un quelconque sentiment de l'au-delà ?

Mais voilà qu'on basculait le cercueil au moyen de sangles de cuir et de cordes de haleurs. Pardessus les crânes des fossoyeurs, comme surgi lui-même d'un tombeau, Alexander Cruik prononça quelques mots sur la rémission des péchés, la résurrection de la chair et la vie éternelle.

— C'est les vivants qu'il faut consoler, ajouta-t-il à l'adresse de l'assistance. Pénétrez-vous de la gratuité du Salut ! Il n'existe nul salaire des âmes. Dieu seul a charge des disparus...

Kate, effrayée par cette fosse aveugle, se glissa à reculons hors du rassemblement et s'enfuit vers les pentes. Tout en déambulant au hasard parmi les pierres, elle considéra çà et là les épitaphes : « Ici gisent mes chaînes », « Nulle larme pour le pécheur », « Ta Parole est Vérité ». Une citation de l'apôtre Jean l'arrêta plus longuement : *Celui qui croit en moi, fût-il mort, vivra.* Relevant la tête, elle vit à quelques dizaines de mètres un spectre cireux coiffé d'un haut-de-forme qui se profilait dans la grisaille brumeuse. Que pouvait-elle faire d'autre qu'aller à sa rencontre ?

Échappé lui aussi du convoi, Lucian Nephtali se tenait infléchi sur un tertre au milieu duquel était fichée une dalle de granit rose gravée de deux noms, l'un encrassé de lichens, l'autre mordant nettement la pierre.

— C'est vous, Kate ? dit-il en repliant d'un geste vif le mouchoir jusque-là maintenu entre sa paume et le pommeau de la canne.

— Ah, souffla-t-elle. Je m'excuse...

— Approchez, approchez donc...

Kate céda à cette persuasive intonation et fut bientôt devant la tombe. Elle lut un même nom : Astor, Nat Astor, mais ne déchiffra que la dernière syllabe de l'autre prénom gagné par une lèpre, et conçut sans mal entre ces deux-là un rapport d'ascendance, de fils à mère assurément.

— C'est moi qui vous dois des excuses, dit l'homme. Je me suis éclipsé un peu vite pour saluer mon ami.

— Oui, je sais…, bredouilla la jeune fille.

— Vous savez ? murmura Lucian Nephtali avec une pointe amusée d'incrédulité. Vous saviez qui repose dans cette tombe…

— Je voulais dire qu'il s'agit probablement d'un jeune homme et de sa maman décédée alors qu'il était enfant…

— C'est exact, observa Lucian sans s'étonner outre mesure. Nat a perdu sa mère bien plus jeune que vous : la tuberculose. Jamais il n'aura cessé de l'évoquer, de parler d'elle. Il devait conserver très peu d'images, mais cela ne change rien, l'oubli au contraire décante le principe de l'amour. Moins on s'encombre de souvenirs, plus entière est la mémoire et plus définitive la prédilection… Il ne jurait que par elle, sa maman était sa seule vraie passion. La rente qu'il recevait d'un père retourné en Angleterre le laissait libre, trop sans doute, tout entier abandonné à cette absence sacrée. Il vivait dans un deuil sans recours, comprenez-vous ? Il se malmenait, buvait, s'adonnait aux pires excès et en même temps dévorait avec une intuition jamais prise en défaut les meilleurs auteurs américains ou anglais d'aujourd'hui. Avez-vous lu Elizabeth Browning ? Et le grand Nathaniel Hawthorne ? Herman Melville promet lui aussi de nous surprendre. Comme promettait l'extraordinaire Emily Brontë morte dans l'indifférence, si jeune, juste un an avant ce malheureux Edgar Allan Poe frappé, avec le don de double vue, de toutes les malédictions...

Lucian Nephtali se tut, conscient de l'inconvenance de ce panégyrique dans un cimetière. Pensivement, il enfonçait à petits coups redoublés la pointe de sa canne dans la terre gelée.

— Lorsqu'ils étaient enfants, poursuivit-il sur un mode plus enjoué, Emily et ses frère et sœurs avaient imaginé un univers extraordinaire, *la Confédération de Glass Town*, qu'ils faisaient vivre à tour de rôle avec toutes sortes d'écrits, des cartes géographiques, des articles de presse, des drames, des poèmes, et cela dans une sorte de fiction endiablée toujours en expansion qui, véritablement, faisait feu de tout bois...

Kate crut deviner un fond d'ironie dans cette digression – était-ce une allusion au *Fox & Fish Spiritualist Institute*? Plus criante à ses yeux était la désolation morale au fond de quoi cet homme paraissait se débattre. Et puis elle ne connaissait aucun des auteurs cités, mais avait lu en revanche *les Voix de la nuit* de Longfellow et suivait depuis des mois le feuilleton si émouvant d'Harriet Beecher Stowe dans le *National Era*, ce journal abolitionniste que lui prêtait Wanda.

— De quoi pensez-vous que soit décédé mon ami? lança Lucian *ex abrupto* à la face de l'adolescente.

— On l'a assassiné, répondit-elle d'une voix égarée.

— Vous êtes folle ! Qu'est-ce qui vous permet ? s'emporta-t-il, avant de se reprendre : Nat Astor, mon seul ami, mon âme sœur, s'est tué d'une balle en plein cœur dans la propriété d'Harry Maur, je le sais, j'y étais…

Quelques flocons de neige volèrent au-dessus des stèles sans que Kate, les pupilles papillonnant sur cette pulsation laiteuse, n'osât s'en émerveiller comme c'était son habitude l'hiver, aux premières chutes. Lucian remarqua ce délicieux sursaut de surprise enfantine et ne put s'empêcher de sourire. Cette femme à peine née était vivante et distraite comme la neige, toute chose dans son esprit surgissait en palpitant pour s'effacer dans un miroir opaque. Une réflexion d'Edgar Poe lui monta aux lèvres : « Ce terrible mode de l'existence que subissent les gens nerveux, quand les sens sont cruellement à vif et les facultés de l'esprit assoupies et mornes. »

— Que dites-vous ? De quels gens parlez-vous ?

Kate, mal à l'aise, considérait tour à tour ce sourire d'hypnotiseur et les tourbillons de la neige maintenant si nourris qu'ils effaçaient les inscriptions sur la dalle inclinée. En se retournant vers l'endroit où s'assemblait tout à l'heure sa famille, elle ne vit qu'un même rideau de blancheur se balançant entre de rares cyprès et s'effraya soudain d'être absolument seule avec cet homme au masque de cire qui insinuait son regard en elle.

IX

L'aspirant médium

Un peu partout sur le territoire – de la vallée du lac Champlain aux Grandes Plaines, des États des Montagnes à la Côte du Golfe ou de la Nouvelle-Angleterre au *Main Street America* – la nouvelle doctrine qui n'était pas encore une religion, bien plutôt un credo mêlant dévotion et aspiration à la scientificité, se répandit à la vitesse d'un incendie de brousse, que favorisait de longue date, comme mille voix dans le vent, le messianisme des quakers, des adventistes du septième jour ou des pionniers mormons réfugiés à l'Ouest pour fuir les persécutions. Tous anathématisaient l'enfer, cette invention païenne, et rejetaient en conséquence le purgatoire des papistes, aspirant à une communication intime avec Dieu et ses anges, sans avocat ni arbitre du bien et du mal. Sous la protection clairvoyante de l'Esprit, les esprits pouvaient bien peupler les espaces et les mondes.

Cette providence du *Modern Spiritualism* toucha très vite des centaines de milliers, des millions d'Américains riches ou pauvres en un siècle où la Faucheuse n'épargnait personne, par grandes fenaisons, et moins encore les enfants de tous âges, plus assurés de disparaître que d'imiter un jour leurs géniteurs. On vit ainsi surgir d'innombrables médiums, comme autant de grenouilles nées de la pluie, nouvelle espèce de prédicateurs avec accessoires, dont quantité d'illuminés révélés à eux-mêmes, de pasteurs en délicatesse avec leurs congrégations, d'apothicaires ambulants, de magnétiseurs traînant dans leur carriole le baquet de Mesmer, de camelots recyclés, de bateleurs de rodéo, de tricheurs professionnels et autres escamoteurs. Ils officiaient en tous lieux imaginables après une campagne de presse ou une parade de cirque, les temples, les domiciles privés, les salles de congrès, les marchés couverts, les places publiques. Chacun promettait une variété de frissons à sa manière aux foules crédules, pour un dollar ou cent la tête. Les communications *post mortem* devinrent si courues en ville, où la mode était aux tables tournantes, qu'il s'en faisait communément entre bourgeois, le soir, autour d'un guéridon, et que n'importe qui pouvait s'improviser médiateur de l'outre-monde, pour peu que l'assemblée n'en meure pas de rire.

Encouragées par l'aura des sœurs Fox conduites par Leah et de leurs disciples les plus ferventes, dont la poétesse Anna Blackwell, la comédienne Charlène Obo, la rhumatisante miraculée Achsa W. Sprague ou l'énigmatique Wanda Jedna, les femmes américaines tenaient enfin un moyen inédit de prendre la parole sans être huées comme ces féministes prônant le droit de vote aux assemblées communales, ou encore persécutées et menacées de mort, dans le sillage des intrépides abolitionnistes Lucy Stone, Elizabeth Cady Stanton ou Susan B. Anthony courant par monts et par vaux prêcher une guerre sainte contre les esclavagistes et les mâles, ces prédateurs de même engeance.

Afin que le *Modern Spiritualism* ne fût pas accaparé par les charlatans et demeurât pur de tout alliage mercantile, de sorte aussi qu'il pût se garder des cabales et des charges virulentes tant des universités et institutions scientifiques, des ligues de puritains orthodoxes que de figures de proue comme Ellen White, célèbre pythie pourfendeuse de l'irrationalisme, les adeptes avisés des sœurs Fox initièrent des missions de médiums en charge d'éclairer les foules. À la suite du premier Congrès spiritualiste qui se déroula à Cleveland en 1852, maintes sociétés indépendantes s'établirent, financées par de riches philanthropes, lesquelles fondèrent des journaux propagandistes et dépêchèrent outre-Atlantique des missionnaires aux compétences médiumniques avérées afin de conquérir l'Ancien Monde.

À l'initiative de Leah qui avait engagé un impresario répondant au nom de Franck Strechen, un Écossais de souche familier des apparitions, les sœurs Fox parcouraient les grandes cités des États du Nord-Est : Newark, Philadelphie, Boston, Baltimore, Pittsburgh, Washington, Buffalo... Souvent accueillies par les sociétés spiritualistes locales, elles multipliaient les démonstrations de médiumnité avec un succès ininterrompu, inspirant partout des vocations et suscitant des émules.

À Boston comme à New York, Paschal Beverly Randolph, revenu jeune encore d'un tour du monde en Prince autoproclamé de Madagascar, alchimiste et Grand Maître de l'Ordre de la Rose-Croix, avait acquis une gloire insolite grâce au mélange des genres. Égalitariste et abolitionniste, luttant pour les droits universels dont la liberté sexuelle, ce rejeton d'esclaves avait fondé un Bureau des Affranchis et s'était fait une réputation de consolateur des pauvres en suscitant les esprits invoqués à fournir aux opprimés de meilleurs conseils que tout un chacun. Il usait à l'occasion de son puissant magnétisme pour mettre en relation les épouses endeuillées avec leurs compagnons défunts, ce qui provoquait chez elles d'intéressants accès nerveux. Accouru de tous les milieux, son public écoutait dévotement ses invectives : « Souviens-toi, ô néophyte, que Bonté est pouvoir, Silence est force, Volonté règne de l'Esprit, et que l'Amour accueille la racine du Tout-Puissant... »

Un peu par hasard, William Pill s'était trouvé un jour à l'écouter en mâchonnant son cigarillo et, par un plus sûr hasard encore, avait partagé la même diligence et fraternisé au cours d'un déplacement. Au service de Paschal Beverly Randolph pendant quelques semaines au titre de garde du corps, il prit le temps d'assimiler certains aspects de son art de la persuasion et quelques belles paroles. « La seule aristocratie est l'aristocratie de l'esprit», sonnait assez juste. Cependant il n'était pas homme à porter plus d'un tour de piste le collier, fût-il d'or massif.

Réfugié à Rochester à la suite d'un flagrant délit de fraude dans une salle de jeu bostonienne où il manqua perdre au moins la vie, William Pill – qui avait appris à l'insu du médium noir les mécanismes de suggestion pour abolir la volonté ou simplement endormir toute une assemblée – entamait alors une carrière de joyeux nécromant après bien des banqueroutes dans les domaines de la clairvoyance.

C'était toutefois aux sœurs Fox, depuis ce fameux soir à Corinthian Hall, qu'il attribuait sans controverse une vocation flambant neuve. Quelques mois durant, il avait pu améliorer des notions de répétiteur en sagesse chinoise ou en hiérarchie angélique chez les papistes et les musulmans. Aisément convaincu de l'amour du Grand Esprit, des valeurs de progrès et de la fonction télégraphique de la glande pinéale, cette antenne du cosmos, il ne lui restait plus qu'à revêtir le deuil des commissionnaires de l'au-delà. Chose faite non sans élégance, il s'était constitué un équipement complet de *physique amusante* grâce à ses gains au poker : fumigènes, système de poulies, têtes de carton, poires en caoutchouc, galets de magnétite, fausses mains de résine, foulards de soie, souliers truqués, ainsi qu'un couple de guéridons peints en papier mâché, des tablettes miniatures sur roulettes pour écriture automatique, des paravents et des provisions de cierges honnêtement acquis dans un temple catholique.

Sa toute première démonstration eut lieu dans le salon privé d'une maison de tolérance de Rochester devant un public constitué pour l'essentiel des filles de l'établissement et d'hommes mariés de la bonne société. Mme Tripistine, la gérante d'origine cévenole qui l'avait reçu dans sa chambre et apprécié pour son urbanité et sa façon d'ouvrir les bouteilles d'un coup de dents, l'embaucha quelque temps au titre de videur, puis le garda en amitié après lui avoir fait comprendre qu'il était trop belliqueux pour l'emploi. C'est elle-même qui lui proposa de faire ses débuts au bordel. «Les esprits, lui avait assuré Mme Tripistine, mes filles adoreront, à cause de tous les chagrins qu'elles trimbalent.» On aligna donc plus de trente chaises sur cinq ou six rangs, car les barbeaux et les caïds du secteur voulurent en être, à côté d'une clientèle habituée à s'engueusailler. La scène établie entre deux paravents était à peine plus grande qu'un castelet de guignol, mais l'apprenti médium s'y trouva à l'aise et fit montre d'une rare habileté pour faire parler les tables et provoquer chez ces dames d'heureuses pâmoisons. Trouvant à l'usage bien fastidieuses les transcriptions mécaniques, Pill innova même en laissant l'esprit parler par sa voix. Un voyou au nez et aux oreilles fendues l'apostropha au moment où une habile soufflerie fit surgir un spectre de poudre de silicate.

— Et que pense votre esprit de ce que je porte sous mon veston ?

William Pill qui se souvenait avoir expulsé une nuit l'individu ivre mort après la confiscation préventive de son arme, du temps où il officiait comme agent de sécurité, n'avait pas oublié de quel objet de collection il s'agissait.

— Un colt London 1851 Navy revolver numéroté 27139... Est-ce exact ?

— Véridique ! mais pour le numéro... attendez voir, dit l'homme en sortant son arme aux yeux de tous.

Quand il eut épelé les chiffres dans le bon ordre, l'assemblée applaudit et siffla d'ébahissement. Mais ce n'est qu'après avoir mis Mme Tripistine en communication avec son défunt père – un agité rigoriste qui, entre la douzième et la dix-huitième année de sa fille, certains dimanches, avait la coûteuse lubie de la fouetter à demi nue, les bras ligotés autour d'un cochon fraîchement tué dont elle devait boire le sang pour soigner ses poumons – que William Pill sut que sa réputation de médium était dorénavant acquise. Les filles d'une grande ville ont plus vite fait de répandre une rumeur que la vérole, en concurrence avec les mauvais garçons, d'une ingénuité sans limite face à l'irrationnel qu'ils ne sont pas loin d'assimiler très révérencieusement avec la mort violente.

Depuis cette soirée inaugurale, William Pill multiplia les démonstrations à Rochester et dans les environs. Il placardait lui-même ses affiches imprimées sur le modèle d'un avis de recherche d'une esclave noire fugitive surnommée Moïse, devenue une énergique activiste abolitionniste :

WANTED DEAD OR ALIVE
HARRIET « MOSES » TUBMAN
For Stealing Slaves
$ 40,000 Reward

Au lieu de « Mort ou vif », il avait demandé au prote de composer « La Mort est Vivante », avec à la suite en manchettes déclinantes son pseudonyme « William Mac Orpheus » puis « Célèbre Médium ».

Il s'était produit à ses débuts dans de nombreuses salles de fortune, un foyer d'immigrants irlandais et allemands tenu par des religieuses catholiques qui pensaient avoir affaire à quelque baladin, un théâtre désaffecté depuis l'effondrement des plafonds sur les acteurs lors de la représentation d'un drame romantique, un temple baptiste d'une communauté noire, véritable gare de l'*Underground Railroad* qui se défendait de l'intrusion des chasseurs d'esclaves par des hymnes et des chants codés :

Come follow the wind
To my father's house
We shall all live free
In my father's house

William Pill collectait lui-même les contributions après ses démonstrations. Les plus pauvres se cotisaient pour garnir son chapeau, les plus riches le conviaient parfois à dîner avec l'idée de percer le mystère de ses pouvoirs ou de sa science. C'est ainsi qu'un aveugle d'un certain âge vint le solliciter pour un entretien privé chez lui, dans une maison retirée de Rochester. D'une rare beauté mais sans aucun apprêt, les cheveux courts, son accompagnatrice était vêtue d'une sorte d'uniforme de toile écrue d'un bleu passé comme en portaient les travailleurs chinois du chemin de fer. Pill accepta rêveusement l'invitation, avec une impression aiguë de déjà-vu. Il se souvint sans vrai motif d'une antique fable mexicaine où un prince jaloux enivre son jeune frère afin qu'il brise son serment de chasteté, le laissant perdre ainsi la vierge convoitée. Le prince n'en sera pas gratifié en retour car celle-ci, déshonorée, ira s'arracher le cœur sur l'autel du soleil, condamnant le trio à reproduire la querelle pour l'éternité.

X

When to burn her diary ?

L'ai-je déjà écrit ? C'est phénoménal ce qui nous arrive. J'ai l'impression que notre étoile tourne désormais si vite sur elle-même que tous les événements qu'elle promettait se succèdent dans une accélération insensée, pour le meilleur et pour le pire. Le mariage de Leah avec un homme très riche va changer notre existence. Plutôt qu'à Sylvester Silvestri, son banquier amoureux, comme nous le suppuions toutes, elle a cédé aux avances d'un courtier de Wall Street, un homme-cigare aux chaussures croco-dile qui semble froisser des liasses de billets de banque rien qu'en se mouchant. Tout s'est passé très vite, de retour de notre séjour sur l'île de Manhattan. Leah, Kate et moi avions été invi-tées par Horace Greeley, le rédacteur en chef du *New-York Tribune,* une personnalité importante à ce qu'il paraît. En tout cas assez influente pour nous faire héberger pendant trois mois dans un somptueux hôtel proche du Barnum Museum, à Times Square, au cœur du Midtown, en échange de quelques séances publiques de tables tournantes. Nous avons été reçues chez lui, dans un immense appartement de la 59ᵉ rue ouvert sur la ville et les lumières du port, au sommet d'un immeuble d'au moins dix étages doté d'un drôle d'élévateur fonctionnant grâce à un moteur à vapeur. On construit aujourd'hui des montagnes. Si ça continue, les esprits du ciel ouvriront tout seuls les fenêtres.

Pour nous qui vivions au milieu des vaches et des poules, un pareil luxe a quelque chose de féerique. Les meubles et les murs, tout y est recouvert de cuir et de bois précieux, avec des statues de marbre et de bronze dans les coins, des horloges dorées, d'émouvants miroirs, des vases peints et des tableaux très sombres un peu partout. Leah nous a fait la leçon : il importe de garder notre quant-à-soi et d'avoir l'air de trouver ces palais parfaitement communs. Rejeton d'un pauvre fermier comme nous-mêmes, sans autre éducation que celle qu'il s'est donnée, ce Mr Greeley est maintenant le patron du plus grand journal d'Amérique, le porte-voix du Parti whig et l'éditeur de ce H. D. Thoreau, un défenseur de l'Esprit et de la liberté. Et cela en débutant comme simple apprenti imprimeur ! En tout cas, la réception donnée dans sa résidence en notre honneur aura été un moment fabuleux, inoubliable, qui me laisse à court de mots. Imaginez toutes ces dames étincelantes de bijoux, ces messieurs aux cols blancs et vestons à revers de satin, tandis que passent et repassent ces jongleurs muets qu'on appelle maîtres d'hôtel. Le crâne chauve avec de longs cheveux gris sur les tempes, des lunettes fines voilant un peu son doux regard, Mr Greeley nous présentait aux uns et aux autres comme des phénomènes. Même ses ennemis politiques avaient été invités, à commencer par le terrible Isaiah Rynders, roi des gangs irlandais de Tammany Hall, qui, à ce qu'on dit, se serait autrefois battu au couteau sur le fleuve Mississippi. Cet ogre a soutenu de ses deux bras de fer le jeune président Franklin Pierce tandis que Mr Greeley, qui est végétarien et ami des nègres, défendait de son côté le malheureux candidat whig. Et les voilà tous les deux réunis pour la trêve des esprits ! Mary Cheney Greeley, notre éblouissante hôtesse pourtant marquée par le deuil, m'a prise à part alors que les invités rapportaient le drame du couple présidentiel qui venait de perdre son fils Bennie dans un accident de chemin de fer. « Nous avons nous-mêmes perdu cinq de nos sept enfants, me confia-t-elle ce soir-là. C'est le massacre des Innocents ! Il nous reste deux filles d'à peu près votre âge et je lutte pour qu'elles soient des femmes libres. Mais que deviennent nos enfants morts ? » J'ai lu dans le regard de Mrs Greeley la même demande pathétique que chez toutes ces mères et épouses endeuillées.

C'est notre sort de médium, la consolation universelle ! Je ne suis pas fière d'avouer mon insuffisance du bout de cette plume. En lisant ces mots par-dessus mon épaule, un esprit s'en amuserait assurément. Les mêmes gens qui pardonnent les revers du champion de boxe William Thompson voudraient que nous soyons toujours au meilleur de notre forme, alors que nous ne faisons que recevoir des coups. Quand une salle effervescente, à moitié remplie de lyncheurs, attend que l'Esprit se manifeste, comment réagir si on tient à sa peau ? À l'Empire Club et dans d'autres endroits, nous avons toutes les trois épaté le public, surtout Leah si belle parleuse et si habile à détourner l'attention. C'est dans la salle de conférences du Barnum Museum qu'eut lieu notre démonstration la plus malaisée. Sous le patronage du *New-York Tribune*, furent invités des journalistes, des savants et des hommes de lettres, d'ailleurs assez courtois, mais qui nous observèrent sans ciller, en joueurs de poker, du début à la fin de la séance. Il y avait là James Fenimore Cooper, Nathaniel Parker Willis, William Cullen Bryant, je m'en souviens très bien, et aussi Mr George Ripley. Le magnat de Wall Street, un certain Mr Underhill que Kate avait surnommé l'homme au squelette d'or depuis la soirée chez notre bienfaiteur, s'était installé au premier rang et dévorait Leah des yeux. Pour faire taire les incrédules, celle-ci se montra renversante de savoir-faire. Je n'ai pas oublié son audacieux baragouin : « Les esprits sont délivrés des lois physiques qui régissent notre monde, le médium qui leur sert à la fois d'antenne réceptrice et de relais de transmission a besoin d'une grande concentration pour établir une aire magnétique permettant à la communication de s'établir. Par leur seule présence, les sceptiques et les irréligieux provoquent dans ce périmètre des perturbations qui rendent difficile notre travail… » C'était diablement rusé. Les sceptiques se sont sentis obligés de couper leur whisky. Kate, juste à ma droite, m'a tiré la langue en fermant un œil. Dans notre code, ça veut dire : « Profil bas, j'appelle Mister Splitfoot à la rescousse. » Dans la pénombre, sous la clarté rare des chandelles, le guéridon s'est mis à se balancer de droite à gauche et à tourner, à la fois comme un cerf-volant tenu court, un bandalore et une grosse toupie. Sans le moindre trucage, évidemment. Les incrédules ne veulent décidément pas comprendre que le spiritualisme moderne met à jour des énergies encore inconnues, comme l'explique si bien Leah. Ni Kate ni moi n'irons leur raconter ce qui se trame derrière ces mises en scène, ni ce qui se passait *vraiment* à Hydesville. Nous étions deux enfants alors, les enfants s'étonnent que le monde puisse continuer sans eux. La nuit, souvent, nous allions sur la pointe des pieds ouvrir brusquement la porte de notre chambre pour voir si un gouffre noir ne remplaçait pas l'escalier. Aujourd'hui, peut-être moins naïves, nous savons que le gouffre est en nous, dans la tête des gens, et que seuls les esprits existent. Ça ne me dérange pas du tout de tricher un peu quand personne ne répond.

Nous sommes restées presque trois mois à New York. Qui ne connaît pas cette ville est un paysan. On y vit dans une folle agitation de scolopendre décapité. Tout y est immense et ouvert sur le fleuve ou la mer, tout y résonne comme sur une piste de danse vertigineuse où les peuples du monde entier, chevaux compris, auraient chaussé des claquettes irlandaises. Leah s'y est mariée au grand dam de Mr Strechen, notre impresario. Kate, cette espèce de pâle monstre lunaire que tous les hommes veulent protéger, est devenue l'égérie d'un grand patron de presse qui ne croit ni aux tables parlantes ni aux matérialisations. Attend-il d'elle des prophéties instantanées sur le temps qu'il fait ? C'est fou l'intérêt des journalistes et des banquiers pour le spiritualisme ! Dire que sans les crises de somnambulisme de ma petite sœur, nous n'aurions probablement jamais mené grand train à Broadway !

Kate et moi avons mis au point une méthode directe d'écriture automatique. Plus besoin de la tablette rectangulaire sur roulettes munie d'un crayon qu'on anime du bout des doigts. Dès que l'esprit se manifeste, il suffit de séparer le bras qui écrit du reste du corps par un petit rideau et de laisser la main armée d'un bâton de graphite s'agiter toute seule sur une feuille vierge. Là, je m'y essaye à brûle-pourpoint :

Un millepattes dans un escalier
Monte les marches quatre à quatre
Ses souliers arrière au rez-de-chaussée
Ses souliers avant sur mon palier
Un colimaçon dans l'élévateur
Se plaint à ma sœur de n'avoir qu'un pied

Moi je suis la seule mal chaussée
Je marche en chaussons au plafond
Avec un chasse-mouche et un chausse-pied

When to burn my diary ? Il serait temps avant
que des mains inamicales s'en emparent. Quelle
honte pour moi si Leah tombait dessus ! Mais
elle a trop à faire avec cet Underhill, et bientôt
nous ne la verrons plus guère. La voilà new-
yorkaise, épouse d'un artiste de la haute finance
et tenant salon, tandis que Kate de son côté
invoque l'esprit du petit colporteur de Hydesville
et que je me morfonds seule à Rochester. Les
princes charmants ne peuvent-ils être que de
riches bourgeois dans ce fichu pays ? Qu'est-il
devenu mon cher Lee de Rapstown, mon bien-
aimé à la peau d'ange ?

Voilà que cette canaille de Franck Strechen,
l'impresario au chômage, se rabat sur moi, faute
de grives. Il me propose au tarif courant une
démonstration en solitaire à Philadelphie. Va
pour Philly ! la ville des quakers et de l'amour
fraternel. Pourvu que je ne perde pas mes moyens
en chemin !

Si vous avez le temps de m'écouter
Mouchez-vous le nez avec vos doigts de pied
Et sortez l'oseille de vos deux oreilles

XI

Les dormants et les morts

Lady Macbeth et les spectres s'étaient emparés de la scène de l'Eastman Theatre. Charlène Obo tenait le rôle avec une énergie déréglée, jetant son public costumé de première dans un état de stupeur proche de la panique.

« Pourquoi faites-vous de telles grimaces ? déclamait-elle. Tout bien compté, vous ne regardez là qu'un tabouret ! »

Dans une loge latérale de cette salle à l'italienne, accoudé à la rambarde du balcon, Lucian Nephtali était tétanisé. Charlène outrepassait le personnage dans un clair-obscur lugubre où les cavités ténébreuses le disputaient à la pourpre d'un crépuscule perpétuel.

Le triste Macbeth lui-même semblait trembler davantage de la détermination hallucinée de son épouse que des conséquences de leur forfait :

« Et depuis lors, des meurtres ont été commis qui sont trop barbares pour qu'on les répète. Il fut un temps où, sa cervelle arrachée, l'homme expirait et voilà, c'était fini. Mais à présent les morts se relèvent, vingt blessures fatales dans le crâne... »

Au milieu de comparses bientôt, l'usurpateur manifestait avec une expression d'égarement son effroi face au spectre de sa victime que lui seul distinguait :

« Approche sous la figure de l'ours velu de Russie, du rhinocéros armé ou du tigre d'Hyrcanie ! Prends toute autre forme que celle-là, et mes nerfs solides ne faibliront pas ; ou bien ressuscite et provoque-moi au désert avec ta lame. Si alors, je grelotte et flageole, traite-moi de poupée ! Hors d'ici, ombre horrible ! Vaine illusion, hors d'ici ! »

Une sueur froide piqua la nuque de Lucian. Seul dans sa loge, les mains tremblantes sur le garde-fou, il eut l'impression que les visages du parterre, tous nimbés d'un reflet vermeil, se tournaient ostensiblement vers lui. S'épongeant les tempes, il dut admettre que les effets de son passage au Golden Dream dans l'après-midi se perpétuaient, décuplés par les tonnantes paraboles du dramaturge. Il arrive qu'un simple malaise prenne une telle intensité qu'on y échapperait volontiers dans un bûcher. La personne réelle la plus proche à ce moment, la seule qui aurait pu l'aider, se trouvait davantage séparée de lui que l'esprit du roi d'Écosse ! Pour moins d'une heure encore, Charlène n'appartenait qu'à la scène, comme d'ailleurs l'assistance médusée par sa prestation.

Mais le couple d'enfer « encore jeune dans l'action » allait se retirer afin de se retremper aux eaux lénifiantes du sommeil. Hantant des landes illusoires, les trois sorcières, grimées et travesties à la perfection pour *All Hallows' Eve*, vinrent au-devant de la scène consulter Hécate, maîtresse des esprits maléfiques, sous un grondement lointain d'orage.

Lucian Nephtali ne se laissa pas distraire par l'intermède, tant il redoutait un nouveau décrochement d'une réalité en tout falsifiée. La pièce se poursuivit avec les seconds rôles. À force de se concentrer sur les détails extérieurs comme immergés dans l'or sombre de l'opium, il aperçut, petite flamme isolée, le visage de Kate Fox parmi les masques nombreux, et s'effraya sans raison d'une connivence d'espèce singulière entre elle et Lady Macbeth, laquelle abordait la scène du cinquième acte en transe, sans même avoir à mimer la crise de somnambulisme.

«Va-t'en, tache maudite, va-t'en, dis-je!... un coup, deux coups; allons, il est temps d'accomplir la chose... Il fait noir en enfer... Fi donc, monseigneur, fi! un soldat avoir peur! Qu'avons-nous à redouter, et qui le saura, sans même le droit de demander des comptes à notre pouvoir? Pourtant, qui eût cru que cet homme pût contenir autant de sang...»

Une rumeur traversa la salle quand, après des aveux hypnotiques, Lady Macbeth s'écria comme attendu: «Au lit, au lit! On frappe à la porte», car il devint clair que la comédienne s'était placée seule sous influence magnétique. Son rôle achevé, elle demeura hagarde devant les pendrillons des coulisses, tandis que ses partenaires poursuivaient la scène. Revêtu d'une combinaison aux couleurs du décor, un accessoiriste vint l'entraîner hors du plateau. Charlène parut chuter à l'horizontale, côté cour.

Aux mains de la maquilleuse pour être dégrimée, elle reprit peu à peu conscience devant un miroir alors que le rideau était tombé depuis un moment. Le reflet de Lucian Nephtali se profilait, souriant et tendu.

— Qu'est-ce qui s'est passé ? demanda-t-elle d'une voix éteinte.

— Il faut vous ménager, dit-il seulement.

— Je n'ai pas le souvenir d'avoir salué...

— Les rappels se sont faits sans vous, mais c'est vous que le public acclamait.

— Irons-nous à Buffalo Street ?

— La voiture m'attend et Kate est déjà à bord. Mais vous, *au lit, au lit, au lit* ! Rentrez donc vous coucher. Vos nerfs sont à vif.

— Pas question ! *Allons, allons, venez, donnez-moi votre main...*

Le lendemain, Lucian Nephtali mal réveillé avait acquis la certitude d'avoir tué son ami Nat Astor. Sa raison embrumée le laissait croire que ce meurtre ne signifiait pas grand-chose, compte tenu de l'immortalité des âmes. Était-ce si grave de pousser un mortel dans l'éternité ? Kate et Charlène n'étaient parvenues à rien de probant devant la sépulture de son ami : trop d'intrus dématérialisés voulaient intervenir ; sans compter les indigents d'antan et les esclaves fugitifs de la fosse commune. Une légende prétend que chaque cimetière aurait pour gardien le fantôme du premier inhumé. Cette nuit, pendant la cérémonie, un nègre vêtu de sacs de charbon a surgi à quelques pas de la stèle de Nat Astor. La face éclairée par les lampes à huile, il s'est prétendu concierge des lieux, ce qui fit rire méchamment le fossoyeur payé pour les guider. « Ça m'étonnerait fort, lança-t-il. Les nègres ont leur propre enclos ! » Mais l'ombre lui a retourné son rire. « Jadis, déclara-t-il, du temps de l'Empire britannique, on égorgeait en secret un Peau-Rouge ou un esclave baptisé pour éloigner les mauvais esprits la veille de l'inauguration d'un nouveau cimetière blanc. C'est ainsi que je fus la première personne enterrée ici. »

Assis sur le divan où il avait dû échouer dans la nuit, Lucian mit un certain temps avant de se repérer. La clarté bleuâtre qui annonçait le lever du soleil baignait cet intérieur d'une irréalité de songe. Fixé au mur au-dessus d'un miroir en pied incliné vers le plafond, une toute récente photographie de Charlène dans un affreux cadre de strass le laissa perplexe, puis il reconnut le motif d'un tapis, les meubles d'ébène et d'acajou autour de lui. Tranquillement, il se rechaussa et s'en alla en quête d'une âme ou d'un corps, une nouvelle fois surpris par l'accumulation de miroirs et de portraits peints, dessinés ou photographiés, ceux-ci se reflétant à l'infini d'un mur ou d'une cloison à l'autre.

Il trouva l'actrice dans sa chambre, couchée en travers du lit, un déshabillé de satin relevé sur sa nudité. L'émotion qu'il en ressentit n'avait rien de sensuel. Assis sur le bord du lit, il contempla les beaux seins écartés et la forêt circonscrite du mystère, entre l'aine et l'ourlet du pubis. Un sexe de femme lui évoquait le pacte de paupières brûlantes et d'un cœur sanglant. Y poserait-il ses lèvres sans appréhension, comme sur la bouche d'un moribond ? Doucement, il tira l'étoffe sur ce buste parfait et s'approcha de l'endormie. Un visage sauve le corps de la monstruosité. Tout devient esprit sous son prisme. Il n'y a plus ni femme ni homme. Un visage est l'empreinte d'un regard d'ange. Yeux clos, celui-là ressemblait à son rêve – masque noyé dans les profondeurs marines...

— C'est toi, Lucian ? murmurent ces lèvres entre deux mondes.

— Tu dormais à moitié nue.

— *You should have taken me as dead.* J'adore être aimée dans mon sommeil...

— Je sors d'un cauchemar épouvantable. Un fossoyeur nous avait conduits toi et moi sur la tombe de Nat. Kate Fox nous accompagnait. C'était la nuit. Sous la lampe sourde du fossoyeur, tu n'arrêtais pas de rire, d'un rire dément, pourtant silencieux. Kate était dans un état de détresse extrême. Elle demandait à l'esprit de Nat de se manifester mais une ombre devant nous se dressa et prétendit être le gardien des âmes...

— Est-ce si terrible ? Ce n'est que le deuil. L'esprit de Nat t'enchaîne encore.

— C'est moi qui l'ai tué.

Charlène se redressa, laissant ses seins nus osciller dans un rayon de soleil.

— J'étais avec toi sur la terrasse quand il s'est tiré une balle au fond du parc.

— J'étais aussi au fond du parc.

— Lucian, Lucian, nous étions revenus tous les trois enivrés du Golden Dream. Je me souviens qu'Harry Maur nous accueillit chez lui furieux. Cet ours déteste le miel. Il nous obligea à boire de son whisky pour nous rappeler à l'ivresse ordinaire.

— Je m'en souviens aussi, Charlène. Mais dans l'état où tu étais, où vous étiez tous, tu peux très bien m'avoir imaginé à tes côtés sur la terrasse tandis que je me disputais avec Nat au fond du parc. Dans mon cauchemar, Kate s'est écriée : « Non, non ! Je ne peux pas entendre cela », tout en fixant sur moi des yeux horrifiés.

— Tranquillise-toi, Lucian. Si tous nos rêves décrivaient l'exacte réalité, quelle place resterait-il aux esprits ? C'est eux qui viennent nous visiter dans le sommeil, ils communiquent avec nous à travers les grands symboles et les petites insinuations. Tous ne sont pas bienveillants. Le rêve humain est le domaine des esprits plus ou moins englués dans leur mémoire et les malfaiteurs désincarnés y rôdent au milieu des anges de Dieu. D'ailleurs tu n'as pu l'oublier, nous avons bien reconduit Kate chez elle, hier ?

— C'était notre projet en quittant le théâtre.

— Dans la voiture, elle s'est montrée très affectée par le spectacle des sorcières, ces trois fatales sœurs, et le carnage de Dunsinane. Elle a dit une chose étrange qui semble t'avoir marqué durablement : « Tous ceux qui meurent autour de nous meurent par notre faute. » Tu as lancé vers elle un coup d'œil effaré comme si elle avait deviné ta pensée. Cela, je l'ai bien vu, grâce aux torches d'une berline qui roulait à tombeau ouvert.

Né de l'ombre, un chat angora à poil roux bondit sur le lit. De sa gueule à peine entrouverte sortait un vrombissement de ruche. Intacte, une grosse mouche à viande s'en échappa qu'il rattrapa d'une patte et blessa cette fois d'un coup de dent. L'insecte estourbi tournoya bruyamment sur lui-même entre les jambes de Charlène.

— Débarrasse-moi de cette horreur, dit celle-ci.

Ne sachant pas si elle s'adressait à lui ou à son chat, Lucian prit la mouche entre deux doigts et la mangea sans même s'en rendre compte.

XII

La vie des fantômes

La grande maison de Central Avenue avait perdu sa plaque de cuivre à l'enseigne du *Fox & Fish Spiritualist Institute* ainsi qu'une partie de son mobilier distribué à la parentèle, et Kate, qui y demeurait provisoirement avec Margaret – pour l'heure en tournée en Pennsylvanie en compagnie de l'ex-impresario de Leah –, se chagrinait de cette dislocation précipitée du petit monde agité et complice qu'elle avait connu autour du noyau familial. Disciples et fidèles étaient retournés sagement à leur église, ou avaient rejoint des sociétés de propagande, quelques-uns s'étaient mis à leur compte, grossissant l'armée des médiums qui sillonnaient par centaines l'Amérique et l'Europe pour aller au-devant du peuple des convertis, affidés et sympathisants qu'on dénombrait aujourd'hui à plusieurs millions sur tout le territoire. Devenue une pythonisse adulée à Washington, Wanda Jedna menait sur un même plan divinatoire sa bataille pour l'émancipation universelle. Chez les vivants comme chez les esprits, il ne pouvait y avoir de ségrégation. Bien des commensaux de Leah avaient pris leur envol, encouragés par les récentes théories attribuant à toute âme disponible le don de médiumnité. Si chaque puritain convaincu pouvait devenir ministre du culte dans l'une ou l'autre secte de l'Église réformée avec un peu d'étude, il était plus aisé encore de servir la doctrine spiritualiste puisque nulle congrégation attestée n'en limitait l'exercice. Et les conversions spontanées ne se comptaient plus. Les réseaux spiritualistes organisaient un peu partout des séances privées, des séminaires médiumniques et des camps de réunion – comme le *Onset Bay Grove* ou le *Lake Pleasant* dans le Massachusetts, le *Wonewoc Spiritualist Camp* dans le Wisconsin ou encore le *Lily Dale* pas loin de Rochester – lesquels rassemblaient des foules ferventes venues souvent de très loin, à la manière de ces grands meetings de puritains à l'issue de la guerre d'Indépendance.

Il n'y avait plus guère que les papistes pour ostraciser la foi nouvelle. L'archevêque de Québec ou celui de Paris lançaient des anathèmes à la vague nécromancienne en passe de submerger les baptistères. La Congrégation de l'Inquisition romaine et universelle condamna à son tour l'usage du magnétisme et autres manœuvres de divination. Le commerce avec le démon passait par les tables parlantes. C'est le diable en personne qui répondait aux transes et aux invocations.

Les menaces de mort anonymes reçues au nom des trois sœurs, Kate ne les ouvrait pas davantage que les lettres indénombrables émanant de sociétés savantes, de factions mystiques ou de simples particuliers en peine de confession dont nombre de mélancoliques, de maniaques ou d'exaltés frappés de vésanie. Du monde entier parvenaient des requêtes de divination à distance avec, en guise de support, des bouts de tissu, des mèches de cheveux ou des photographies – et l'espérance de recevoir des nouvelles du cher disparu par retour de courrier.

Dans l'attente d'un signe de ses sœurs, Kate triait des monceaux de paperasses et s'endormait à demi sur ses dossiers. Elle ne recevait plus guère, hormis de rares relations, laissant à Maggie les charges d'habitation et à Janet celles du ménage. Sa sœur semblait enchantée de son séjour à Philadelphie, à en croire la seule lettre qui lui fût parvenue, voilà plus d'un mois : sa belle écriture d'être de passion, penchée au vent de l'inspiration et cocassement émaillée de détails sur les démonstrations publiques, les galas dans les cercles progressistes et autres rencontres notables, en disait bien plus que toute cette encre, comme la joie inquiète d'un enfant au milieu des papiers de couleur lacérés de ses cadeaux. Il y était question à trois ou quatre reprises d'un certain Elisha Kane, docteur de profession et grand voyageur, avec lequel elle aurait eu des échanges aussi âpres qu'amicaux. Ainsi déclarait-elle : « Mr Kane est un insupportable rationaliste. Il prétend qu'il n'y a rien de vrai dans nos pratiques. » Et quelques lignes plus bas : « Ce cher Mr Kane s'est montré un parfait gentleman en écartant de moi une clique de puritains incrédules. »

Ce soir-là justement, Kate avait relu plusieurs fois l'unique lettre de Maggie, un sourire amer aux lèvres, songeant aux ombres qui allaient s'étendre sous les hauts plafonds et qu'elle n'aurait pas le courage de défier en ordonnant à la domestique réfugiée aux cuisines d'allumer toutes les lampes. Une lassitude l'avait prise comme autrefois à Hydesville. Elle errait pendant des heures à travers la maison avec une impression intense de dépossession. À dix-huit ans bientôt, elle se sentait vieille, toute délaissée de l'intérieur. Entre la mort du jeune frère et celle de bonne mère, des blocs de néant l'avaient traversée ; et aujourd'hui les morts s'acharnaient, petites âmes blanches, démons, pieuvres en larmes pour un drame répété, mains détachées empoignant les poignards acérés du deuil. Elle ne voulait plus entendre se lamenter la part veuve du monde face au tombeau. En quelques années, un méchant jeu de petites filles avait bousculé les assises de la société puritaine ; mais était-ce sa faute si la plupart des grandes personnes n'existaient pas vraiment, pantins apeurés par leur image vivante ? Comment l'enfant plus vif que le feu et l'eau pouvait-il un jour se transformer en cet épouvantail de Dieu ? Patchworks de choses cadavéreuses, tous les adultes tenaient un peu de la créature de Frankenstein.

Kate avait enfilé son unique robe fantaisie, éclatante de fleurs brodées. Pieds nus, elle traversa la suite des chambres avec, dans chacune, un léger frémissement d'effroi. Ce qu'elle éprouvait n'avait pas de nom en anglais, et elle doutait que cela en eût même en énochien, le langage supposé des anges. Des sortes d'ondoiements émanaient des objets et de la forme particulière des espaces : il lui semblait que les durées vécues par d'autres ici et là se manifestaient à elle par mille insinuations muettes. Quelles vertus accorder à cette vulnérabilité paroxysmique ? Une sorte d'éponge plus innervée que la cornée de l'œil et prête à s'emplir des moindres impressions, voilà comment elle s'éprouvait aux pires moments. Bien malgré elle, douleur sourde de chaque instant, rien n'échappait à ses sens, pas une crispation de paupière, pas un soupir tardif au secret d'un aveu. Elle induisait d'une chaise déplacée ou du mouvement particulier de la poussière dans un rai lumineux des intentions ou des événements insoupçonnés. Ce qui ne l'empêchait pas d'être consternée par son manque de culture et son ignorance des choses de la vie, comme l'amour et la sexualité. Voir les gens s'aimer et se désirer n'apprend rien de soi-même. Devant le grand miroir en trumeau de la chambre de Leah, autrement vide, elle s'immobilisa avec curiosité. Était-elle jolie ou séduisante, voudrait-on un jour lui dégrafer sa robe et ses autres vêtements ? Elle partit à rire, virevoltante, et courut vers une porte mitoyenne. Son frère David et ses cousins avaient pillé la chambre de bonne mère après ses obsèques, mais un reliquat négligeable traînait sur la console de cheminée et dans les coins, suffisant pour éclater en fusées d'émotion au visage de la jeune fille. Ces petites choses avaient appartenu à la vieille femme au même titre que les tavelures de ses mains et ses ridules lorsqu'elle souriait. Des aiguilles à tricoter dans un bout de laine, une paire de mules éculées, un bandage à varices eurent sur elle l'effet indivisible de la présence. Kate chancela en sanglotant.

— Petite mère, où es-tu ? implora-t-elle d'une voix minuscule.

Quelque chose frémit autour d'elle. Était-ce la nuit de Rochester aux tentacules rouges et noirs ? Aux aguets, elle demeura pétrifiée, les bras dressés à hauteur du buste, les pupilles dilatées. La paire de mules avait bougé, elle le voyait sans le voir, la droite avança devant l'autre, laissant très lentement la préséance à la gauche et ainsi de suite dans un mouvement simple de marche. Les longues aiguilles volèrent avec leur bout de tricot et se mirent à crocheter comme des mandibules de scarabée ou d'étrille au-dessus des souliers d'intérieur. Cela dura un temps indéfini avant que la lumière de la pleine lune supplantât la pénombre du soir. Puis des coups sonores comme une boîte qu'on cloue résonnèrent. Prise de vertige, Kate ne sentait plus ses jambes. Cotonneuse, elle tomba sur les genoux et palpa le parquet des deux mains. Janet, en bas, l'appelait d'une voix suraiguë. Revenue à elle, la jeune fille s'échappa de la chambre et trébucha dans l'escalier au bout d'un couloir.

Comme affaissée sur elle-même, l'air d'un pantin démonté, Janet la considérait de sa face inexpressive. Elle se précipita enfin mollement pour l'accueillir.

— Un monsieur qui veut vous voir, mademoiselle !

— À cette heure-ci ?

— Il est déjà venu du temps de madame votre mère.

Kate remercia la domestique, intriguée par l'espèce de cornette de religieuse qu'elle s'était collée sur le crâne. Dans le vestibule, Alexander Cruik ne chercha pas à excuser son intrusion tardive.

— J'ai rêvé de vous, lança-t-il en ôtant son chapeau. Mes rêves sont des pensées qui me viennent de Dieu. « *Departing dream, and shadowy form of midnight vision* », c'est dans Thoreau. Avez-vous quelques instants à m'accorder ?

Précédée par Janet qui tenait un bougeoir, Kate invita le prédicateur dans le salon du rez-de-chaussée. Elle réclama du feu, de la lumière et des boissons, troublée de voir surgir de la nuit cette figure austère. Avec ses cheveux argentés dressés en couronne sur le haut du crâne, son profil d'aigle, la pointe bleue d'un regard autrement incolore et cette prestance efflanquée de coureur de prairie, le missionnaire avait un peu l'aspect d'un spectre d'Indien iroquois des Grands Lacs travesti dans un costume strict de puritain. Sa voix rendue caverneuse par le prêche avait une singulière douceur.

— Je ne fais que passer, ne vous inquiétez pas. Je voulais seulement m'assurer...

Il jeta un regard rapide sur une épreuve photographique des trois sœurs encadrée au mur, la plus jeune debout et toute menue entre ses aînées assises, lesquelles, malgré leur différence d'âge, semblaient presque jumelles avec leur coiffure de duègne à l'identique et cette stoïque expression d'attente face au coup de grâce de ce cyclope embusqué sous une vaste robe de prélat espagnol qu'on appelle photographe.

— La solitude ne vous vaut rien, ma petite Kate, vous voilà cloîtrée dans la ronde des esprits. Il faut sortir, fréquenter les vivants...

— Janet me suffit.

— Cette triste cariatide ? J'en doute fort. Vous avez besoin d'échange, d'éveil fraternel. Le commerce exclusif avec l'au-delà ne peut que conduire à la dépression et à la folie...

— Margaret reviendra.

— Votre sœur a soif d'indépendance depuis que Leah vit à New York. J'ai appris qu'elle se produisait avec un certain succès en Pennsylvanie. Mais elle n'est pas bâtie pour le rôle, je le crains.

Alexander Cruik n'insista pas sur le sujet. Il déchiffrait avec appréhension les délicats filigranes de ce visage de jeune fille confinée dans cette forteresse du cœur qu'est la mémoire. Ses sœurs n'avaient fait que poursuivre diversement à des fins mondaines l'espèce d'impulsion surnaturelle qui l'habitait sans qu'elle le sache véritablement. Kate souffrait d'une affection nerveuse qui la mettait en phase avec d'autres dimensions ; ses nerfs se prolongeaient en antennes dès qu'ils vibraient trop intensément et des énergies s'y concentraient comme sur les pointes métalliques du docteur Franklin. Mais au lieu de s'écouler dans la terre, le fluide électrique s'accumulait en elle. Se protège-t-on de la foudre en tenant un paratonnerre à pleines mains ? L'évangélisateur eût aimé arracher la délicieuse enfant au silence funèbre de cette maison et l'emporter avec lui, très loin dans les hautes prairies où le Grand Esprit souffle librement, *Hey-a-ahey ! Hey-a-ahey !*

— J'ai un message enthousiasmant pour vous, dit-il enfin d'une voix éteinte. C'est pourquoi je me suis permis de vous importuner. Je reviens d'un meeting à New York pour la protection et la défense des Amérindiens qui sont exterminés jusque dans leurs réserves dans bien des États de l'Union. Lors de ce séjour, j'ai eu l'occasion d'être invité par Mrs Underhill, votre sœur, et par son mari qui est un homme influent. Leah organise à titre privé des séances fort prisées par la bonne société. C'est ainsi que j'ai pu m'entretenir avec Horace Greeley, du *New-York Tribune*. Vous savez que ce grand homme a représenté pendant des années notre État au Congrès. Il m'a longuement parlé de vous, Kate…

— Je le connais, bien sûr, il avait été très assidu quand Mr Phineas Taylor Barnum, l'entrepreneur de spectacles, nous avait accueillies toutes les trois.

— Eh bien, il voudrait vous inviter personnellement cette fois. Mr Greeley considère que ce serait criminel de vous abandonner aux marchands du temple comme ce Mr Barnum et de laisser en friche vos dons médiumniques. L'essentiel de votre instruction reste à faire, Kate…

— J'ai lu Fenimore Cooper et Longfellow, vous savez.

— Longfellow ? Nous l'aimons tous. Je ne mets rien au-dessus du *Chant de Hiawatha*, écoutez ça :

Et le malheureux Hiawatha
Loin au cœur de la forêt
Très loin au milieu des montagnes
Entendit le soudain cri d'effroi
Entendit la voix de Minnehaha
L'appelant dans l'obscurité
« Hiawatha ! Hiawatha ! »

Kate dévisagea avec surprise son visiteur et, comme si les mots lui étaient dictés, poursuivit le poème sur un ton exténué :

Alors ils enterrèrent Minnehaha
Dans la neige une tombe lui firent
En la profonde et très sombre forêt

— J'ai moi-même côtoyé les Indiens ojibwés dont l'auteur parle si bien…, s'exclama Alexander, distrait par cette évocation, avant de poursuivre, *mezza voce* : Cependant il ne s'agit pas ce soir des Ojibwés mais de votre avenir, ma chère Kate ! Mr Greeley croit en vous, il pense que vous méritez mieux que ces consultations de cabinet. Il se montre résolu à prendre à sa charge vos affaires et à vous accompagner financièrement et moralement dans vos études. N'est-ce pas merveilleux ?

— Je ne sais pas, pourquoi ne s'adresse-t-il pas directement à moi ?

— Un homme comme lui est très pris par ses fonctions. Pour être franc, il m'a chargé de vous sonder. Si vous en acceptiez le principe, vous aurez très bientôt de ses nouvelles…

XIII

La conquête des glaces

Une vie de héros ne ressemble à rien. L'homme le plus intrépide garde un cœur d'enfant. Margaret regrette d'avoir brûlé son journal, à cause des dernières pages où elle avait consigné ou plutôt saisi, comme les fleurs rares ou communes d'un herbier, les premiers moments de leur amour, lorsque l'intimité se limitait encore à des lettres et quelques souffles échangés lèvres à lèvres. Elle avait rencontré le docteur Elisha Kent Kane lors d'une soirée de gala, à Philadelphie. On fêtait la victoire du démocrate abolitionniste William Bigler aux élections gouvernementales, mais elle se souciait peu de l'événement et des brûlants débats qui éclataient çà et là quant à l'indignité des États fermiers du Sud et des potentats républicains. Toute à cette fête où on la laissait enfin tranquille avec les esprits, elle s'était abandonnée à l'allègre bousculade, entre l'orchestre et la piste de danse, quand elle se retrouva brusquement face à lui. Était-ce avant la mort de bonne mère ? Elle ne s'en souvient plus trop. Les yeux gris de l'inconnu envahirent aussitôt son âme et sa pensée. Il portait alors une large barbe bouclée mêlée sur les tempes aux frisons de ses longs cheveux, parure de prophète encadrant une tête intelligente, d'une beauté grave. « On se connaît, Miss Fox », lui avait-il dit juste après ce long regard échangé. L'anonymat était soudain rompu, mais il ne l'importuna pas avec sa vie publique. Ils dansèrent sans doute, et discrètement enlacés, ressentirent pensivement la possibilité du bonheur.

Elle le revit deux ou trois fois à Philadelphie. Le docteur Kane, si réservé et si soucieux du jugement, était par ailleurs un érudit aventureux, héros de la guerre du Mexique, voyageur infatigable, explorateur de retour d'Afrique et d'une expédition de secours en zone arctique. Mais ses ambitions demeuraient inassouvies. Dons, savoirs, diplômes et réussites appuyés par une jolie fortune patrimoniale ne s'étaient pas encore raccordés à la jointure de cet éclatant faisceau de la renommée qui lui eût enfin donné la preuve de sa native élection et de son salut. Précepteur de sa propre destinée, le docteur Kane manquait secrètement de confiance en lui. Serait-ce au bout du monde, on n'échappe guère à l'emprise des siens ; Margaret, qui en souffrait assez la servitude, avait eu tout le loisir de le constater chez ce fils de magistrat affectant l'indépendance d'esprit en rationaliste. Audacieux et raffiné, Elisha aimait autant la poésie et les arts que la traversée d'un Himalaya ou d'une mer de glace ; les sirènes des lointains l'ensorcelaient et, tout juste réchappé d'un naufrage ou du scorbut, il rêvait déjà de départs avec une incompréhensible nostalgie. De retour sous la bannière étoilée, le poids du conformisme puritain, dont il avait pu goûter à Londres la version victorienne, le rattrapa en même temps que les maux des Tropiques et les mortifications rémanentes d'une éducation fondée sur l'exigence de considération.

Margaret, longtemps, n'avait connu de proximité ni même d'intimité qu'épistolaire avec cet ambassadeur du vent. Elisha manifestait dans ses lettres une sentimentalité à la fois exacerbée et récriminatoire. Débordant d'exigences pour le présent et l'avenir, il réprouvait bien entendu ses activités spiritualistes et l'engageait à rompre avec un entourage charlatanesque, persuadé que Leah avait exploité ses deux jeunes sœurs à des fins cupides. Il avait eu l'opportunité d'approcher Mrs Underhill à New York et son verdict était sans recours.

Bouleversée de pouvoir être un objet de passion sans ses oripeaux spiritualistes, Margaret s'était laissé doucement convaincre. Présentée à cette famille patricienne de Pennsylvanie, aux parents et aux alliés du riche héritier, elle tenait son rôle de promise avec toute la discrétion souhaitée. Elle ne devait pas lui tenir la main ou effleurer son épaule en public, cependant il la suppliait d'être toute à lui dans ses lettres, d'y enfleurer son parfum ou d'adjoindre des échantillons de ses cheveux. Résolument, après être allé jusqu'à menacer son impresario de poursuites judiciaires, Elisha finit par lui interdire les exhibitions médiumniques. Réduite à vétille par l'homme qu'elle aimait, Margaret tenta de se rebiffer. Alors qu'il donnait des conférences à Boston ou à Washington à l'initiative de sociétés savantes, elle s'efforçait en vain de reconquérir des pouvoirs équivoques. Mais l'exaltation crédule autour d'elle manquait. Dans les morgues ou les cimetières, certaines nuits de solitude intolérable, elle alla invoquer le silence des cadavres qui, dans le vertige de l'innommable, résonne quelquefois étrangement, du fond de la tombe ou du néant. Nul ne lui répondit jamais pourtant, aucun esprit, pas un expéditionnaire du royaume des ombres, et elle n'avait plus le cœur de faire craquer ses articulations pour donner le change. À la fin, découragée ou vaincue, elle rendit presque les armes. Margaret aurait pu réciter au mot près sa lettre de reddition : « J'ai exploré l'inconnu autant que la volonté humaine en est capable. Je suis allée à la mort afin d'obtenir d'elle quelque manifestation, même symbolique. Rien n'est jamais advenu, rien. J'ai été dans les cimetières au milieu de la nuit. Je me suis assise seule sur une pierre tombale, espérant que les esprits endormis puissent monter vers moi. J'ai essayé d'obtenir un signe. Non, non, les morts ne reviendront pas, et nul ne saurait gagner impunément l'enfer. Les esprits ne peuvent revenir. Dieu ne l'a pas voulu. »

Flatté qu'elle acceptât de quitter pour lui une gloire malsaine, mais doutant que ce fût là un choix délibéré, le docteur Kane lui manifesta sa reconnaissance dans une missive pleine de longanimité adressée de Boston où il donnait alors un cycle de conférences : « Je comprends bien les nécessités qui furent les vôtres, pauvre enfant, n'ai-je pas au fond d'assez semblables obligations ? Face aux foules venues écouter mes histoires sauvages du Grand Nord, j'ai parfois l'impression d'être pareil à vous. Mon cerveau et votre corps sont des sources d'attraction et j'avoue qu'il n'y a pas tellement de différence… »

Contrarié dans ses prérogatives, l'establishment religieux de toutes obédiences, des méthodistes aux anglicans, s'efforçait alors, au nom du Christ Ressuscité, de racheter les brebis sous l'emprise des imposteurs, tandis que les académies des sciences de leur côté sanctionnaient ces apostats du cartésianisme et de la méthode expérimentale que le chimiste Michel-Eugène Chevreul déjà vieux s'occupait justement à formaliser. Ce dernier et Michael Faraday, en fer de lance d'une levée de boucliers, pourfendirent résolument les nouvelles prétentions à l'objectivité de la doctrine spiritualiste. Le docteur Kane qui faisait feu de tout bois pour désenvoûter une bonne fois la femme aimée convoqua pareillement le dogme catholique et son théâtre du châtiment. Sans vergogne, par jeu amer, il lui fit une liste des péchés mortels auxquels elle s'exposait. Plus que les arguments des sciences exactes, les fulminations papistes décidèrent de son reniement. Le diable, à quoi Elisha ne croyait pas, acheva de désabuser Margaret : n'avait-il pas le pouvoir d'user de toutes les apparences imaginables ? Les esprits que son active crédulité naguère encore devinait au gré des tromperies bien commodes à son sens pour s'acquitter du lien entre l'invisible et la contingence, n'étaient donc que le fait du Prince des ténèbres... Car elle ne doutait pas de l'irrationnel, et toute l'instruction que lui imposait son fiancé volatile – chez une tante Susannah qui avait mission de la chaperonner – ne faisait qu'asseoir sa croyance aux mystères et son inquiétude des fins.

Pour plaire à son ami de papier, Margaret lut sagement *The Wide, Wide World* de la très victorienne Elizabeth Wetherell. Les *Mémoires* de l'esclave fugitif Frederick Douglass lui parurent invraisemblables. Était-il possible qu'on arrachât un nourrisson même noir à sa famille, qu'on attachât tête en bas des femmes de couleur inoffensives pour les fouetter au sang et qu'un misérable négrillon dût troquer des bouts de pain afin d'apprendre à lire auprès de petits Blancs presque aussi pauvres mais scolarisés ? Prise au jeu invocatoire de la lecture – ce doux entretien avec les fantômes –, elle découvrit non sans trouble une traduction de l'*Ondine* de Friedrich de La Motte-Fouqué racontant l'histoire d'un esprit des eaux qui, pour acquérir une âme, épouse le chevalier Huldebrand.

Au moins se reposait-elle du grand barouf des morts, et c'était pour elle une bénédiction que d'être exaltée dans son corps vivant, fût-ce au détriment d'un maigre intellect. Les tables pour elle cessèrent de tourner et les os des armoires de craquer. Elle n'avait plus guère de nouvelles de Kate, elle aussi aux mains d'éducateurs. À considérer la multitude des érudits convertis au spiritualisme, l'instruction ne pouvait être la panacée contre la foire aux esprits, mais sans doute suffisait-elle à éclairer les âmes simples. Leah seule persévérait aux symposiums comme dans les salons, campée en autorité fondatrice de la nouvelle doctrine, malgré la concurrence venue d'Europe sous les auspices du pédagogue français Hippolyte Léon Denizard Rivail – alias Allan Kardec – qui promouvait en missionnaire sa religion du salut par la métempsycose partout où celle-ci avait quelque résonance, et singulièrement au Brésil et aux Philippines. Encouragée par son fiancé qui s'indignait de l'intrusion de la presse dans le domaine privé, Margaret ne lisait plus les publications des sociétés médiumniques où son nom était si souvent apparu ces dernières années. «Ne vous occupez pas du monde, lui écrivait-il. Ne répondez jamais aux questions des journalistes. Quelle horreur qu'une vie autopsiée vivante!» Comme hier avec son journal intime, elle alimenta un poêle des trois cahiers remplis d'articles soigneusement découpés et collés.

À la fin satisfait de ses renoncements et de l'application qu'elle mettait à s'instruire, le docteur Elisha Kane s'était engagé à l'épouser dès son retour de voyage. Au ton qu'il y mit,

Margaret crut entendre les conditions implicites à cette promesse : qu'elle demeurât fidèle à sa conduite et que l'expédition imminente qui allait l'éloigner fût sans écueils. Car celle-ci devait être une des plus périlleuses et aléatoires opérations de secours jamais entreprises. Il s'agissait rien moins que d'affréter un navire spécialement caréné et de forcer la barrière polaire arctique afin de retrouver la piste de l'expédition perdue de sir John Franklin. Médecin-chef lors d'une première incursion financée par le riche philanthrope Henry Grinnell, Kane avait décidé de conduire sous son propre commandement cette seconde mission au départ de New York. Ses services dans la United States Marine ou l'escadron Afrique comme ses missions en Chine et en Europe ne l'avaient pas guéri de l'aventure. Une vocation d'explorateur ne prenait alors tout son sens que par la découverte de nouveaux espaces. Il vouait un culte à l'Écossais David Livingstone, médecin et missionnaire parti en quête des sources du Nil et qui n'avait de cesse d'avoir baptisé d'un nom mythique telle latitude de la carte du monde. Ou à son défunt compatriote John Franklin, lequel, au cours de ses trois périples dans l'arc boréal, aura cartographié l'essentiel de la côte nord du Canada, remonté le fleuve Mackenzie jusqu'à la mer de Beaufort et enfin, à bord de deux navires munis de moteurs à vapeur et armés pour tenir des années, s'aventura à la recherche du passage du Nord-Ouest, s'égara dans les banquises du Groenland et disparut corps et biens en 1847. N'était-il pas autrement exaltant de découvrir, pic en main, une montagne inconnue que de se perdre en conjectures sur les fumeuses hallucinations de l'au-delà ?

Les adieux d'Elisha Kane, la veille de son départ en train express pour le port de New York, emplirent Margaret d'appréhension mais elle eut la perspicacité de ne pas céder à ses pressentiments, sachant qu'il n'y aurait vu qu'un symptôme guère prometteur d'irrationalisme. À bord du navire expéditionnaire, le long des rives habitées, Elisha ne manqua toutefois pas d'écrire de longues lettres postées à chaque escale à sa douce et disciplinée promise.

La seconde expédition Grinnell ne parviendra pas davantage à expliquer l'issue de la bordée arctique de John Franklin, mais grâce à elle, tout le littoral Nord put être cartographié à une latitude de 82°2'3. Au risque d'être emprisonnés par les murailles de glaces qui, à peine débâclées, se refermaient derrière leur navire, souffrant du scorbut et de dénutrition, Kane et son équipage franchirent héroïquement le détroit de Smith jusqu'aux banquises du cap Constitution alors innommé. Près d'un an sans nouvelles après les rares missives parties des rivages atlantiques du Canada, Margaret se cabrait contre sa nature superstitieuse, jurant d'oublier le diable après les esprits si Elisha lui revenait sain et sauf. Sauvé *in extremis* de l'emprise des glaces par une bombarde britannique au rostre d'acier, l'explorateur réapparut en effet avec un équipage presque au complet.

S'il revint sauf à Philadelphie, brûlant d'évocations tragiques et somptueuses qu'il s'appliqua à transcrire avec une sorte de hâte éblouie, sa santé déclina vite au lendemain de leur mariage. Bien que tolérée par sa belle-famille au sortir d'un interminable confinement en forme d'épreuve, Margaret, qui ne pouvait compter que sur l'assistance de son mari, dut défendre bec et ongles sa disponibilité de femme et d'épouse. Sans égards pour l'amour qu'elle lui portait, on voulut à toutes forces lui confisquer ses devoirs envers le valétudinaire sous prétexte qu'elle manquait d'expérience et de cette qualité d'appréciation supposée propre à la fine fleur de la société. La fièvre qui affectait son compagnon par intermittence, Margaret la buvait à longs traits. En vestale de son souffle, elle épiait chaque signe d'affaiblissement et la nuit se tenait éveillée au bord de sa chair brûlante avec une impression de noyade.

Dès qu'il se portait mieux, avant l'inéluctable rechute, Kane se prêtait sans état d'âme aux obligations d'une célébrité enfin entière, acceptait même avec une sorte d'appétence exaspérée les honneurs et les distinctions, tout en méditant de nouvelles odyssées. Il n'hésita pas à traverser l'Atlantique afin de rendre compte de son expédition à la veuve de sir John Franklin. De retour de Londres, rattrapé par son mal, il céda aux instances de son médecin qui lui promettait la santé aux Caraïbes. Cette fois du voyage sur une frégate trois-mâts de l'United States Navy, Margaret fut accaparée trois jours d'affilée par la terrible mer d'acier qui balançait ses faux géantes à hauteur de mâture.

À La Havane, au débarcadère, Elisha se montra presque joyeux sous l'éclat du soleil que les palmiers royaux ombraient à peine. Mais le spectacle d'une longue colonne de nègres enchaînés conduits vers les rades par des miliciens en armes brisa vite son enthousiasme. Le jeune couple eut le temps de goûter par privilège à la vie insulaire et connut de beaux jours. Mais la lumière trop intense parut s'occulter peu à peu. Les médecins locaux préconisèrent à Kane un climat plus tempéré ; toutefois, le voyage de retour devait attendre une rémission. Au lieu de cela, les accès morbides s'accrurent.

Mal en point, la bouche sèche, Elisha se tourna une nuit vers son épouse pour lui réciter un des poèmes écrits à son intention à des fins édifiantes :

Las ! las, c'est la vie
Ces menteries et tyrannies

Margaret n'entendit rien qu'un râle et, s'éveillant tout à fait, le trouva mort à son côté.

XIV

Et maintenant hantons les bois royaux

C'est en descendant Norton Street en direction de la rivière et du lac que William Pill, au petit trot sur son Quarter horse, reconnut la benjamine des sœurs Fox à l'arrière d'une calèche chargée de trois belles malles tendues de cuir à ferrures dorées. Il tourna bride aussitôt pour accompagner la voiture. Habituée aux importuns, la jeune femme mima l'indifférence.

— Vous ne vous souvenez pas de moi, Miss Kate ? Il me semble pourtant vous avoir été d'un certain secours une nuit d'émeute à Hydesville…

Elle dévisagea franchement le cavalier, surprise de reconnaître cette belle face rieuse toute grêlée de cicatrices.

— Jamais je n'oublierai que vous nous avez sauvées de la pendaison, vous et Miss Pearl…

— Quitteriez-vous Rochester ? demanda-t-il en désignant les bagages.

— Je prends le train pour New York dans une demi-heure.

— Alors, bon vent ! dit-il. Nous nous y retrouverons peut-être un jour ? On dit que la fortune s'y cueille comme le trèfle sur un champ de bataille...

Tournant bride à nouveau, Pill songea qu'il y avait de la place à New York pour plus d'un aigrefin. Il entendit bientôt résonner le grand pont de bois tandis que couinait la locomotive. L'évocation de Pearl – il ne pouvait tout de même pas se mentir à lui-même – l'avait assez rudement affecté. Cette femme portait en elle tous les saluts et toutes les perditions. Il s'était efforcé de l'oublier une fois de plus, après de surprenantes retrouvailles qui n'avaient assurément étonné que lui.

Au galop cette fois vers Lake Shore Boulevard, il se remémora sur deux flux de rêverie parallèles les aléas de sa carrière d'escamoteur et l'incompréhensible succès de son nouveau gagne-pain. Au poker ou à la roulette, la chance était liée autant au bluff qu'aux petits rituels fétichistes et elle lui échappait presque à coup sûr avec la foi en son étoile, tandis que devant un public béant aux esprits, tous les tours étaient bons pour remplir son bissac. Une fois l'illusion portée à son comble, il lui arrivait d'être débordé par des phénomènes inattendus, une fantaisie d'espèce incontrôlable, comme si de pousser la blague au plus ingénu des cœurs et des consciences provoquait parfois, bien subrepticement, des contrecoups d'espèce surnaturelle. Il était de bon ton d'affirmer l'inexistence du hasard, celui-ci dissimulant une nécessité qui répondrait à des lois supérieures. Avec leur génie de la concurrence, les médiums venus d'Europe prétendaient qu'il n'y avait pas d'enfer non plus, la douleur ne pouvant être irrémissible, et que nos existences seraient toutes soumises à la réincarnation. Ainsi la vie présente viendrait après d'innombrables autres, toujours à la roue, et cela dans le but d'expier cet exténuant relais de forfaits et de transgressions qu'on traîne depuis la sortie d'Éden et d'apparaître un jour futur, au terme d'incalculables et successives enveloppes humaines tombées l'une après l'autre en poussière, parfaitement immaculé dans la lumière de Dieu. Ça l'amusait, ces marottes de faux pasteurs. Il les accommodait à sa sauce en promettant des vies meilleures à la carte : untel, qui trime à bouillir la laine, sera fils de gouverneur au prochain tour, et la vieille lépreuse recuite du promenoir de l'hospice renaîtra princesse aux Grenadines ou en Norvège. Mais la métempsycose n'arrangeait pas le quotidien.

Sur les rives du lac Ontario, à cette heure fraîche du matin, il lança son Quarter horse si prompt aux accélérations, tenant les rênes d'une main et son chapeau de l'autre, heureux de voir danser la crinière couleur de bière et de tabac blond. Un cigarillo ajouta sa fumée aux brumes basses. Il se dit que cet épisode avec l'aveugle et son guide féminin, lequel datait de plusieurs mois déjà, aurait pu rester suspendu dans l'absurde, à battre ses flancs d'images insanes. Longtemps, dans l'incompréhension, il était resté inscrit en lui, comme tatoué à vif dans la couenne de ses rêves…

Un soir de l'hiver dernier donc, sous l'identité convenue de Mac Orpheus, il avait accepté de se rendre chez ce curieux solliciteur pour une séance privée d'invocation à un prix raisonnable, sur la rive ouest, en aval des grandes chutes. La même jeune femme blonde aux cheveux courts l'accueillit sur le seuil d'une grande et triste demeure du faubourg de Rochester. La pénombre à l'intérieur se creusait d'indistincts paysages à la lueur de rares chandelles. Hormis quelques tableaux bitumeux aux murs, de lourdes tentures et les paravents de palissandre, la salle où on l'accueillit n'était meublée que d'une table ronde et de trois chaises. Il s'était présenté avec une valise de colporteur contenant son petit matériel, une tablette à roulettes, un alphabet, quelques foulards, des aimants, un jeu de tarot, deux coffrets remplis de plaques de verre peintes, une lanterne à loupes orientable et son cher fumigateur aromatisé à l'encens pontifical. Il ne s'était aperçu qu'une fois installé derrière la table de la présence du vieil homme assis à quelques mètres dans un coin obscur, une serviette de cuir sur les genoux. Il avait pu remarquer par ailleurs que la jeune femme faisant office de gouvernante s'était revêtue d'une robe fort seyante quoique passée de mode. Mal éclairée depuis le seuil, sa beauté à la fin s'épanouit à la flamme d'un chandelier. Il fut de nouveau étourdi par un sentiment panique de déjà-vu. L'aveugle à ce moment lui tendit une plaque photographique, la face tournée vers le plafond. « C'est de cette personne qu'il s'agit », avait-il murmuré d'une voix un peu chevrotante. C'était un de ces calotypes, procédé de capture chimique de la lumière conçu par Talbot deux décennies plus tôt, d'où transparaissait le portrait d'une gracieuse puritaine de naguère, ombre blanche aux yeux délavés. L'aveugle s'était rencogné au fond de son siège. Sa gouvernante présumée en retrait, adossée aux lourdes tentures d'une fenêtre, observait la scène sans plus bouger, avec une expression absente, comme si elle posait à son tour pour quelque opérateur ennemi du moindre cillement. À son habitude, il s'était lancé dans une herméneutique de camelot aux poncifs éprouvés avant de mettre à l'épreuve sa «technique opératoire rigoureusement scientifique». Les premiers raps qu'il produisit depuis la table, ses deux mains en l'air, ni l'aveugle ni la jeune femme ne parurent les entendre. L'atmosphère lugubre chargée de vapeurs d'encens était cependant propice aux apparitions. De son cabinet médiumnique improvisé, il avait entrepris de lancer au moyen de sa lanterne et de son fumigateur une matérialisation en bonne et due forme entre le panneau d'un paravent et l'angle d'un mur. La silhouette féminine qui se dessina, mouvante, sur le bouillon de fumée blanche, n'impressionna nullement son unique spectatrice restée debout, comme il l'avait escompté, et demeura en conséquence muette pour l'aveugle. Contrarié par ce manque de coopération, il s'était résolument appliqué, sans plus d'effets superflus, à rendre audible n'importe quelle manifestation venue d'un quelconque ailleurs. Ainsi fit-il mine de se concentrer en oracle appointé sur le calotype, après s'être enquis de ce que le vieil homme cherchait véritablement à savoir. La situation lui avait assez vite échappé au moment de la transcription alphabétique des heurts. « Violet ! Violet ! s'était écrié l'aveugle. Je te conjure de me répondre cette fois ! Était-ce un accident, était-ce une noyade accidentelle ? » Cette pathétique exhortation s'acheva dans un râle. Pris de malaise, le vieil homme s'était d'un coup plié en deux et, les genoux fléchis, tomba tête en avant contre la serviette de cuir lâchée dans sa chute. L'autre personne présente avait quitté sa prostration. Accourue, très pâle, elle s'était mise à traîner le corps pantelant loin de la table et des fumées. « Ouvrez cette fenêtre ! » lui avait-elle ordonné. Les rideaux une fois levés, la pleine lune inonda la pièce d'une clarté métallique où s'agitèrent les simulacres en contre-jour des chandelles. Il l'avait aidée à allonger le vieillard sur un divan, à défaire son col et sa ceinture. Les mains de la jeune femme plusieurs fois effleurèrent les siennes. « C'est le cœur », avait-elle constaté avec un certain flegme en enveloppant de ses doigts son poignet après avoir croisé comme il sied ceux de l'aveugle. À cette minute, mordu par l'attrait violent de cette fille en même temps que l'agressait un vague relent de décomposition, il n'avait encore rien compris du trouble mêlé de son esprit et de ses sens.

Le vent s'était levé sur le lac Ontario. William Pill longea les docks où s'activait un peuple bigarré de portefaix et de matelots entre les entrepôts et les navires à vapeur d'au moins mille tonneaux amarrés à quai. On déplaçait des barriques, des roues géantes ou des traverses de chemin de fer. Un peu plus loin, toutes voiles dehors, une frégate sur le départ lui rappela sa traversée mouvementée de l'Atlantique et l'évangéliste des Frères de Plymouth, son compagnon de naufrage mort du choléra à Grosse-Île. Seule lui restait une bible moisie et écornée en mémoire de l'aventure. Ce n'était au fond ni les guerres ni le mildiou qui avaient provoqué son départ pour l'Amérique, avant des millions d'autres Irlandais faméliques, mais un rêve de gosse assez pugnace pour mettre l'Océan entre lui et son foyer misérable d'alors, fratrie et parents inclus.

Pill repartit vers Sodus Bay, impatient de retrouver sa baraque à la pointe de Briscoe où il n'était pas loin de mener, les jours fériés, l'existence naturelle prescrite par ce bon Thoreau, entre un canot pour la pêche et les bois de feuillus. «Je suis dans l'affreuse nécessité d'être ce que je suis», c'était sa devise et sa fatalité. Il eût pu certainement vivre là tout à fait, vêtu de poils, une ceinture de cuir autour des reins, comme Élie le Tishbite. Après tout, l'âme d'un tricheur pouvait être aussi droite que le piquet qu'on aperçoit brisé dans l'eau. Il suffisait de tabler sans trop faillir sur sa rédemption. La foi pouvait très bien se passer de la vérité.

Assise sur un rondin de la barrière, elle l'attendait devant l'écurie. Ses cheveux blonds lui retombaient désormais en boucles sur l'épaule.

Avait-il jamais connu, par toutes les routes tracées au monde, de femme plus resplendissante de vitalité, plus faite pour écarter d'elle l'écume noire du deuil et de la nostalgie ? Lorsqu'elle l'avait entraîné à distance de l'aveugle, dans une autre chambre, il ignorait encore son identité et quel contrat la liait à ce vieillard ensorcelé. Comment en effet deviner, même taraudé par une impression étourdissante de familiarité, que le pasteur frappé d'amaurose et d'amnésie sélective à la suite d'une congestion cérébrale et sa fille unique rejouaient ensemble la tragédie d'*Œdipe à Colone* dans ce faubourg de Rochester ? Mais le révérend Gascoigne hanté par ses crimes de saint homme avait rendu l'âme sereinement dans les bras de cette Antigone, sans reconnaître sa Pearl autrement que par une intuition foudroyante, à l'instant de passer à trépas.

William Pill tomba de cheval fou de joie et, peu soucieux d'attacher le Quarter horse, courut soulever la jeune femme dans ses bras.

— Ah, vous m'avez diablement manqué, savez-vous ?

— Le diable n'y est pour rien ! s'esclaffa Pearl.

— Ni le bon Dieu ! Ni aucun maître de ce monde ou d'un autre !

XV

Avec la permission de Frederick Douglass et de Ralph Waldo Emerson

Il y avait affluence à la nouvelle église méthodiste de l'apôtre Jean reconstruite sur les reliques de Wesley Chapel. Dans le climat de nervosité exaltée régnant alors à New York, la mixité générale provoquée par le désordre des entrées et la présence massive des nègres de Harlem et du Bronx sous les voûtes vibrantes d'échos donnaient à l'événement un air de frénésie révolutionnaire. Invité à cette tribune à l'initiative de l'*American Anti-Slavery Society*, Frederick Douglass reconsidéra sa destinée d'esclave fugitif depuis les années dites tendres, dans les plantations du Maryland, quand on interdisait aux enfants d'apprendre à lire, quand les briseurs de nègres sévissaient à la moindre incartade. La voix tonnante, il raconta son évasion en train et en steamer jusqu'à la cité éclairée de New York, grâce à la solidarité d'un marin noir de Baltimore et des quakers de Philadelphie.

Effrayée par la foule instable du déambulatoire, Kate l'écoutait debout dans un remous d'épaules. Elle avait perdu Miss Helen, son chaperon irlandais, à peine entrée, et tout en la cherchant des yeux s'ébahissait du phénomène d'adhésion provoqué par ce nègre vieillissant au verbe haut. Il lui était arrivé de le croiser à Rochester où celui qu'on surnommait le lion d'Anacostia avait fondé le *North Star*, un journal abolitionniste. Cependant elle assistait pour la première fois à cette confrontation, tour à tour affectueuse, inflexible et emportée, d'une parole inspirée avec son auditoire. Même les esprits en un tel moment eussent été subjugués, privés de tout recours face à cette puissance de persuasion. Revendiquant une liberté de bon droit pour chacun des siens, en Amérique, mais aussi pour les femmes et tous les opprimés du monde, il prétendait faire un jour coïncider sans violence son rêve et la réalité par la seule énergie de la foi. Après avoir évoqué l'affaire Dred Scott et les troubles du Kansas, il réprouva avec force l'appel à l'insurrection armée de l'activiste blanc radical John Brown, tout en saluant cet inflexible allié.

Son homélie fraternitaire s'acheva en ovation quand il formula une fois de plus son credo : « *Right is of no sex – Truth is of no color – God is the father of us all, and we are all brethren !* »

Bousculée vers la sortie par la cohue, Kate éprouvait une sensation inconnue de disponibilité. Ce leader pacifiste ne pouvait être dupe de l'agitation qui travaillait le pays, des révoltes et des grèves à New York même. Mr Greeley, son bienfaiteur, le lui avait expliqué en long et en large : les États du Sud contestaient la tutelle du gouvernement fédéral ; ils menaçaient en conséquence de rompre leurs accords avec l'Union, davantage à cause de l'emprise économique du Nord industrialisé que pour une simple histoire de droits de l'homme, tandis que l'Union se targuait de la Constitution pour mettre au pas cette ligue de riches propriétaires, de planteurs esclavagistes et de pionniers illettrés au risque de compromettre la paix civile. Toutefois il y avait une vie possible en pleine lumière, dans le péril même de l'action, cet homme réchappé des pires jougs venait de le lui démontrer sans hâblerie ni mystification. Surtout, elle ressentait la fraîcheur d'un souffle sur ses joues et sa nuque, comme un battement de voilures à la proue d'un navire. La vie ne se bornait pas à l'enfermement avec l'esprit des morts, dans l'embarras ténébreux de toutes ces tables, de tous ces paravents, ces murs qu'elle devait sans cesse sonder et questionner pour plaire aux éprouvés. On pouvait, quelques heures et plus encore, oublier l'au-delà si proche et si bruissant de présages pour un ici périlleux mais vaste comme l'espérance.

Au bout de John Street, perdue dans ses pensées et bientôt surprise de se trouver égarée, sans même de quoi s'acquitter d'un fiacre, elle considéra les flottaisons bleues de l'East River où charbonnaient les cheminées des steamers. Malgré le vent vif, elle irait donc à pied jusqu'à Sutton Place où on l'attendait pour elle ne savait quel raout au domicile du directeur du *New-York Tribune*, quitte à crotter ses souliers et les pans de sa robe. Depuis que les séances publiques qui tournaient souvent au spectacle de foire et les éprouvantes consultations en cabinet des riches neurasthéniques lui étaient épargnées, il lui semblait qu'elle s'ouvrait à mille détails extérieurs hier sinistrement obturés de symboles, comme la palpitation de l'étoile polaire dans le bleu assombri du ciel, ce nuage en forme de figure de proue au-dessus d'une goélette, le jeu des feuilles et des oiseaux dans un érable. Une grande femme brune serrant contre sa bouche les pattes d'une fourrure de renard passa le long des *row houses*. S'il ne fallut qu'un regard à Kate pour comprendre quel drame l'habitait, elle s'en délivra en chantonnant d'un pas alerte :

O carry me back to my home far away
All quiet along the Potomac tonight
To my one true love, she's as fair as the day
All quiet along the Potomac tonight

À peine eut-elle engagé le bout de son pied sur Sutton Place que son nom y retentit à l'autre extrémité. L'opulente Miss Helen se précipitait autant qu'elle le pouvait, les bras en l'air.

— Où étiez-vous donc passée ? Ah, mais rentrons vite changer de toilette. Il n'est vraiment pas l'heure d'être reçue…

Une heure plus tard, toujours flanquée de Miss Helen, laquelle alla discrètement se réfugier à l'office, Kate était accueillie dans le deuxième vestibule par Horace Greeley en col dur et redingote. Si les progrès de sa calvitie, compensés par d'énormes favoris et une barbe de gorge d'une blancheur immaculée, révélaient l'immense front chaque année davantage, son bon sourire gardait une jeunesse intacte. Kate se laissa enlacer et prendre les mains. Depuis la déchéance et le décès récent du père Fox tombé dans l'ivrognerie à l'écart des siens, Mr Greeley était devenu pour elle un parangon d'image paternelle, ce dont il se récréait d'ailleurs modérément.

— Entrez donc mon amie, nous avons ce soir des hôtes de qualité...

Il y avait bien déjà treize ou quinze personnes d'humeur sémillante, des dames en robe du soir, l'une d'elles en costume de dompteuse de tigres, des hommes d'un aspect vénérable, d'autres plus jeunes virevoltant un verre à la main. Le maître d'hôtel *as solemn as a judge* emplissait les coupes d'un authentique champagne.

— Très chers, annonça Greeley en se tournant vers ce petit monde, j'aimerais signaler aux ignorants et aux distraits la charmante apparition de Miss Kate Fox qu'il serait offensant de présenter...

— Et ses sœurs ? lança un dandy à jabot qui n'avait pas quitté sa canne. Je croyais qu'elles étaient siamoises...

— Vous ne connaissez donc pas Leah Underhill ? s'exclama l'épouse d'un éditeur bostonien. Depuis son retour de Londres, elle n'accepte plus à sa table parlante que les esprits de lords...

Comme d'autres conversations s'entrecroisaient, indifférentes au voisinage, les propos acerbes et les fines railleries ne prêtaient guère à conséquence. Il fut tour à tour question des Anglais, du vice et de la religion, du regain d'anciennes gloires ou de la vérité des miracles.

Kate s'était détournée, un sourire aux lèvres, et fit mine d'examiner les tableaux, paysages, portraits d'enlumineurs de Catskill Mountain, natures mortes importées par des colons hollandais. Sur la tablette d'une cheminée, dans son cadre de laiton, un daguerréotype protégé d'un verre fumé attira son attention. On distinguait le visage infiniment mélancolique d'une jeune personne couverte de dentelles blanches. Le patron de presse aperçut la nuque penchée de Kate et, soudain nerveux, délaissa ses convives.

— C'est Jennie, ma fille préférée, dit-il en s'approchant du cadre. Elle est morte de phtisie comme trois de ses sœurs plus jeunes. J'espérais qu'elle fût sauve une fois franchi le cap des seize ans, mais elle est morte le lendemain de son anniversaire.

— Elle n'est pas morte ! se récria Kate sans réfléchir d'une voix qui n'était qu'un souffle.

Les lunettes du vieil homme s'embuèrent. Il reprit sa respiration et, pivotant lentement sur ses talons, s'exclama avec enjouement devant un personnage qui avançait les mains croisées dans le dos, incliné comme un patineur sur le parquet verni.

— Ah, vous voici ! « *The poet is the sayer, the namer, and represents beauty.* » N'est-ce pas vous qui l'avez écrit ? Eh bien vous ne pourrez que vous entendre avec cette enfant de lumière...

Le directeur du *New-York Tribune* parti vers d'autres civilités, Ralph Waldo Emerson considéra d'un œil amusé la personne qui venait de lui être présentée en coup de vent et devant laquelle il ne savait que dire. C'était donc l'une des sœurs Fox, ces douces folles capables d'appréhender dans son individualité propre le génie d'un papillon mort ! Le visage décoloré de son fils arraché au monde vingt ans plus tôt par la scarlatine se superposa à celui de la jeune fille. C'est la mémoire qui est le pain quotidien des yeux !

Kate de son côté chancelait de timidité sous le regard attentif de l'homme de lettres qu'elle avait lu crayon en main sur les conseils de son mentor. Les pensait-il, ces mots à peine intelligibles et si bouleversants : « Toute âme est une Vénus céleste pour toute autre âme » ? Concevait-il vraiment qu'il n'y eût qu'un seul et unique Esprit dans tout l'univers dont chaque créature recevrait le reflet ou la blessure ? Il avait l'air d'un grand oiseau hiératique avec son nez en bec de calao et ses yeux argentés qui, par-delà un bon sourire d'abnégation, la fixaient si profondément, à l'endroit même où sa conscience de jeune femme anodine se dissolvait sans recours.

Tandis que les éclats de voix et les rires se

multipliaient alentour, une femme du monde interrompit ce muet vis-à-vis.

— Mr Emerson, vous qui êtes notre Goethe, quel crédit accordez-vous à ces histoires de médium ?

Kate n'eut pas le temps d'entendre la réponse. Elle vit le couple s'écarter dans un brouhaha. D'autres figures célèbres ou qui s'en donnaient l'allure l'accostèrent pour une plaisanterie aimable, un compliment ou une pique au fleuret moucheté – mais elle appréciait de n'être pas le point de mire, tout juste une curiosité à l'étiage de cet élégant à canne d'ivoire ou de cette aventurière de passage connue pour s'improviser, au gré des circonstances, voyante, actrice, femme d'affaires et que serrait de près un riche entrepreneur en chemin de fer et industrie maritime qu'on surnommait le Commodore. Cette dernière se présenta franchement à Kate.

— Je suis Victoria Woodhull, mon nom ne vous dira peut-être rien. Mais vous me trouvez comblée de vous approcher. Nous sommes nombreuses en Amérique à vous devoir une reconnaissance éternelle. C'est votre exemple que nous suivons toutes dans la voie du spiritualisme... N'est-ce pas Cornelius ?..., ajouta-t-elle.

— Regardez qui entre ! s'écria sans l'entendre l'entrepreneur accroché à sa taille.

Une clameur s'éleva dans les salons. Les convives battirent des mains en se pressant vers le nouveau venu. Kate, immobile près de la cheminée, reconnut sans vraie surprise la crinière crêpelée du lion d'Anacostia. Un activiste en tournée comme Frederick Douglass pouvait-il finir sa journée de tribun ailleurs que chez le plus influent réformiste de New York? On entendit un échange alerte de propos où résonnaient les mots de liberté, de droit et d'égalité.

Alors qu'elle s'imaginait oubliée, songeant à rejoindre Miss Helen à l'office, un personnage comme engendré d'un rêve l'apostropha d'une voix blanche.

— Kate, vous souvenez-vous de moi?

La jeune femme pâlit, rappelée à d'autres temps pourtant insituables. Mais elle se ressaisit, certaine de ne pas connaître cet homme courbé à l'œil éteint, au teint maladif, qui sous cette apparence dégageait une impression d'énergie herculéenne.

— Non, dit-il, vous ne pouvez pas vous souvenir. Je suis Charles Livermore, financier à New York. Vous avez devant vous un homme désespéré. J'ai besoin de votre aide. Vous êtes mon ultime recours...

Des hourras fusèrent autour de Frederick Douglass. L'élocution éclatante de l'ancien esclave recouvrit les confidences murmurées du banquier.

« Que le Noir parvienne seulement à porter sur sa personne les lettres de cuivre U.S., qu'il arrive à mettre un aigle sur ses boutons, un fusil sur son épaule et des balles dans sa poche, et aucun pouvoir au monde ne pourra plus nier qu'il a gagné le droit de devenir un citoyen... »

Kate promit ce qu'il voulait au banquier et s'échappa vers les escaliers, prise d'une impression d'imminence qui dépassait tout ce qu'elle avait pu redouter en ce monde. «Ce n'est rien, ce n'est rien», répéta-t-elle, subitement terrorisée à l'idée qu'il eût pu être arrivé malheur à Margaret. Parvenue aux cuisines, elle découvrit avec stupeur Miss Helen, assise sur un banc, les jambes écartées, qui buvait un fort whisky face à d'énormes fourneaux.

— Ah, comme je suis heureuse! s'écria Kate d'assez loin pour laisser à son chaperon le temps de reprendre contenance.

— Et par quelle aubaine? balbutia Miss Helen en rameutant ses jupons.

— J'ai parlé avec Emerson, imaginez-vous!

Comme la brave femme marquait son ignorance par un silence digne, Kate partit à réciter en appuyant sur l'éloquence:

Le lointain, l'oublié me sont proches
L'ombre et la lumière me sont unes
Les dieux évanouis m'apparaissent
La honte et la gloire me sont unes

TROISIÈME PARTIE

NEW YORK

Marchez doucement car vous marchez sur mes rêves.
WILLIAM BUTLER YEATS

I

Les récents désagréments

En conséquence de l'élection d'Abraham Lincoln qui promettait l'abolition de l'esclavage laissée en suspens depuis le compromis du Missouri de 1820, la sécession de la Caroline du Sud précipita en quelques semaines la fracture nationale. À New York comme à Rochester, on assistait avec une sorte de frénésie stupéfiée à l'escalade d'événements qui ne pouvaient avoir qu'une insurrection générale pour horizon.

Personne n'était encore aguerri à la bataille de Bull Run, en juillet 1861 – trois mois après l'affrontement somme toute bénin de Fort Sumter à l'origine des hostilités –, mais c'était bien la guerre. Persuadé de la supériorité des loyalistes, plus encore de l'efficacité d'une industrie au service de l'Union, le tout neuf Président républicain flanqué de deux jeunes télégraphistes lanceurs d'ordres incitait fermement à l'initiative un état-major peu familiarisé aux grandes manœuvres.

Tout commença par une désillusion. En position après une marche de nuit harassante, c'est devant l'élite politique et financière de Washington venue assister sur des chaises de jardin à la déconfiture annoncée des rebelles, que les troupes yankees conduites par le général Irvin McDowell investirent non sans panache les parages de Bull Run. Mais l'accrochage du gué de Blackburn improvisé par l'officier supérieur James Longstreet tourna vite au fiasco, avec une centaine de tués et davantage de blessés. Après quelques échanges incertains sabre au clair, les généraux confédérés Beauregard et Johnston, vétérans de la guerre du Mexique, appuyés par la brigade virginienne du colonel Thomas J. Jackson, sous le commandement impérieux du généralissime Robert E. Lee, ne tardèrent pas à mettre en échec les batteries adverses, arrachant au passage le pied d'une veuve octogénaire qui n'avait pu quitter son lit. Tout se passa en quelques heures autour d'une colline et d'un pont de pierre. Par suite d'un début de panique du plus mauvais effet, les forces de McDowell mises à mal battirent en retraite jusqu'aux alentours de la capitale, de l'autre côté du Potomac, laissant derrière elles une foule de prisonniers. À l'Executive Mansion de Washington qui manqua tomber aux mains de l'ennemi dès cette première vraie bataille, on comprit que le conflit ne faisait que débuter et exigerait d'importants sacrifices en matériel et en hommes. Motif d'émeutes à New York, un décret présidentiel lança bientôt la mobilisation d'un demi-million de citoyens. À peine un an plus tard, on comptait les victimes par dizaines de milliers de part et d'autre de la ligne fluctuante du front.

Le missionnaire Alexander Cruik, qui s'était porté volontaire au titre d'aumônier, malgré le bannissement de sa congrégation conséquent à une apologie mesurée du spiritualisme, faisait chaque jour l'expérience de l'enfer sur les lieux d'affrontement et dans les hôpitaux de campagne où l'on amputait à tour de bras des jeunes gens aux os fracassés par les balles en ogive pour mousquet à canon rainuré, récente invention d'un armurier français. Au milieu des batailles rangées, quitte à être pris pour cible, l'évangélisateur déambulait comme un gauleur d'âmes dans les glèbes sanglantes où râlaient les agonisants, allant sans préséance d'un Sudiste au ventre ouvert à un Unioniste démembré. Obnubilé par l'abomination d'une tuerie sans infraction ni outrage, il assista aux désavantages et aux défaites des siens face aux Confédérés inférieurs en nombre mais qui défendaient farouchement leur territoire sous la bannière d'officiers aristocratiques. Quand Lincoln eut repris l'offensive en proclamant l'affranchissement des esclaves bien avant l'heure de la victoire et en décuplant l'effort de guerre grâce à la conscription massive des Noirs et à l'usage intensif des transports de troupes ferroviaires et aquatiques, l'horreur des champs de bataille s'en trouva également accrue. Armé de sa seule foi, n'apportant que sa parole ou son silence, Alexander Cruik ne distinguait plus les enjeux du carnage. Comment aurait-il pu faire la différence entre une hécatombe témoignant d'une prouesse yankee et un charnier à la gloire du généralissime ? Dans la neige ou la boue, les uniformes déchirés et maculés ne suffisaient plus à reconnaître les armes. Pourquoi, entre deux adolescents mourants, fallait-il assister plutôt l'un que l'autre ? Les âmes étaient-elles sœurs ou ennemies au moment de se défaire de l'armure des passions et des identités ?

Lors des mouvements d'une position à l'autre, quand les bataillons d'infanterie précédés de la cavalerie et des charrois de l'artillerie avançaient, délivrés des cris et des râles des blessés éloignés vers l'arrière, Alexander Cruik croyait voir marcher les morts par troupes serrées et ne cessait plus d'entendre les vociférations sauvages des assauts. Ils appelaient leur mère, tous ceux qui tombaient. Des enfants jouaient à l'entretuerie croyant seulement jouer. À Chancellorsville, après quatre jours de pilonnage et d'offensive à la baïonnette, l'armée du Potomac subit de tels revers qu'il vit une bande de Yankees vaincus lyncher l'un des leurs parce qu'il était noir et donc fauteur de guerre. Le général Robert Edward Lee, en triomphateur, poussait alors sa cavalerie d'apocalypse jusqu'en Pennsylvanie. Ignorants des états-majors, les fantassins déboussolés saisissaient peu de chose de ces avancées et de ces replis, sinon l'enrouement des clairons après les combats.

Au sud de Gettysburg, entre deux collines, Alexander Cruik, qui avait été témoin du regroupement des rangs nordistes sous l'impulsion du général Grant, assista sans réagir davantage à l'offensive des troupes confédérées une fois les lignes adverses labourées par l'artillerie. Considérant les uniformes bleu horizon aux aguets, il ne pouvait s'empêcher de supputer sur la survie ou le trépas imminent de telle ou telle recrue proche qui pour l'heure plissait les yeux vers l'énigme des horizons, l'une se palpant délicatement l'oreille et l'autre souriant à quelque visage rêvé – toutes, au bord de l'abîme, si emplies de leur gracile éternité.

Mais un tressaillement et des soupirs se propagèrent à la vue d'énigmatiques scintillements qui très vite se répandirent sur Little Round Top, innombrables, à la pointe des fusils ennemis. Plutôt que de donner de l'artillerie, le colonel Chamberlain à la tête d'un régiment du Maine et ses homologues de l'État de New York commandèrent à leurs troupes de charger à la baïonnette. Réfugié derrière les obusiers James de 48 et 64 livres acheminés en train, que les artificiers surveillaient avec une tendresse rogue, Alexander eut la sensation de participer par le tremblement de tous ses membres à l'immense dévastation qui s'engageait, à cette distance semblable à un jeu de figurines coloriées. Une grande clameur balayée par les vents d'ouest tournoyait entre les collines où crépitaient les mousquets et les carabines à répétition tandis que tonnait sporadiquement l'artillerie, avec une sorte de flegme. Déjà, les brancardiers en poste ou des compagnons d'armes ramenaient les premiers étripés vers les tentes. De son point de vue en surplomb des collines, Alexander découvrait, au-delà de ce monstrueux duel à la baïonnette, la multitude d'autres engagements où s'entremêlaient à perte de vue cavaliers et fantassins à travers la poussière soulevée des impacts. Rappelé à l'ordre par un infirmier aux bras rougis de sang, il pénétra sous le pavillon de l'hôpital de campagne où l'odeur de chloroforme et d'entrailles prenait à la gorge. Au chevet d'un nègre mortellement touché qui appelait le secours du Christ, il se mit à adjurer les puissances inconnues de lui venir en aide. Étonné du fond de son agonie, l'homme eut le temps de lui dire en vomissant ses tripes qu'il voulait seulement qu'on inscrivît son nom, Ben Crosby, sur un bout de papier, et qu'on l'épinglât sur sa tunique. Le voyant faire, un blessé d'un lit de camp voisin en passe d'être amputé lui demanda d'une voix faible la même faveur, sans oublier le nom de son village. « La gangrène va s'y mettre, dit-il, et je n'aurai droit qu'à la fosse commune. » Une jeune femme en blouse qui assistait le chirurgien déjà à l'œuvre sur un autre grabat avait tourné vers lui un visage inquiet, d'une beauté fiévreuse. Il lui sourit désespérément et se précipita hors de la tente.

Canons et obusiers fulminaient maintenant au-dessus d'un pétillement de mousquets et l'on apercevait çà et là, sans lien vraisemblable avec ces tirs soutenus, des chutes groupées de cavaliers ou des jaillissements de terre et de pierre emportant maints pantins démantibulés. Les combats ébranlaient de plus belle les pentes sous l'azur impeccable où une alouette s'égosillait, inaudible. Alexander Cruik se souvint des prodiges secrets du regard et de la parole. Il leva la tête vers l'oiseau perché à la cime de son vol et s'écria, les yeux remplis de larmes : « Ne prophétisez pas ! Qu'on ne prophétise pas de telles choses ! » Bien qu'à moitié détruits, les bataillons de l'Union à ce moment se repliaient en bon alignement sur leurs avant-postes tandis que les colonnes ennemies disloquées refluaient en désordre par-delà leurs positions, abandonnant la place à quelques soldats épars qui, durement choqués par l'intensité de la charge, tiraient toujours de manière isolée, dans l'incapacité de reprendre leurs esprits. Un sous-officier à la chevelure flamboyante, la face grêlée, son uniforme maculé de sang, débaula devant lui en beau diable, la baïonnette haute, le dévisageant au passage avec perplexité. Ceux de sa compagnie le suivaient tête basse pour ne pas décompter les camarades absents.

D'un pas de somnambule, malgré les appels du sergent qui s'était retourné, Alexander s'élança vers le champ de bataille déserté que les secours, dans l'attente du signal de trêve, n'avaient pas encore investi. Lorsqu'il fut en terrain découvert, implorant la miséricorde de Dieu, sa haute silhouette noire penchée sur les amas de cadavres, un Sudiste atteint aux jambes et à la tête croyant voir un vautour tournoyer au-dessus de lui eut la force de redresser son mousquet et de tirer avant de rendre l'âme. Touché dans la région du cœur,

Alexander Cruik tomba sur les genoux, les mains au sol, face à face avec son meurtrier. Il se dit que ce mort lui ressemblait comme un frère. Sanglotant pour la première fois depuis la petite enfance, il embrassa à pleine bouche cette figure ensanglantée.

Le sergent avait observé la scène à l'abri d'une culasse de canon. Après un moment de stupeur, il enjamba les fascines et les dépouilles enchevêtrées, courbé en deux, et parvint assez vite à le rejoindre.

— Ce n'est plus la peine, dit l'aumônier.

— Je vous reconnais, s'écria William Pill. Vous êtes l'évangélisateur de Peaux-Rouges, l'ami des sœurs Fox !

Le sous-officier lui souleva la tête pour humecter ses lèvres avec l'alcool de sa gourde.

— Ça ira, dit-il, je vous ramène à l'arrière…

— Inutile, vous ne ramèneriez qu'un cadavre. Moi aussi je me souviens de vous, ajouta l'aumônier en s'appuyant sur un coude. Mais approchez-vous. J'ai aimé une seule femme dans ma vie. Nous aurions pu elle et moi faire de grandes choses… Écoutez : je porte une amulette sans valeur marchande à mon cou. Promettez-moi de la donner quand vous pourrez à Kate Fox. Elle me vient du jour où ma mère fut tuée sous mes yeux par les Cherokees. Nous partions alors vers l'Ouest comme tant d'autres. Les Indiens me découvrirent au fond du chariot, mais ils ne m'ont pas fait de mal. Avant de m'abandonner à mon sort avec un cheval valide et le corps de ma mère, ils m'ont attaché cette amulette autour du cou, je ne sais pourquoi. Elle ne m'a plus jamais quitté…

William Pill ramena tout de même le cadavre de l'évangélisateur à l'arrière. Et c'est devant témoin, consignant la dernière volonté de l'aumônier Alexander Cruik, qu'il empocha la chaîne de fer et son amulette.

Dans les prés et les collines défoncés de trous d'obus, où les chevaux éventrés pourrissaient au grand soleil, on recensa par dizaines de milliers les soldats des deux camps qui gisaient sans avoir trouvé le temps d'écrire leurs noms et adresses sur un bout de papier. Des fosses communes furent creusées un peu partout. Devant un pareil carnage, le gouverneur de Pennsylvanie subventionna un comité d'assainissement du site ainsi que la construction d'un cimetière. Cependant la bataille de Gettysburg rendit l'avantage aux Unionistes et le sergent William Pill, jouant sa chance à chaque nouvel engagement, y gagna ses galons de lieutenant. Le front de guerre délimitant les territoires belligérants remuait comme un serpent dans sa nasse au fil des mois, d'une région ou d'un État à l'autre : aucune victoire n'emportait le traité d'armistice et les deux camps dénombraient désormais leurs martyrs par centaines de mille. En avril 1865, le président Lincoln, qui avait élevé l'Union au statut de puissance industrielle grâce à l'effort de guerre, put enfin entrer en triomphateur à Richmond, la capitale des

Confédérés que le général Grant, son chef d'état-major, venait tout juste de conquérir.

Un doigt de la main gauche arraché par une balle Minié, la poitrine lacérée au couteau de baïonnette, rescapé miraculeusement d'un incendie provoqué par un fameux général adepte de la terre brûlée, William Pill quitta sans regret l'uniforme. Pas une heure de sa vie, depuis son recrutement aux premiers mois du conflit, ne s'était écoulée sans qu'il pensât à Pearl Gascoigne. Malgré ses épreuves, la victoire de l'Union comptait moins pour lui que la possibilité de revoir Pearl. Il avait vu mourir ses compagnons de combat et tué lui-même sans faillir, porté par une idée fixe : revoir un jour la femme qu'il aimait plus que Dieu et bien autant que l'Amérique. Cependant Pearl l'avait quitté, elle l'avait trahi pour une chimère, une vue de l'esprit, la pire des insanités : être une femme libre, écrire des livres, s'accomplir.

Son Quarter horse, Pill le retrouva, à peine descendu de train, chez un éleveur du comté de Monroe à qui il l'avait confié trois ans plus tôt. L'animal aussi avait vieilli mais il tournait encore sur lui-même au quart de tour et c'est au galop que le lieutenant démobilisé reprit le chemin de Rochester, bien décidé à oublier les récents désagréments et grommelant sans pouvoir s'en défaire un air qu'aimaient chantonner d'une voix rauque les recrues noires avant la bagarre :

Oh, Babylon's falling, falling, falling
Babylon's falling to rise no more
Oh, Babylon's falling, falling, falling
Babylon's falling to rise no more

II

Le bon génie de Livermore

Le premier cheveu blanc, on l'arrache et plus rien n'y paraît – l'âge attendra le deuxième. Kate enfila son manteau de renard doré et traversa le parc étincelant de rosée par une allée fleurie qui coupait la voie carrossable. De son pavillon de garde-chasse aménagé en petit bureau avec salon jusqu'au manoir des Livermore, on n'avait que le temps de respirer les parterres de roses et de lys dont s'enorgueillissait l'homme de peine du domaine, un Jamaïcain presque noir à l'accent cockney que Charles Livermore gardait à son service en souvenir de son épouse. Y avait-il un objet ou un usage qu'il ne conservait pas en souvenir d'Estelle ? Le financier s'était installé dans sa mémoire et le deuil ne pouvait être pour lui qu'une forme aiguisée d'attention à la disparue. Dès lors, sa carrière de banquier à Wall Street ne s'en trouvait nullement contrariée, les affaires n'étant qu'une manière abstraite d'occuper son temps, une occasion d'oubli circonstanciel que le sommeil ne lui procurait plus.

Kate avait accepté la proposition du veuf en pleine guerre civile, un an après le décès d'Estelle. Les années d'études prodiguées par Horace Greeley auraient pu s'additionner longtemps encore. Plus on apprend, plus s'alourdit le plateau de l'ignorance. L'engagement exclusif proposé par Livermore n'avait été pour elle qu'une opportunité de se délier d'une singulière aliénation – car en quoi le solfège ou la philosophie pouvaient régénérer le médium en phase avec l'autre monde ? – sans qu'elle fût pour autant contrainte à suivre l'exemple de la malheureuse Margaret qui, déshéritée par sa belle-famille, avait repris ses tournées de ville en ville sous l'empire d'un impresario sans scrupule, ou encore de Leah Underhill, laquelle de son côté ne pratiquait le spiritualisme que pour un supplément de gloire et de fortune, en otage d'un orgueil stérile.

Dans ce coin préservé de l'île de Manhattan, à proximité des travaux d'aménagement d'un parc géant et de jardins d'acclimatement avec réserves d'animaux sauvages, Kate oubliait la fièvre de New York où toutes les guerres du monde semblaient à tout moment devoir éclater en miniature. Son employeur et un trust d'hommes d'affaires conduit par Mr Greeley s'étaient même vivement opposés à une lubie de Fernando Wood, le maire de la ville qui, sous prétexte d'accointances économiques avec les États du Sud, avait tout bonnement préconisé que New York fît sécession à son tour.

Peu au fait des désordres de la politique et des

finances, Kate traversa la guerre dans son îlot de verdure, préoccupée seulement de ce qu'on espérait d'elle. Comme chaque matin, malgré la fraîcheur de l'air, elle se rendait du même pas hésitant au manoir, curieuse des teintes mourantes des rosiers de Portland, des Rembrandt écarlates ou du rosier nain à fleurs doubles au nom ridicule de Pompon Perpétuel. Les roses d'automne étaient assurément les plus exquises. Mr Livermore la laissait libre de ses mouvements à cette heure – une calèche en semaine avait déjà déposé le banquier à Wall Street –, mais c'était son agrément de se rendre au manoir, vaste bâtisse coloniale sur deux étages avec escalier extérieur à péristyle, afin d'y déjeuner d'un thé et d'une biscotte à l'office, en compagnie de la cuisinière, une vieille rôtisseuse caribéenne, et parfois du jardinier jamaïcain venu lamper un broc d'eau fraîche. Les autres employés de la maison, une femme de chambre allemande aux six bras, un cocher calabrais et Mrs McCords, une gouvernante aux fonctions multiples, la tenaient à distance, l'une par superstition, les autres par défiance ou jalousie. De loin la plus ancienne au service du manoir, la cuisinière racontait ce qu'elle savait quand bon lui semblait, à l'instinct et même crûment, sans prendre le temps de la perspicacité, considérant la moindre question comme une indélicatesse. Kate l'écoutait volontiers en contemplant les feuilles de thé au fond de son bol ou les flammes léchant la gueule d'un énorme fourneau de fonte à deux fours et trois tables de cuisson. Par bribes distraites ou soliloques obnubilés, elle en apprit ainsi bien davantage que par les confidences éplorées du veuf.

Estelle était une jeune femme de l'aristocratie sudiste, fille d'un planteur du Tennessee aux idées arrêtées qui employait un bon millier d'esclaves encadrés par une milice à sa botte. Elle avait fui son pays et les siens après avoir été contrainte d'assister à la pendaison publique d'un fugitif qu'elle avait cru bon de secourir. Maudissant toute appartenance, Estelle avait gagné New York par voie de chemin de fer où Mrs McCords, une parente déclassée, l'accueillit sans trop rechigner. Par l'entremise de cette dernière, femme instruite qui, outre sa bonne compagnie, lui servait de secrétaire privée, le financier avait été mis un jour en présence d'Estelle. Il s'en était aussitôt épris au point de réformer pour elle toutes ses vieilles idées et d'investir des sommes considérables dans la lutte antiesclavagiste. C'était quelques mois avant l'élection par défaut de Jefferson Finis Davis à la présidence des États confédérés. La bataille de Fort Sumter n'avait pas encore eu lieu, mais Lincoln investi à Washington, l'indignation ne faiblissait pas après la pendaison de John Brown, le héros abolitionniste radical qui avait conduit sa propre armée, forte d'une dizaine d'hommes, contre l'arsenal fédéral de Harpers Ferry en Virginie.

Dans le contexte de dislocation des liens claniques et familiaux qui augurait de sombres jours, le mariage d'Estelle et du financier participait sans doute des bouleversements sociaux en cours. Mais ni la jeune femme en rupture de ban ni Charles Livermore ne vécurent ces heures sur la planète autrement qu'Adam et Ève. Bien qu'il fût plus âgé d'une vingtaine d'années, Estelle s'en était laissé aimer avec un ébahissement toujours croissant. Personne au monde n'aurait pu lui manifester une si tendre, si bienfaisante et sensuelle attention. Face à ce soleil de tous les instants, les trésors de séduction que lui prodiguait maint prétendant attiré par sa grande beauté avaient par contraste une pâleur de lune. Toujours disponible malgré les aléas d'une profession de cambiste international, Livermore aimait Estelle comme un absolu, sans comparaison intelligible. Tout ce qui n'était pas elle n'avait à peu près aucune valeur, sa propre vie comprise. La passion amoureuse exacerbée prit chez lui une couleur quasi anthropophage – la couvrant de baisers, il se retenait presque de dévorer son épouse. L'homme d'affaires donnait l'impression d'être partout présent autour d'elle ; pour mieux l'adorer, il eût assurément abandonné sa fortune contre un don d'ubiquité. Au manoir, on s'alarmait de sa métamorphose en une tribu d'ogres galants. Joyeuse mais languide, Estelle perdait ses forces. Plus elle s'abandonnait à la dévoration amoureuse de son époux, moins elle offrait de résistance aux affections saisonnières et autres maladies. Elle s'alita un jour de glace et de neige. Les médecins diagnostiquèrent une phtisie galopante. Elle mourut sans déploration après avoir appelé le personnel du manoir à son chevet pour déclarer solennellement qu'aucun être humain n'aurait été aimé comme elle.

Livermore fit construire une sorte d'igloo sur une hauteur de l'immense parc et veilla nuit et jour la morte emmitouflée dans une houppelande en peau d'hermine jusqu'à la fonte des neiges. Au même endroit du parc, il fit creuser une tombe et bâtir par-dessus une haute chapelle de marbre blanc avec, de part et d'autre du vitrail d'autel, un ange d'albâtre et une statue de Jean Calvin. Sous son costume typique de l'époque Renaissance, Calvin avait les traits exacts de Livermore, du moins son profil en regard de l'autre figure. Kate, que le Jamaïcain à l'accent cockney avait conduite en ces lieux au deuxième jour de son installation, assimila une fois pour toutes l'ange à Estelle. Cette image de beauté qu'offrait la phosphorescence durable de la pierre la laissait, troublée, dans un silence énigmatique. Plus rien ne lui parvenait du monde proche. L'assassinat du président Lincoln, personne n'eut l'idée de l'en informer, moins encore les récents forfaits d'une organisation d'anciens officiers sudistes au nom de tribu mongole dans la ville natale d'Estelle. Kate éprouvait l'ambiance des lieux avec une acuité maladive ; rien décidément ne lui échappait des états mentaux de ses interlocuteurs. Elle pouvait endurer le martyre de saint Sébastien devant l'arbre écorché par la foudre ou celui de saint Étienne face à quelque grenouille lapidée par un garnement. Kate se défendait de cette sensitivité dans l'isolement ; elle se tournait par dilection vers les lieux dégagés de toute emprise et les êtres manifestant une saine indolence comme la cuisinière ou le jardinier. Celui-ci était muet mais point sourd. Attentif à ses désirs, et peut-être à ses pensées, il aidait la jeune femme à n'être pas tout à fait une étrangère dans ces lieux voués au culte d'une morte.

Charles Livermore de son côté s'était dédoublé sur un plan mental, son corps allant et venant. Le financier de Wall Street, nullement handicapé dans ses opérations abstraites, retombait en grande mélancolie de retour au manoir, prêt à toutes les mancies pour toucher à l'illusion d'une survivance. Perdu dans une kabbale de signes, sa rencontre avec Kate Fox, un an après la disparition d'Estelle, lui avait paru de bon augure. Cette jeune femme avait posé sur lui le regard de l'au-delà. Il avait couru en vain les médiums à New York, Boston ou Rochester : tous trahissaient un prosaïsme et même une vulgarité d'âme incompatibles avec ses exigences. Les charlatans parmi eux, facilement repérables, se targuaient à la fois des dons de médiumnité et de magnétiseur, en Janus au cou tordu. Les authentiques médiums, il avait eu le temps de l'apprendre, n'étaient que des intercesseurs passifs, de simples courroies de transmission ; beaucoup se recrutaient chez les laveuses de cadavres ou les vachers incultes, assurément les plus aptes à annihiler en eux conscience et volonté. Il lui était toutefois impossible de concevoir une communication avec l'au-delà par le biais d'un déséquilibré, de quelque filou ou d'un débile en extase. Outre sa réputation, Kate l'avait immédiatement séduit par sa qualité de présence, une enfantine simplicité et un charme gracile si proche au fond du souvenir d'Estelle. Livermore avait une conscience assez aiguë de son état nerveux, mais sa mélancolie lui était un refuge et il lui importait peu que les asiles d'aliénés regorgeassent à ce jour davantage de spiritualistes que de syphilitiques.

Pendant des années, deux ou trois soirs par semaine, dans la chambre où Estelle avait rendu l'âme, les séances se perpétuèrent, toutes portes et fenêtres closes. En état de transe, devant un guéri-don bien en vue de son hôte, Kate avait toute latitude pour procéder aux invocations d'usage, écrire à main nue ou par le biais d'une tablette roulante. À la 43e séance, entre le lit à baldaquin et le miroir d'une armoire où se reflétait la flamme immobile d'une unique chandelle, Livermore aperçut un halo auquel il ne put donner de nom. Le phéno-mène s'amplifia aux séances qui suivirent, sans manifestations sonores. Quand les premiers raps se firent entendre, il ne douta plus du succès de l'expérience, mais dans sa soif de certitude, il imposa à Kate Fox toutes sortes de précautions et de contrôles, lui liant les deux poignets et mainte-nant lui-même ses pieds nus entre ses paumes. Comme les coups frappés ne cessèrent pas, fou du plus sombre bonheur, Charles Livermore voulut ajouter des preuves à sa certitude et invita chez lui certains soirs, témoins irrécusables, des sommités comme le professeur Mapes de l'Académie nationale ou le jurisconsulte Edmonds, lesquels avaient fini par se ranger, avec le défunt Robert Hare de l'Université de Pennsylvanie, sous la bannière des sœurs Fox après avoir longtemps constitué un tribunal inquisitorial persécutant la nouvelle hérésie. Par différentes stratégies opératoires, le professeur Mapes avait pu prévenir ou déjouer toutes les ruses habituelles aux illusionnistes et autres falsificateurs. Kate Fox était l'un des très rares médiums à effets physiques jamais pris en flagrant délit de tromperie. Les énergies mises en branle en sa présence ne pouvaient en aucun cas provenir d'un quelconque artifice, à moins que la demeure entière ne fût truquée. Convaincu et confiant après tous les examens et vérifications – mains isolées dans un aquarium, plaques séparatrices en zinc, leviers disposés sur une balance à spirale à indicateur mobile pour mesurer les forces en action – Livermore pria Kate d'intercéder auprès de l'esprit de Benjamin Franklin qu'il vénérait depuis son jeune âge. Qu'un des Pères fondateurs des États-Unis acceptât de se manifester en compagnie d'Estelle eût été pour lui une confirmation transcendante, plus crédible que toutes les preuves matérielles, de l'incarnation substantielle de sa défunte épouse. Estelle ne cessa plus d'écrire par la main gauche de Kate tenant le crayon à mine, et ce qu'elle racontait, son style et sa graphie, restituaient si bien la vie heureuse d'antan, avec chaleur et dans ses moindres détails, que Livermore s'en trouva bientôt comblé au-delà de toute consolation. Qu'il fût transitoirement amoureux de Kate, à travers qui la voix et l'apparence d'Estelle ne cessaient de se manifester, n'infirmait en rien sa passion pour l'ange de marbre. Les matérialisations se succédaient avec toujours plus d'ascendant, et la faible Kate, investie en permanence par une monstrueuse énergie, se désagrégeait petit à petit comme un mannequin de paille entre deux miroirs ardents.

À sa 388e apparition, Estelle annonça que c'était l'ultime, que l'heure de la délivrance était venue pour elle. Kate dut s'évanouir au terme de la séance. Elle se réveilla en chemise, dans sa chambre du pavillon, à l'aube d'un nouveau jour, et s'aperçut qu'on l'avait entièrement dévêtue.

Charles Livermore, redevenu l'homme respectable qu'elle avait connu en ville, lui laissa le choix entre une vie de loisirs et d'étude auprès de lui et la liberté. Sachant que sa santé physique et mentale ne tenait plus qu'à un fil, Kate lui fit ses adieux à regret, avant de visiter une dernière fois l'ange de la chapelle. En signe de gratitude, pour que progressât la cause du spiritualisme, le financier de Wall Street offrit à celle qu'il considérait comme sa rédemptrice un séjour en Angleterre et les moyens de poursuivre quelque temps ses investigations. Par une longue lettre vibrante d'éloges et saturée d'exhortations, il recommanda par avance Kate Fox à son correspondant Benjamin Coleman, franc-maçon et fervent adepte de ce que l'on désignait désormais outre-Atlantique sous le vocable de spiritisme imposé par le très scrupuleux Allan Kardec, coauteur avec les esprits eux-mêmes du *Livre des Esprits*.

Installé à son bureau de l'étage aux larges baies vitrées donnant sur l'échappée du parc, le banquier relut sa lettre avec ce léger recul qu'on ressent toujours devant l'expression écrite d'un secret bien gardé :

« Miss Fox est sans conteste le plus merveilleux médium vivant. J'ai tant reçu d'elle durant ces affligeantes années de deuil que je ne puis dire, dans l'édification qui est la mienne, à quel point je me sens débiteur à son égard. C'est donc à vous, mon fidèle compagnon, que je la confie. Surtout que l'on prenne grand soin d'elle tant qu'elle sera loin de sa famille. À trente-cinq ans, Kate garde un cœur et une spontanéité d'enfant ; elle éprouve si vivement les atmosphères particulières à chaque individu qu'il lui arrive de devenir excessivement nerveuse et apparemment capricieuse. Prenez vite la mesure de son génie naturel et apprenez à la bien apprivoiser, c'est de sa relation d'estime et de confiance avec vous que dépendra son extraordinaire réceptivité à d'autres dimensions... »

Au moment de cacheter sa lettre, Livermore aperçut là-bas, sortant de la chapelle, la silhouette de Kate qui s'engageait entre les grands arbres du parc, et en ressentit, sans vouloir se l'expliquer, un vif pincement au cœur.

III

La fée verte et l'assassin

Les vagues lentes de la neige s'abattaient obliquement sur la chaussée de Floss Avenue. Margaret s'était immobilisée parmi d'autres passantes devant les vitrines du magasin-entrepôt J&M Nicols où venaient d'être installés d'effrayants mannequins aux figures humaines vêtus d'habits manufacturés qui lui évoquèrent aussitôt les matérialisations du soi-disant médium William Mac Orpheus, bonimenteur au *Barnum's Great Circus Museum and Menagerie*, lequel avait planté ses chapiteaux pour quelques jours à Rochester. Pareille nouveauté lui inspira de lugubres évocations au souvenir d'une belle défunte embaumée par injection d'esprit de vitriol et d'acide de nitre, à qui elle avait dû s'employer à rendre la parole.

Le col frileusement serré, elle poursuivit sa route au plus près des façades d'immeubles pour éviter les giclées de boue des fardiers et des diligences. Son retour à Rochester, en plein hiver, lui faisait l'effet d'un cataclysme privé. Elle avait vécu dans cette ville un conte de fées durant sa prime jeunesse, elle y avait connu une manière de gloire avec Katie sous la chape de leur sœur aînée. La fortune, même gérée par un tiers, rendait alors toute chose évidente et juste. N'était-ce pas Mister Splitfoot qui les avait encouragées à porter en ville la bonne parole? Les esprits aimaient les meubles de style, les hauts plafonds lambrissés et les lourdes tentures. Dans leur ancienne demeure de Central Avenue, Margaret avait longtemps cru à ces histoires de correspondance avec l'au-delà. D'ailleurs les tables tournaient, c'était indubitable. Et certains phénomènes se produisaient encore à l'occasion, quand elle oubliait ses échecs et son ressentiment. Mais une part d'elle s'était consumée au feu morne des années. Ses forces vives à la longue dévorées par un public de vampires, elle avait recours parfois, de plus en plus souvent, à divers artifices, des ruses expertement calculées. Les tours d'escamoteur de ce Mac Orpheus qu'elle avait pu voir au cirque Barnum lui étaient désormais sans mystère. D'ailleurs, le spiritualisme n'était plus ce qu'il avait pu être depuis l'arrivée en nombre des spirites avec les flux de nouveaux immigrants catholiques. Margaret n'entendait rien à toutes ces hiérarchies d'esprits ni aux effets purgatifs de la réincarnation sur l'âme en transit vers la lumière divine. Pour ce qu'elle en connaissait, à part certaines femmes atteintes du grand mal et quelques authentiques nécromants en pacte avec les puissances obscures, tout le monde truquait et mystifiait dans ce domaine.

Mais il fallait bien vivre et elle conservait malgré tout un peu du prestige des sœurs Fox à l'ombre de Leah Underhill, devenue grande prêtresse d'une religion aux cinq à six millions de convertis. Son âme immortelle, elle continuait de la brader pour quelques dollars la représentation. Margaret haussa les épaules devant un mendiant aveugle rencogné sous un porche qui, lunettes noires sur le front, comptait sa monnaie. Elle bifurqua à l'angle d'une rue étroite et sombre où, comme jaillis d'une volaille qu'on plume, les flocons épais voletaient en tous sens. L'enseigne du Bon Apôtre ornée d'une barbe de stalactites grinçait au vent sur sa potence. Elle poussa une porte à carreaux jaunâtres en cul de bouteille et fut d'emblée consolée par la chaleur du poêle. Par chance, on pouvait s'offrir une fée verte dans les États humides. Le nez dans son absinthe de qualité douteuse, la moins chère en salle, une femme n'avait plus de réputation, mais ça lui était bien égal de s'exposer avec les marins et les minotiers. Elle ne versait qu'un mince filet d'eau sur sa cuiller percée et le sucre ne fondait jamais tout entier. À sa troisième ou quatrième absinthe colorée aux sulfates de zinc, elle se sentait tout juste mieux, enfin capable d'examiner le monde. Il y avait là, derrière le comptoir, John, le cafetier, bouilleur de cru et brasseur en coulisse, parmi ses flacons, ses verres et ses tonneaux, qui pérorait devant un chanteur de cantiques et le cocher de la prochaine diligence pour New York, en avance de quelques verres.

— Des lois, qu'il disait, y en a trop, chaque gouverneur veut les siennes, on perd le sens commun ! J'admets qu'on pende les criminels, mais regardez : à Boston, une loi interdit de jouer du banjo sur le trottoir, dans l'Idaho, il est formellement illégal de pêcher à cheval sur une girafe, et dans le Tennessee, on n'a pas le droit de prendre un poisson au lasso…

— J'en sais quelque chose, dit le chanteur de cantiques. D'où je viens, en Caroline du Nord, c'est interdit de chanter faux.

Un homme entre deux âges ouvrit la porte, comme poussé par la neige, et vint s'ébrouer tout contre le comptoir. Il commanda aussitôt la meilleure absinthe. Son manteau en peau lainée ruisselait tandis qu'il battait sur sa paume un chapeau noir rigide à large bord. Margaret crut reconnaître un visiteur du défunt *Spiritualist Institute*, ou bien plutôt un ex-convive du salon de Leah – du temps de la très digne Mrs Fish-Fox ! A-t-on jamais connu pareil malin poisson ? L'homme au teint olivâtre, aux paupières lourdes, les cheveux lisses grisonnants et les traits aussi délicats que meurtris, affichait une décontraction harassée de noceur asthénique. Il posa négligemment son couvre-chef sur le comptoir. Ses paupières se relevèrent sur la population éparse du cabaret. Enivrée, la tête mal attachée, Margaret soutint ce regard scrutateur. Elle avait appris à ne jamais baisser les yeux, ce qui permet, *presto digiti*, de détourner l'attention du public lors des tours d'adresse.

Intrigué, Lucian Nephtali reprit son chapeau et s'approcha de la buveuse d'absinthe avachie, la nuque appuyée contre un grand miroir aux remous de fond marin.

— On se connaît, dit-il sans prendre la peine de se présenter, ne seriez-vous pas Leah ?

Au moment de prononcer ces mots, s'approchant de cette créature sans fard, son erreur lui parut flagrante, mais comment aurait-il pu justifier son ingérence ?

— Excusez-moi, dit-il, vous aviez de loin un faux air...

— D'une personne de vingt ans plus âgée qui n'est autre que ma sœur, répliqua-t-elle d'un souffle avant de lever la main et de lancer, d'une voix trop haut perchée : Sers-m'en une autre, John, pour l'amour de Dieu !

— Deux autres ! rectifia Lucian en s'asseyant. Et de la meilleure !

Margaret considéra l'intrus avec amusement. Elle reconstitua par bribes le personnage, sa position sociale, les relations qui lui étaient associées. C'était toujours un point gagné que de prouver, l'air de rien, l'amplitude de sa mémoire malgré sa dégradation psychologique.

— Et que deviennent Charlène et ce cher Harry Maur ? dit-elle après une brève évocation muette.

— Charlène a perdu la raison, vous n'étiez pas au courant ? C'est drôle, elle interprétait le rôle de Mrs Mountchessington au théâtre Ford, à Washington, le soir de l'assassinat de Lincoln.

Elle connaissait bien le meurtrier. Souvenez-vous, elle avait joué *Macbeth* avec cet illuminé de John Wilkes Booth. C'était autre chose que *Mon cousin d'Amérique* ! Une fois son forfait accompli, Booth a bondi sur la scène en hurlant : « Ainsi meurent les tyrans ! », ce fut comme une intrusion shakespearienne dans cette farce bourgeoise. « Oiseaux de même farine n'amassent pas mousse... » Mais tout cela n'a rien à voir. On a transféré Charlène il y a peu à Athens, dans l'Ohio, un asile luxueux qui vient d'ouvrir ses portes. Quant à Harry...

Le cafetier vint changer les verres, un œil inquiet sur sa cliente.

— J'espère que vous raccompagnerez madame, marmonna-t-il en s'inclinant vers l'oreille du buveur le plus convenable.

Margaret sourit, l'air blasé, et alluma une cigarette.

— Pour vous, nous sommes tous des farceurs, hein ? bredouilla-t-elle sur un ton caustique. Vous n'avez jamais cru à tout ça, vous ! Les fluides magnétiques, la communication avec l'au-delà, les esprits frappeurs...

Un instant désarmé, Lucian Nephtali mouilla consciencieusement son sucre. Certes il ne croyait en rien, même s'il n'avait jamais pu admettre que son ami n'existât plus. Du tombeau de son être, Nat avait resurgi comme sa propre âme enfouie.

Il se pencha en confidence vers Margaret.

— Les esprits dans le guéridon ? C'est parfaitement grotesque. Mais j'ai pu éprouver autrefois chez votre sœur Kate certaines propriétés remarquables de son psychisme, que je ne saurais d'ailleurs analyser. Une sorte de dédoublement hypnotique ou de torpeur extra-lucide peut-être, une empathie naturelle, un pouvoir d'imprégnation des choses et des êtres qu'elle ignore elle-même...

— Kate est un vrai médium, c'est tout.

Tiré d'embarras, Lucian Nephtali remarqua les pattes-d'oie, les fines ridules aux commissures des lèvres, et surtout la façon qu'avait cette femme de se mordiller la lèvre inférieure et de battre des cils. Le tremblement de ses mains et ses pupilles dilatées accusaient un grave délabrement nerveux. Avec une bonne teinture, la digne Leah, qui menait grand train à New York, ne devait guère paraître plus âgée.

— Pourquoi aviez-vous eu recours à ma jeune sœur ? poursuivit Margaret à l'abri d'un écran de fumée.

La question était cette fois sans échappatoire, du moins face à lui-même, l'absinthe ne l'autorisant pas plus que l'opium au mensonge, et il sortait justement d'une fumerie clandestine ouverte sur le port depuis la fermeture du Golden Dream. Quoique incrédule jusqu'aux moelles, il avait longtemps consulté dans des limbes d'or maints devins vivants ou morts, Simon de Judée, Paracelse, Robert Fludd ou le marquis de Puységur, lui-même au seuil de disparaître, bombardé par toutes les influences morbides que le deuil aimante. Mais il avait survécu, toujours aussi mécréant, grâce à la petite Kate. N'avait-elle pas su, par une nuit inoubliable, relier les fils ténus des profondeurs de l'âme entre lui et Nat Astor, le sauvant ainsi par grand mystère de la damnation de l'amour ?

— Pourquoi ? dit-il enfin. Sans doute pour comprendre mon crime. Votre sœur m'a éclairé là-dessus. Elle a soufflé sur la buée de mon esprit et j'ai vu à la place une empreinte de sang. Par la suite, je me suis dénoncé pour le meurtre de mon ami au coroner de Rochester qui n'attendait que cela depuis des années. Il y eut un procès retentissant. J'ai manqué être condamné à mort, vous savez. Mais Harry Maur cité au départ comme témoin à charge a prétendu en fin d'audience qu'il était présent lors du drame et que c'était bien un suicide…

Margaret l'écoutait à peine. Des images floues se superposaient, ondoyantes, sur ce visage du passé.

— Mais il n'y a pas de suicide ! cria presque Lucian en s'écartant, les lèvres blanchies. Non, non, poursuivit-il d'une voix radoucie, il n'y a que des assassinats plus ou moins irréfléchis…

Margaret haussa les épaules. Aurait-elle tué son mari, elle aussi, sans réfléchir ? Elle revit le tendre et grave Elisha toujours plus affaibli de retour d'expédition et ressentit soudainement la poignante douleur du manque, cette lame fouaillant les entrailles, puis elle se souvint de sa relégation après les obsèques. Sans fortune, chassée de ses meubles par la famille, elle s'était retrouvée à la case départ, plus seule que jamais, à courir après une renommée bien grevée pour gagner derechef sa vie à la petite semaine, sous le nom de Margaret Fox-Kane. Mais les médiums entre-temps avaient pullulé. L'Amérique ingénue des ligues, des congrégations et multiples sectes s'était livrée tout entière aux nouveaux charlatans avec des hosannah, sans reconnaissance pour les deux sœurs pionnières, tandis que Mister Splitfoot devait ricaner sous la bannière claquante d'*Old Glory*!

L'esprit égaré par les vapeurs de l'alcool, Margaret n'avait pas vraiment suivi la substitution du décor humain, Nephtali cédant sans un mot la place à quelque autre figurant de sa vie.

— Tu es encore ivre, s'indignait celui-ci. On a une séance à deux dollars l'entrée ce soir, l'as-tu oublié?

— C'est de revenir à Rochester, admit-elle en rallumant une cigarette. Ça me secoue…

— Comme ça te secouait au point de tomber par terre il y a huit jours à Philadelphie!

Franck Strechen entraîna Margaret hors du cabaret avant qu'elle eût terminé son verre. La neige toujours aussi dense s'éteignait dans une boue noire. Il arrêta un fiacre et lança au cocher l'adresse de leur hôtel. Pendant tout le trajet, Margaret entendit d'une autre planète les reproches amers de son impresario. Elle contemplait un monde gommé d'où surgissaient des agglomérats de souvenirs vite ravalés par cette blafarde avalanche. La grande maison de Central

Avenue, toute secouée à sa gauche, lui parut minuscule et terne sous les biffures de l'averse. À ce moment, elle se rappela une promesse et s'écria en direction du cocher, laissant coi Franck Strechen :

— Buffalo Street, vite ! Au vieux cimetière !

Cette visite à bonne mère, personne n'aurait pu la lui interdire. Dans sa dernière lettre avant son départ, Kate lui avait écrit : « Si jamais tu passes à Rochester... »

Ça lui évoquait une chanson à boire et à pleurer qu'elle entonna avec entrain :

If ever you pass by the old homestead
Pray step right inside for to see if I'm dead !
And drink to our love if you find I am gone
But love me again if you find me at home

IV

Les nécromants de l'Ancien Monde

Les douze chaudières de l'*Oceanic* mises à feu l'une après l'autre firent vibrer agrès et bordages d'acier tandis que l'énorme cheminée du paquebot mixte fumait à bouillons redoublés dans un ciel immobile, submergeant par instant les deux mâts arrière où les voiles déferlées par une équipe fringante de matelots frissonnaient à peine. Accoudés au bastingage du pont-promenade, les passagers de première classe assistaient aux manœuvres sans y rien comprendre. Y avait-il panne de vent ou trop de courants contraires ? En poupe et en proue, sur les ponts inférieurs, la foule des troisième classe moins dense qu'à l'aller prenait ses aises, comme par jour de banquet. Affrété l'an passé par la White Star Line et battant pavillon britannique, l'*Oceanic* avait quitté New York et regagnait Londres avec son contingent de nouveaux riches de retour pour l'an neuf, d'émigrants désenchantés et de rejetons grisonnants des îles anglo-saxonnes ou du vieux continent en mal de commémoration.

Pendant les deux semaines que dura la traversée, Kate, le plus souvent sur le pont, emmitouflée dans sa fourrure, se laissa envahir par le souffle versatile du ciel et de la mer, parfois plus ténu qu'une haleine de mourant et subitement d'une violence abyssale. Elle ne s'était jamais sentie plus délivrée d'elle-même, presque sans corps, dépouillée de cette pesanteur qu'un songe traîne sous l'apparence humaine. Rentrée dans sa cabine par gros temps, elle ne quittait pas des yeux la mer. De pauvres dragons d'écume et d'embruns dansaient devant ses yeux. Cette grisaille contrastée ressemblait à sa vie : toute la solitude du monde derrière un hublot clignotant. Kate imagina un périple infini pour atteindre à la sérénité. Après dix jours de réclusion entre les garde-corps des ponts et des passerelles, le restaurant ou sa luxueuse cabine, elle se dit que rien ne l'empêcherait, une nuit de pleine lune, de se laisser glisser par-dessus bord. Pareilles au vent miraculeux qui vibre dans la lumière, les âmes errantes des péris en mer ne s'embarrassaient pas de ces hantises estropiées autour de vieux chaudrons. Même la pire d'entre elles franchirait un jour le cap de Bonne-Espérance sur son vaisseau fantôme. Et puis quel sot médium pouvait avoir l'idée d'invoquer les esprits à bord d'un navire – tout y craquait et bougeait conformément aux seules volontés de Neptune ! Au dixième jour, enfin délivrée d'une tristesse impavide et tout émerveillée par le geyser d'une baleine ou un ballet de marsouins, Kate sut qu'elle ne perdrait pas l'équilibre. Un matin de roulis, courant saisir un poisson volant qui, seul de son banc, vint à s'abattre sur le pont, elle eut en l'expédiant vers les flots la vive sensation de lâcher une tourterelle de glace.

À l'approche de l'Ancien Monde, lavée par l'océan des funèbres emprises, elle voulut croire que tout allait s'arranger loin de ces puritains fanatiques qui par manque d'enracinement s'encombraient d'esprits capricieux. De ce côté de l'Atlantique, d'après ses lectures, les fantômes avaient des mœurs de propriétaires et le sens de la famille. «Je suis l'esprit de ton père, condamné pour un temps à revenir la nuit», était-ce bien dans *Hamlet*?

En vue des côtes anglaises, une frayeur sans nom l'étreignit à nouveau. Qu'allait-on exiger d'elle maintenant? Et quelle contenance prendre face à ses hôtes? Le débarcadère, comme l'extrémité d'un pont rêvé, elle le franchit en somnambule. À terre, des foules de miséreux, des femmes titubantes, des hordes d'enfants en haillons s'activaient mollement à des tâches indéfinies ou rôdaient autour des pontons et des docks tels des chiens pelés dans l'ombre des marins et des débardeurs. Une seconde affolée, Kate s'aperçut alors qu'un porteur au teint mat la suivait, sa malle hissée sur un diable. D'un air résolu, un cocher en livrée pourpre à boutons de cuivre venait déjà au-devant d'elle.

Une barouche à huit ressorts l'attendait sur un quai luisant de pluie. À l'intérieur, après deux nuits sans dormir, elle s'abandonna à la sensation de houle les yeux clos, la tête dodelinant, à l'écoute du petit trot sonnant sur une route qui bifurquait dans son rêve avec l'exacte sonorité des sabots d'Old Billy.

Le personnel de Benjamin Coleman l'avait accueillie sans façons dans cette gentilhommière de Chelsea aux allures de forteresse naine avec ses tourelles gothiques et ses étroites fenêtres, sa cour pavée entre des façades à gargouilles et ressauts sculptés au-delà d'un énorme portail cuirassé de ferrures. Kate se retrouva sans transition dans un autre univers où la luminosité incertaine et la fraîcheur de l'air le disputaient aux brouillards marmoréens d'où surgissaient d'antiques profils architecturaux. Tout y était différent, à la fois chargé d'énigme, presque d'inimitié, et d'une très lointaine familiarité. Cette insidieuse sensation d'avoir remonté le temps la rattrapait à certains détours, quand des cris d'enfants derrière les hauts murs d'une institution, le visage de brique d'un joueur d'harmonium au coin d'une rue noire de suie, la vue plongeante d'un parc d'où s'élevait un grand oiseau de papier, ou simplement cette pluie immuable couleur de fer, la rappelaient à quelque chose qu'elle n'avait pas vécu, du moins pas encore, et qui l'emplissait d'une mystérieuse nostalgie. Si elle avait eu la tête doctrinaire, comme tous ces frais zélateurs frottés aux antédiluviennes allégories des Indes ou du Tibet, Kate aurait très bien pu se convaincre des conjectures spirites à propos de la transmigration des âmes, mais elle ne pouvait ou ne voulait rien comprendre aux discours embarrassés de ses pairs. Les vies antérieures étaient pour elle tangibles à chaque minute. Quant au dépouillement ascendant des esprits par l'Esprit, jamais Mister Splitfoot ne lui en avait touché mot. Cependant on lui laissait assez de temps libre pour supporter de bonne grâce les interrogatoires sagaces des amis de Mr Coleman.

Londres la fascinait plus encore que New York par ce qu'elle recelait de sombre et aventureuse réputation : c'était là, dans ces rues monotones, le long de la Tamise lorsque se relève Tower Bridge à l'entrée en rade des gréements de haute mer, parmi les foules sérieuses d'Oxford Street, sous les arcades du Royal Opera House ou dans les jardins de Hampton Court, que tant et tant de ses héros subirent le drame de leur destinée. Elle ne faisait guère de discrimination entre tels personnages de conte et leurs auteurs. Ainsi Shakespeare, Anthony Trollope ou Dickens dont elle venait d'apprendre la mort récente hantaient les lieux au même titre que l'alchimiste de Ben Jonson ou les pestiférés de Daniel Defoe. Découvrant *la Foire aux Vanités* dans la bibliothèque de Livermore, peu avant son départ, elle s'était identifiée à la jeune Amelia uniquement parce que sa bonne amie Becky lui paraissait irrésistible malgré des origines suspectes, et c'est celle-ci aujourd'hui plutôt que Thackeray qu'elle se surprenait à chercher dans les rues de Londres.

Seule à bord d'une calèche ou flanquée d'un chaperon muet, elle aimait se perdre dans cette immensité à ses yeux plus peuplée que l'Amérique entière, certes avec moins de couleurs, hormis les Hindous enturbannés au regard de cobra. Dans l'irréalité d'un dépaysement qui soulevait en elle de fausses réminiscences, Kate voyait toutes choses bizarrement ralenties, comme surgissant d'une étoffe d'ombre tissée en des temps divers. Chaque fois qu'elle franchissait un pont, des noyés lui faisaient signe. Sur une colline de Hyde Park, surprise par la neige en fin de journée alors que les becs de gaz s'allumaient dans la ville, elle crut apercevoir une de ces laveuses de linceul à travers le remous, un de ces esprits matérialisés – mère infanticide brûlée vive ou fille des rues décapitée – qu'on appelle *lavandière de la nuit*, et rentra précipitamment à Chelsea, bouleversée par l'appréhension qu'il fût arrivé quelque malheur à l'autre bout du monde.

On l'attendait ce soir-là dans les salons de son hôte. Elle n'eut qu'à changer de robe et poudrer ses joues pâles. Trois grands lustres à pampilles illuminaient l'espace, des parquets vernis aux plafonds peints par Rubens ou son école, que des colonnades ouvraient de part et d'autre aux escaliers ou à des portes en enfilade le long de galeries. Sanglé dans un habit noir comme tous les gentlemen présents, Benjamin Coleman manifesta une joyeuse impatience en apercevant l'Américaine aux prises avec un couple de femmes du monde particulièrement physionomistes.

— Je vous l'emprunte, dit-il en poussant Kate par le coude. Une fois celle-ci dégagée, il se pencha à son oreille : Méfiez-vous de Perdita et Fantasima, ce sont des disciples d'Ellis Brotherwood. Elles pratiquent l'orgasme magique...

La main de Kate dans la sienne, Mr Coleman monta les deux marches d'une petite estrade qu'encombrait un piano à queue. Il attira à lui son invitée.

— Mes chers amis, proféra-t-il sur un ton majestueux, je suis immensément fier ce soir de vous présenter celle que vous espériez tous...

Il y avait là assez de graves personnages à barbe et monocle et de somptueuses robes chamarrées de pendeloques pour marier un prince. C'est ce que pensa Kate, intimidée par le brusque engouement dont elle devint l'objet. Le dos contre le miroir noir du piano, elle regretta à cet instant de n'être point concertiste de sorte à s'échapper dans Bach ou Beethoven. Cependant le maître des lieux la délivra de son embarras en priant l'assistance de ne pas mettre à l'épreuve un médium ultra-sensible tel que Miss Kate Fox.

— Dois-je vous rappeler que nous autres, adeptes du spiritisme, devons presque tout à cette belle personne qui nous vient de New York et qui, pour la première fois, voici plus de vingt ans, alors qu'elle n'était encore qu'une petite fille, entra en communication avec l'outre-monde, si l'on excepte bien sûr la sibylle de Cumes ou Jésus dialoguant avec Élie et Moïse… À notre cause sont désormais acquis les plus éminents savants comme l'astronome Camille Flammarion qui déclara haut et fort aux obsèques d'Allan Kardec : « Le spiritisme est une science, pas une religion », ou notre ami le chimiste William Crookes, membre de l'Académie royale. Je fais miens ce soir ces mots du découvreur du thallium : « Les spiritualistes confirmés ont envers cette dame une immense dette pour les joyeuses nouvelles dont elle fut en bonne part le héraut choisi par la providence… »

Ovationnée, Kate sentit une rougeur monter à ses joues, mais on n'exigea par chance ni réponse circonstanciée ni séance d'apparition. Mr Harisson et Miss Rosamond Dale Owen, deux rédacteurs de la revue *Spiritualist*, vinrent la féliciter autour du buffet.

— Avez-vous déjà été agressée par des esprits impurs ? ne put s'empêcher de demander Miss Owen.

— Admettez-vous, l'interrompit Mr Harisson, que le spiritisme s'impose à nous comme la troisième révélation de Dieu ?

À ce moment un jeune homme d'une maigreur maladive, un diamant à la cravate, salua la compagnie du haut de l'estrade.

— La sonate inédite que vous allez entendre fut dictée par l'esprit de Mozart à Allan Kardec. Et c'est l'esprit communicateur de mon défunt maître, c'est son énergie biomagnétique qui va vous l'interpréter à travers moi…

Tandis que le squelette relevait les pans de sa redingote sur le siège à vis du piano, Kate ressentit la brûlure d'un regard ; un peu ivre des trois coupes de champagne bues à la suite, elle envisagea une physionomie tout à fait ordinaire qui, avec simplicité et décontraction, se présenta à elle sous l'aspect d'un quadragénaire enjoué.

— Rassurez-vous, dit celui-ci par plaisanterie, je ne suis pas spirite.

Un peu vacillante, Kate fut aussitôt à son aise, un peu comme lorsqu'on repère un bon appui sur un manège. Elle aurait aimé saisir à pleins bras le col de ce cheval de bois qui se prénommait George et camouflait son œil gauche d'un monocle teinté. L'inconnu répondit avec une désopilante jubilation à sa curiosité de femme ivre. Avait-il trop bu, lui aussi ?

— En fait, je suis l'avocat de notre poisson-clown à trois bandes, pour ce qui concerne ses affaires purement matérielles.

— Mr Coleman est-il en procès ?

— Un homme d'influence comme votre hôte a parfois besoin d'être défendu. Mais il s'agit seulement de capitaux et de placements. Entre nous, je ne pense pas que les esprits, s'ils existent, aient tellement besoin d'avocats…

Toute une année, parrainée par Benjamin Coleman, dont les efforts empressés pour la traiter en parente et en alliée ne lui échappèrent pas, Kate s'exposa à l'engouement de la gentry londonienne, à la curiosité benoîte des néophytes montés des faubourgs ou à l'espèce de fervente rivalité des sectateurs internationaux. Les cercles spirites, les congrégations spiritualistes et les sociétés savantes l'invitèrent à des séances d'évocation très courues, avec ou sans assises d'experts, un peu partout en Angleterre et dans les capitales d'Europe du Nord. Kate apprit lors de ces rencontres bien plus de choses qu'elle n'en croyait savoir. Ainsi, que le monde spirituel nous préexiste avec ses hiérarchies assez semblables aux substances angéliques des papistes. Que les âmes évoluent du minéral à l'homme. Que les esprits, tous errants et plus ou moins dématérialisés, en mission sur la voie indivisible de la perfection, se distribuent en impurs, frappeurs, faux savants, neutres, *et cætera*, dans l'échelle basse encore tributaire des passions et de la matière ; et dans l'échelle haute illuminée par l'intuition divine : en bienveillants, savants, sages ou supérieurs, ceux des Jésus, Siddhartha Gautama ou Zoroastre, juste avant l'effacement béatifique en la divinité. Les redoutables challenges d'un voyant omniscient tel que l'Écossais Daniel Dunglas Home, d'une certaine Madame Blavatsky de retour du Caire, ou de l'illustre Florence Cook qui matérialisa pour la première fois dans son cabinet noir un fantôme en pied (celui de la non moins vénérée Katie King, morte deux siècles plus tôt), ne constituaient que la part spectaculaire d'une multitude improvisée d'expérimentateurs de l'ombre qui, depuis peu, prodiguaient par des projections d'ectoplasmes et autres phénomènes remarquables l'hypothèse du *périsprit*, élément intermédiaire entre esprit et matière, sorte de prolongement fluidique ou de dédoublement d'espèce électromagnétique du corps astral, avec pour preuves les empreintes par moulage de paraffine, les lévitations du mobilier ou des opérateurs, les apports d'objets de l'autre monde ou encore les captures de falots sur plaques photographiques, nouvel entichement des chambres noires.

Toutefois Kate Fox bénéficiait encore du prestige des origines et était pour beaucoup un symbole et un augure. Ainsi les belligérances et les révolutions dans l'Empire n'empêchèrent pas la reine Victoria, portant le deuil éternel du prince consort, d'accueillir secrètement la petite Américaine pour qu'elle la réconfortât d'une pensée de l'au-delà entre deux conseils des ministres.

Il y eut d'autres fêtes à Chelsea. Kate connut de nouveaux visages. Le naturaliste Alfred Russel Wallace lui expliqua l'effet des rivières sur la répartition d'espèces animales consanguines et lui offrit une magnétite des îles malaises. Un vieil écrivain français coutumier de l'exil l'invita à Guernesey où il résidait volontairement depuis la mort de son petit-fils et de son épouse. Une comtesse aveugle lui fit don d'une plaque argentique aux vertus divinatoires qui la représentait du temps où elle voyait, les yeux grands ouverts. Plusieurs jeunes filles de l'aristocratie tombèrent amoureuses d'elle par jeu, mimétisme ou contagion.

Un soir de novembre 1871, lorsque resurgit l'avocat de Mr Coleman en invité de circonstance, soudain défublé de son monocle teinté, un œil gris et l'autre vert, Kate comprit en le dévisageant le trouble qui l'avait habitée sans faillir depuis des mois. Encouragé par cette pâleur de bon augure, George Jencken la demanda rêveusement en mariage à l'insu de son protecteur.

V

Une vie normale

La vraie vie, après tant d'années à convoquer les morts et les forces occultes, s'identifiait dans l'esprit de Kate à l'amour exclusif d'un homme. À peine mariée, elle s'était retirée de la comédie sociale avec un émoi inconnu, entièrement dévouée au service de l'avocat George Jencken dont elle avait pris le nom comme on prend le voile. Affranchie du jour au lendemain du regard des autres, cette servitude qui tournait à la fin au supplice, elle s'abandonna à son nouveau statut d'épouse anonyme avec une appétence au détachement proche de la notion confuse qu'elle avait du bonheur. Inapte à l'entière sérénité à cause de ces embarras de squelettes, ces mains détachées, tous ces tentacules ectoplasmiques qui habitaient presque naturellement ses rêves, elle travaillait à se régénérer sur un canevas d'oubli dont la trame lâche se tressait peu à peu des gestes ancestraux qu'elle avait vu faire jadis à Rapstown ou à Hydesville, et qui l'émouvaient tant au ressouvenir, quand bonne mère vaquait aux tâches ménagères en chantonnant, sans rien soupçonner encore des manigances de ses abominables petites filles. Ranger des serviettes et des draps lumineux sur les planchettes d'une vieille armoire, par exemple, sans plus compter les craquements suspects, laver les verres de cristal au robinet d'eau courante sans jamais tendre l'oreille aux cliquetis ou aux vibrations aiguës, allumer la lampe au phosphore ou les chandeliers pour tricoter très simplement un chandail. Et lire les poèmes de Keats offerts par son mari :

Ô tendre épouse du dieu d'or Hypérion

Ou ceux de Dante Gabriel Rossetti achetés à l'Alexander's Bookshop, dans son quartier de Notting Hill : « La Demoiselle élue se penchait à la barre ambrée du Ciel ; ses yeux d'aurore étaient bien plus profonds que l'eau la plus profonde, elle tenait à la main trois lys et dans ses cheveux brillaient sept étoiles… » Que l'auteur, fou de chagrin, eût enfoui dans le cercueil de sa belle et jeune épouse le manuscrit de ses vers pour les exhumer et les publier huit ans plus tard, Kate ne voulut pas s'en affecter. George, découvrant entre ses mains cette nouveauté éditoriale, lui avait rapporté l'anecdote en lui caressant les seins. Après tant d'hystériques évanescents, de puritains libidineux, de patriarches aux mains pesantes, il lui plaisait d'être désirée sans entrave ni intercession, comme n'importe quelle femme qu'on embrasse et déshabille. Le corps d'un homme, ses ligaments et sa robustesse, occupait assez le bout de ses doigts et tout son épiderme pour qu'elle ne pensât à rien d'autre qu'à l'imminente jouissance – au creux des reins, entre plexus et périnée, depuis la nuque jusqu'aux orteils –, laquelle atténuait son bonheur en décuplant son amour. Kate ne pouvait s'empêcher de trouver une étourdissante saveur de mort à la possession physique, elle s'en délivrait chaque fois par un petit rituel d'enfantines cajoleries dont s'étonnait l'avocat après l'excès des étreintes.

Pour ne plus omettre de vivre, Mrs Jencken se protégeait des déclivités morbides de son esprit en manifestant aux pires moments son enthousiasme. L'allégresse était chez elle un symptôme d'angoisse. Aussi appréciait-elle plus que tout la bruineuse et fade langueur des jours automnaux, les soirées vacantes devant un feu de bois sec et l'insubmersible ennui dominical : n'était-elle pas vivante par doux contraste ? Elle aimait l'oscillation des grands arbres au vent, dans les parcs londoniens, les nuages au-dessus du fleuve, lorsqu'elle descendait à pied jusqu'à l'ancien pont à péage de Battersea racheté par le Metropolitan Board of Works et menacé de démolition, et même l'étrange désolation des rues de Whitechapel où les milliers d'orphelins du choléra déambulaient, grandis à la rue, chiffonniers, quêteurs, larrons bientôt pendus, ou par chance apprentis en usine.

Occupé le jour à son étude de la City, à la Queen's Bench Division ou en conférence chez l'un ou l'autre de ses clients, George ignora long-temps ses fugues de somnambule. Jusqu'au soir où Kate rentra tardivement, hagarde, ses gants lacérés et tachés de sang. Il crut comprendre qu'elle avait été agressée par une bande d'enfants dans l'East End où elle était allée flâner sans pro-tection, en transfuge des beaux quartiers, et s'était défendue à s'en briser les ongles. Il lui prodigua des paroles d'apaisement et soigna ses égratignures, découvrant qu'elle fréquentait depuis des mois peut-être les abris de toile de la Christian Revival Society où l'on assistait les plus indigents des innombrables déshérités de Lon-dres sous la houlette du prédicateur William Booth. D'un naturel magnanime, mais subi-tement préoccupé de la santé mentale de son épouse, d'autant qu'il lui avait toujours caché ses propres maux, l'avocat devint plus proche d'elle et fit en sorte que son cocher et homme de confiance la suivît diligemment, dès lors qu'elle excluait d'être voiturée.

Mais un heureux événement – comme aiment à dire ceux pour qui il est d'ordinaire indifférent – changea bientôt l'état d'esprit des époux Jencken. Kate accoucha de jumeaux si outrancièrement semblables, jusque dans le détail connu des mères seules, qu'elle dut les confondre deux ou trois fois de manière définitive, laissant à la bonne fortune le choix des identités jusqu'à ce que le père décidât d'attacher à leurs chevilles de minces chaînettes d'or gravées à leur nom. Que l'un se fût appelé Arcady et l'autre John Elias – ou inversement –, avant cette initiative, n'allait guère modifier d'un cheveu leur existence réciproque. Lequel était l'aîné de quelques minutes, Kate n'aurait su le dire, ce qui finit par la troubler d'un vertige génésique. Elle avait vécu sa grossesse comme un oiseau planant, si haut, si loin des noirs marécages. La chair fécondée ouvrait l'esprit aux joies de l'enfance comme aux mèches blanches de l'âge, à l'afflux des étoiles et à l'éblouissement d'abîmes de glace. Accoucher fut pour elle son propre enfantement. Kate naquit de son ventre ou des entrailles de l'univers avec deux jumeaux en signe du zodiaque. Cet événement contenait tous les autres, le ruissellement des générations, les métamorphoses infinies et le cœur d'ombre de la mort palpitant à travers les milliards d'existences aux stigmates éphémères.

On guérit vite de la naissance quand, prise de frénésie, il s'agit de sauver le mystère de la vie en le transvasant en d'attentives moiteurs. L'effroi de la procréation, Kate l'éloigna d'elle dans la maternité. Ses deux garçons forcirent et grandirent, toujours aussi substituables, jouant à toute occasion de leur gémellité, Arcady répondant à l'appel de John Elias, celui-ci trompant ses parents par de faux mensonges, tous deux échangeant leurs habits quand on voulait les distinguer, jusqu'au jour où l'un d'eux, frappé d'une méningite purulente et mis à l'isolement, s'en sortit après deux semaines de soins avec des troubles de la mémoire assez persistants pour que les jumeaux délaissent leur jeu préféré, devenu inopérant par la force des choses.

Entre l'éducation de ses enfants et une attention redoublée à son époux, Kate n'éprouvait plus le besoin de fuguer dans la ville ou dans ses rêves cataleptiques. La nostalgie des cités américaines, si différentes du grand damier londonien où les quartiers charbonneux alternaient avec les parcs dans un faubourg indéfini, la saisissait parfois à l'improviste. Là-bas, tout était possible en un tour de main, la gloire et la folie, le malheur et la fortune. Le souvenir d'Horace Greeley, son mécène indulgent, décédé l'année de son mariage après s'être présenté en vain aux élections présidentielles, palpitait toujours en elle, mais comme une bonne étoile en passe de s'éteindre. Elle regrettait surtout les beaux jours de Rochester et se languissait de Margaret. Même Leah lui manquait. Il arrive un jour où les frères et sœurs remplacent la mémoire ensevelie des anciens, puisqu'en eux seuls désormais se retrouvent les inflexions de voix et les attitudes peuplant le fond intime.

Margaret lui adressait de loin en loin de longues missives chahuteuses où elle maudissait la Terre entière, à commencer par Leah qui s'était autorisée à la blâmer publiquement au nom de la cause spiritualiste, sous le prétexte qu'elle s'adonnait à l'alcool et, par enchaînement de déchéances, aux charlataneries déloyales des spirites français et allemands en tournée dans le *Main Street America* et sur toute la côte Est. Il apparaissait dans ses lettres, sans qu'elle osât l'admettre, que son impresario et probable amant

Franck Strechen l'exploitait avec un cynisme de proxénète ou de montreur de phénomènes. Kate se félicitait tristement en la lisant de n'avoir plus affaire à cette confrérie, à certains égards aussi fratricide qu'incestueuse, et d'avoir préservé ses jumeaux et son mari des miasmes de l'outre-monde, car il ne lui faisait plus de doute qu'à trop fréquenter les morts on se livrait à eux corps et âme. George qui, en l'épousant, avait perdu la clientèle de Mr Coleman, n'était pas mécontent, à demi ruiné, d'avoir pu éloigner la femme aimée de cette dangereuse hérésie, à son sens plus contagieuse que le mal des ardents, et qu'ovationnaient, de plus en plus nombreuses, les foules endeuillées des guerres, des catastrophes et des épidémies que les confessions traditionnelles ne parvenaient plus à consoler.

C'était un fait que ni Mr Coleman ni Charles Livermore averti tardivement de sa défection ne s'intéressaient plus à elle depuis son mariage : une mère de famille flatte davantage les fourneaux que les esprits. Kate n'avait pour société que George, ses enfants et la belle-famille. L'oncle Herbert les visitait une fois par semaine, toujours jovial, si heureux d'être grand-oncle que les jumeaux réjouis de cette diversion le fêtaient comme un roi mage. Les cadeaux s'accumulaient dans leur chambre, tous différents ; les îlots de jouets eussent suffi à trahir Arcady et John Elias si la maladie n'avait depuis longtemps détraqué leur émulation mimétique. Bien qu'il fût un athée radical, admirateur de la Commune de Paris et grand lecteur de Karl Marx, à commencer par sa *Contribution à la critique de l'économie politique*, l'oncle Herbert tenait en relative défiance l'ancienne pythie de guéridon. Il avait appris à ne jamais juger les individus sur leur aliénation et traitait sa belle-sœur avec cette bienfaisance distante que devaient avoir autrefois les médecins antipesteux acquis à la théorie des miasmes. Une fois par mois, surgissait une grand-mère moins amène, veuve jalouse qui s'accaparait l'attention des fils et petits-fils aux dépens de Kate, suspecte à ses yeux d'envoûtement. N'était-elle pas l'une des trois sœurs Fox, comme les trois Gorgones aux chevelures de serpents, comme les Parques ou les monstrueuses Sœurs grises de la légende qui n'avaient pour elles trois qu'un œil unique et une seule dent, veillant et dévorant à tour de rôle ?

Kate n'était jamais plus heureuse que dans une maison de pêcheur louée quelquefois à la belle saison, à Gower, entre les plages et les falaises du pays de Galles, quand l'avocat pouvait accompagner les enfants. C'est au retour d'une semaine dans la péninsule que ses problèmes de santé, jusque-là sans gravité, prirent un tour dramatique. Après s'être rendu vaillamment à son bureau de la City, soutenu par son cocher, plusieurs jours de suite, jurant que ce n'était qu'un peu de fatigue, George s'alita et mourut une nuit d'été 1881, dans la seule compagnie de son épouse à laquelle il n'avait cessé de promettre que ce n'était vraiment rien de grave, qu'il l'aimerait encore de longues années et plus que jamais dès qu'il serait remis.

Seule dans la maison, les enfants confiés cette nuit-là à leur grand-mère, Kate secoua le corps de son mari en le suppliant de réagir, lui criant que ce n'était pas drôle, qu'il ne lui avait jamais, jamais, jamais faussé compagnie, pleura à satiété sur ses mains déjà froides, baisa ses lèvres et ses yeux enfin, puis, brusquement pétrifiée par l'évidence, chercha l'esprit vide à se remémorer une prière de son enfance. Après un silence qui dura près d'une heure, elle balbutia le credo si souvent lu de John Wesley inscrit à la gouge au fronton de l'église méthodiste de Hydesville :

Do all the good you can
By all the means you can
In all the ways you can
In all the places you can
At all the times you can
To all the people you can
As long as ever you can

VI

Les deux veuves de Notting Hill

À l'âge de neuf ans, rien ne vous échappe des manigances des adultes. Arcady et John Elias se l'étaient dit sans un mot au retour du cimetière. Tous deux dialoguaient et pensaient par regards échangés. Inutile de s'encombrer de paroles, sinon pour les simagrées. Le silence n'appartient pas qu'aux sourds.

L'oncle Herbert, grand-mère, toutes sortes de tantes et de vieux cousins avaient envahi l'appartement après les obsèques comme pour cacher un secret ou s'approprier la place de leur père. Et puis ces gens rentrèrent chez eux, laissant le logis plein d'ombres. Kate était venue les border dans leurs lits jumeaux et, très sage, avait raconté des histoires de bénédiction et de paradis, mais elle pleurait des larmes de fer nouées en chaînes. Et c'est eux, les enfants, qui durent la consoler soir après soir. Lui expliquer qu'il était là, tout près, que George les regardait de ses yeux vairons, un œil bleu dans ce monde, un œil vert dans l'autre.

Des semaines plus tard, un soir tonnant d'automne, Kate s'était mise à sourire joliment, comme Marie des Images. Elle leur avait promis une surprise : Margaret, leur tante, allait traverser l'Océan pour faire leur connaissance. Une parente de plus ou de moins, la nouvelle était courte, mais le sourire de Katie rachetait bien sa promesse. Arcady et John Elias, des mois encore, écoutèrent ses leçons de guérison tandis qu'elle-même ouvrait des deux mains ses blessures. Un soir très tard, elle les entraîna dans la chambre où leur père avait été mis en bière. Il y avait une table avec trois chaises, juste en face du lit au chevet éclairé d'un chandelier. « Qui est là ? » demanda Kate, après les avoir fait asseoir, leurs petites mains à plat sur le plateau. C'était l'hiver, un souffle énorme secouait les toits et les cheminées dans un bruit de torrent. Parfois une rafale chargée de pluie semblait traverser le trumeau. L'alphabet se mit alors à répondre aux chiffres par la voix de Kate et la table frappa le sol d'un pied ou l'autre : un, deux, trois, quatre, cinq... Était-ce bien cinq ? Les numéros, il fallait les traduire en lettres et en mots par séries, puis elle lut :

A.R.C.A.D.Y J.O.H.N E.L.I.A.S J.E V.O.U.S A.I.M.E.

Était-ce tout ? Les jumeaux se doutaient bien que leur père les aimait. Même si cette partie sans cartes à jouer était amusante, avec ces chandelles, cette table agitée et ces bruits mystérieux, leurs paupières étaient plus lourdes que la terre du tombeau. Et Kate dut les soutenir l'un après l'autre jusqu'à leurs lits. Une autre fois, la table s'éleva en oscillant comme une petite montgolfière. Arcady ne pouvait croire que son père naguère si raisonnable ne revenait du séjour des morts que pour de pareils tours de malice. John Elias était bien de son avis et, sans que l'un ou l'autre eût encore rien exprimé de tel, déclara tout soudain :

— Mister Splitfoot, aurez-vous bientôt fini vos pitreries !

Kate, d'épouvante, se dressa d'un bond, laissant la table retomber.

— Qui donc vous a parlé de lui ? bégaya-t-elle.

Les jumeaux, côte à côte, considérèrent leur mère avec l'attention inhabituelle que l'on porte à un proche faisant l'aveu d'une tare ou d'une perversion cachée.

— Mais toi, maman ! dit Arcady, quand tu te promènes la nuit dans les chambres…

— Mes garçons, mes garçons ! s'écria-t-elle, incapable de trouver les paroles salutaires, en serrant leurs têtes contre ses seins.

C'est par téléphone, depuis le central de l'office des postes, que Kate entra en communication avec sa sœur qui, fraîchement débarquée au port de Londres, l'appelait des bureaux de la compagnie maritime au jour et à l'heure convenus. Oui, il n'y avait rien de changé, on l'attendait comme prévu à l'adresse indiquée, elle demeurait toujours avec ses enfants dans leur appartement de Notting Hill. Kate ne fut pas surprise de la voix éraillée et apathique à l'autre bout du fil, songeant aux fatigues du voyage.

Mais quand sa sœur se présenta à sa porte, deux porteurs chargés de malles ronchonnant à sa suite, elle ne put dissimuler un haut-le-corps devant son visage dévasté.

— J'ai pris du flacon, hein ? dit gentiment Margaret pour la tirer d'embarras. Je serai bientôt bonne pour la refonte ! Mais toi, t'as pas trop changé. On dit qu'on a le visage de son cœur…

Une fois les bagages rentrés et le manteau tombé, assises face à face, la fumée d'une théière ondoyant entre elles, le dialogue se renoua comme s'il n'avait jamais cessé et la discordance entre un vieillissement bien réel et la fugacité de cette décennie sans se voir se résorba jusqu'à disparaître : Margaret n'avait-elle pas toujours porté en elle, marquée à vif, la croix du sort ? Déjà, elle demandait à boire, du vin, de la bière, du whisky, pour se remettre à flot après une traversée noyée sous les embruns.

— Mais au fait, où sont mes neveux ? s'étonnat-elle, assez penaude de son manquement aux convenances.

— Chez leur oncle Herbert pour l'anniversaire d'une petite cousine.

— J'ai hâte de les connaître ! déclara-t-elle en se servant d'une bouteille que George avait été le dernier à ouvrir. Et toi, tu te remets ? Nous voilà sœurs en guignon…

— Tu bois trop, murmura Kate.

— Ça me console du bon temps… Dis, tu

m'emmèneras visiter le Métropolitain ? J'aimerais découvrir aussi les vieilles rues, les palais, les églises. Ah ! mais nous pourrions faire fortune ici, toutes les deux, dans la plus grande ville du monde...

— Le spiritualisme, c'est fini pour moi.

— Je te comprends, protège-toi, on a beau truquer à tour de bras, ça soulève des forces dangereuses...

— Tiens ! se récria Kate. Tu truquais donc ?

— Tout le monde triche, qu'est-ce que tu t'imagines, on n'est pas toujours d'inspiration, et puis il y a des soirs où les esprits vous boudent, alors, que faire, devant un public qui veut des raps, des lévitations et tout le tralala, on la joue au chiqué, à la postiche, tu le sais bien, même un pot-au-feu est obligé de tricher, mais parfois on tombe sur un bec de gaz. J'en connais pas un, des soi-disant médiums, qui s'est pas fait alpaguer un jour ou l'autre les poches pleines de ficelles...

Le menton appuyé sur ses poings, Kate considérait sa sœur aînée dans un état de profonde perplexité, moins à cause de ses révélations, lesquelles la divertissaient autant qu'elles la scandalisaient, que des mutations dont toute sa personne accusait l'effet. Sa voix, son langage, sa physionomie avaient subi en dix années d'étranges avanies. Kate se demanda en frissonnant quelle pouvait avoir été sa vie depuis la mort d'Elisha Kane.

— Tu m'examines en étrangère, constata Margaret. Je suis la même, ne t'inquiète pas. J'ai

324

juste connu la détresse et l'adversité, comme beaucoup de femmes chez nous. Et Leah ne m'a pas aidée... N'aurais-tu rien d'autre à boire ?

Elles ne se quittèrent pas de la nuit, à évoquer la fortune du vieux temps, les fêtes perdues et tous les fantômes légers du souvenir, le beau Lee de Rapstown, les enfants de Hydesville, le Pecquot, Lily Brown, et Harriett, la fille du ranch où fut pendu l'esclave, et Pearl, l'institutrice.

— Je l'ai croisée à Rochester, dit Margaret. Elle est devenue une femme influente, une militante des droits des femmes. Elle écrit des romans...

— Et son père, le révérend ?

— Mort et j'espère en enfer. Ça se mérite l'enfer des papistes !

Le lendemain, quand les jumeaux furent de retour, Margaret les étreignit et les embrassa à les terrifier, pleura tous les enfants qu'elle n'aurait pas, tout en riant d'elle-même et en chantant comme un vieux pionnier :

O boys, we're goin' far to-night
Yeo-ho, yeo-ho, yeo-ho !

Sans doute par la raison des contraires, elle se fit étonnamment discrète les semaines qui suivirent, absente le jour et plongée le soir dans l'étude d'ouvrages religieux. Puisqu'elle avait cessé de boire et ne s'emportait plus à tout moment au sujet de Leah, suprême usurpatrice au royaume des spectres, Kate pensa que l'éloignement l'avait rassérénée. Maggie se reposait à Londres de cette extravagance des énergies, insurrections spirituelles et conflits en tous genres qui débordaient du chaudron américain.

Éperdue, sans autre désir qu'un appui hors du monde, elle courait en fait les églises et les temples. Malgré ses cheveux teints et la poudre sur son front, l'âge avait falsifié le reflet lénifiant renvoyé hier encore par les regards et les miroirs. Vidée du *sentiment de soi* – cette chaude rondeur évanescente qui se perpétue de veille en songe, sorte de sanctuaire intérieur où sans fin attendre on ne sait quoi –, elle errait sous un masque variable, tour à tour tragique ou indifférent comme le ciel de Londres, d'une chapelle nichée dans un donjon à l'église St Marylebone si semblable aux temples de New York, de la cathédrale St Paul à St Clement Danes du côté de Covent Garden. Cette splendeur désertée, sous les voûtes d'ombre, entre deux mouvements de foule à l'heure des offices, l'apaisait sans qu'elle cherchât à déterminer la nature du culte à l'œuvre, serait-il anglican, méthodiste ou presbytérien. La misère qui cernait la ville, hors des édifices et des parcs gardés – à Whitechapel, dans l'East End, aux alentours de St George, où des prostituées lasses paradaient parmi les meutes d'enfants crasseux, les ivrognes et les quêteurs estropiés, dans Limehouse ou Lisson Grove, avec ses larges coulées de détresse humaine entre les voies ferrées et les trouées de canal –, lui parut d'une espèce inconnue outre-Atlantique, plus ancestrale, florissant sur ses propres chancres et comme amarrée à son naufrage.

D'errance en errance, c'est au cœur de Londres, à l'extrémité de Whitehall, dans la Cité de Westminster, qu'elle trouva son havre. Les fastes de l'abbaye l'éblouirent sans l'émouvoir. Ni les tombeaux d'un roi et d'une reine derrière l'autel ni les bannières héraldiques des chevaliers au-dessus des stalles n'accrochèrent un instant son attention. Mais elle tomba en arrêt devant une statue de la Vierge, sous le grand éventail à guiches sculptées du dôme, au milieu du cercle de pierre des apôtres et des saints.

Elle revint plusieurs jours de suite à Lady Chapel puis, lasse peut-être d'un vain émerveillement, chemina jusqu'aux chantiers des anciennes prisons où devait se bâtir une cathédrale, à côté de l'oratoire préservé de l'ancienne église catholique attenant à une bâtisse à probable usage de presbytère. Margaret entra dans le sanctuaire avec un sentiment mêlé d'oppression et de délivrance. Le buisson de cierges et la fumée bleue des encensoirs au pied d'une effigie de l'Immaculée Conception et dans l'ombre portée d'un grand calvaire au Christ mort, les flancs transpercés, lui évoquèrent par certains côtés l'arrangement des cabinets médiumniques. Elle demeura si longtemps devant la Vierge, hagarde, l'air implorant, qu'un prêtre en prière dans la pénombre d'un renfoncement s'en inquiéta.

L'apparition venue à elle s'inclina, maigre dans sa robe noire à liserés et boutons rouges.

— Vous avez besoin d'aide, nous avons tous été dans la tristesse, êtes-vous catholique ?

Ces quelques mots d'un homme d'Église rencontré par hasard dans un reliquat de temple bouleversèrent Margaret qui, après un long entretien et une confession complète, accepta fébrilement la conversion. L'ascendant du prêtre sur elle fut d'emblée sans réserve. Elle sut plus tard, au moment des sacrements du baptême en compagnie d'autres convertis, qu'il s'agissait de l'archevêque de Westminster, le cardinal Henry Manning, l'un des plus influents théologiens catholiques, foncièrement attaché à l'idée de justice sociale de John Wesley, lui-même converti après un passé d'hérétique et portant au doigt, avec l'anneau épiscopal, celui d'une jeune épouse, morte peu après leur union. En secret nécromancien de ses rêves, le prélat inconsolable comprenait avec perspicacité les enjeux émotifs de la nouvelle doctrine. Margaret était pour lui une proie facile et un trophée : déjà acquise à la Vierge Marie, elle se laissa convaincre comme autrefois par son mari sur le registre hautement terrifique de la damnation. Tout dans le spiritisme ne relevait-il pas de pratiques démoniaques ? Subjuguée par les sortilèges de la liturgie catholique, mais dûment désenvoûtée, elle se sentit mieux les mois qui suivirent, dans une convalescence sans autre pharmacopée que l'eau bénite et le pain des anges.

Kate ne reconnaissait plus sa sœur. Il n'avait

jamais été question entre elles de virginité perpétuelle de Marie ou d'adoration eucharistique. Encore moins de la participation à l'être inconnaissable de la Trinité. La variété des vices et des péchés, avec délectation intérieure ou transgression consciente et volontaire, n'était guère leur souci jusque-là. Margaret rentrait sagement le soir, sans jurer ni chercher à calmer sa soif. Tempérante et frugale, elle considérait toutes choses du point de vue de la grâce. D'un naturel généreux, Kate pourvoyait à sa félicité en lui offrant tout le superflu nécessaire à son ascèse. Depuis la mort de George, elle usait d'ailleurs sans rien compter de sa modeste part d'héritage ; mais nulle recette ne soutenait une succession littéralement à la débâcle. Les anciens bailleurs et facturiers de l'avocat finirent par s'opposer aux dettes de la veuve.

Lorsqu'il fallut rendre les clés du logis, en épreuve d'infortune, Margaret vendit ses bijoux et quelques robes pour aider aux frais du déménagement. Avec les jumeaux, sa sœur et deux charrois de meubles, Mrs Fox-Jencken alla s'installer dans l'East End. L'école n'étant obligatoire que jusqu'à dix ans, récente limite d'âge du recrutement en usine ou dans les mines de charbon, elle s'était attachée à l'éducation secondaire de ses fils en autodidacte, mélangeant les disciplines, enseignant sur un même plan le controuvé et l'apodictique, l'infestation des esprits mauvais et quelques notions d'algèbre. Par chance, sous l'impulsion de Maggie qui, partagée entre extase et sagacité, s'était peu à peu remise à boire, les jumeaux purent suivre à titre gracieux les cours d'une institution catholique. À aucun moment, dans la gêne, la privation et bientôt le dénuement, Kate n'eut l'idée d'aller se plaindre à une belle-famille qui associait la lésinerie aux convenances, ou de faire valoir sur quelque scène de music-hall, en grand nombre à Londres, sa qualité de médium historique.

Lorsque Maggie, travaillée par le mal du pays et dans l'incertitude de sa vocation, reprit le bateau pour New York, Kate se trouva si désemparée qu'elle se mit docilement à avaler tous les fonds de bouteille laissés par sa sœur, entre deux visites dans l'immense parc de Kensal Cemetery, en bordure de Notting Hill, où le mausolée de la famille Jencken en forme de temple antique se dressait parmi les statues d'archanges et de pleureuses. Juste en vis-à-vis de celle de son mari, Kate remarqua un jour une vieille tombe solitaire, semée de marguerites, au patronyme indéchiffrable, mais dont l'épitaphe était sauvegardée :

I'd rather hear something to make me laugh

L'apostrophe d'outre-tombe résonna en elle narquoisement. Songeant à ses jumeaux, elle s'enfuit précipitamment hors du cimetière et regagna d'un pas décidé son quartier de l'East End, entre la poterne et le fleuve.

VII

Mens agitat molem

New York fumait comme mille locomotives sous la neige. Des usines et des manufactures, des nombreux chantiers d'où s'exhaussaient des pyramides de briques et de ferraille – avec en emblème, à l'embouchure de l'Hudson, l'immense armature en forme de grue de dock de la future *Statue of Liberty* sur son fortin de granit –, pareillement des bouches de métro et d'égout, des toits en cône ou en terrasse, des ferry-boats sillonnant le fleuve et le détroit, s'élevaient par gros bouillons, plus denses qu'une brume de montagne, les nuées de vapeur et de fumée grise ou noire vers les plâtres du ciel, d'où semblait s'effriter et choir par vagues discontinues cette neige du solstice.

À trois heures de l'après-midi, le jour qui ne s'était pas tout à fait levé faiblissait déjà quand, appuyée des deux bras contre un dossier de fauteuil devant ses fenêtres – à l'encoignure de South Street Seaport et en panorama sur le nouveau pont de Brooklyn, les rades des quais et l'échappée fluviale vers l'île des Gouverneurs –, Leah Underhill se demanda sans rire si ses embarras de santé et ses contrariétés lui accorderaient un sursis pour les fêtes de fin d'année. À son âge, on pouvait surmonter les petites alertes des années encore, la vieillesse huilant bien des ressorts, à condition de n'être pas incessamment tracassée d'ennuis divers. « C'est perdre la vie que de l'acheter par trop de soucis », avait-elle entendu l'autre soir au Standard Theatre, à la première du *Marchand de Venise*. Et elle estimait en avoir hérité en vrac et par tonnes, des soucis, au cours d'une existence vouée à la cause spiritualiste avec des fortunes variées et une adversité constante du côté des bonimenteurs, hypnotiseurs, escamoteurs, marchands d'orviétan et autres concurrents déloyaux venus en rangs serrés dénaturer le message des esprits. On organisait partout sur le territoire des États-Unis, sans même penser à l'inviter, des congrès de médiums sous chapiteau, dans les églises et les salles des fêtes. George P. Colby, quelque part en Floride, se proclamait prophète du spiritualisme *urbi et orbi*. Le prêtre anglican William Stainton Moses, autre champion de la transe profonde, prétendait transcrire en dictée chamanique les conditions de vie dans l'au-delà. Emma Hardinge Britten croyait connaître dans le détail les travaux et les miracles dont répondent les désincarnés. Et que dire de cette demeurée d'Eusapia Paladino sortie toute tordue des manches de son *périsprit*, ou de cette pimbêche de Frickie Wonder qui savait si bien captiver de la pointe du sein et de la hanche les barbons des universités dans les pires comptoirs à filles, ou encore, pour comble de hâblerie, de ce bouffon de William Mac Orpheus, devenu l'une des attractions vedettes du nouveau cirque Barnum à trois pistes ! L'inventaire de l'imposture et de la prévarication eût exigé un almanach. De quoi en perdre son latin ! Leah se sentait bien trop vieille et trahie pour trier le bon grain de ce chiendent. Et il lui importait peu qu'elle fût de bonne ou de mauvaise foi, puisqu'elle seule savait rassembler drapeaux et tambours. Le *Modern Spiritualism* était son invention exclusive, personne n'eût pu le lui contester, et certainement pas ses pauvres cadettes qui avaient bénéficié de l'entreprise en associées apathiques et capricieuses. Tel Jean-Baptiste, elle avait donné l'impulsion d'une nouvelle religion, sans messie ni législateur, à ce jour en pleine expansion dans le monde, révélant à eux-mêmes des foules de prosélytes plus ou moins éprouvés. Grâce à elle, tous les trépassés étaient comme Lazare, prêts à répondre présent. Il n'y avait plus de muraille de la peste entre le monde des vivants et celui des esprits. Elle avait même concouru à la libération des femmes, ces esclaves blanches ou noires, en leur offrant une tribune spirituelle imprenable par la plupart des hommes si stupidement imbus de leur force brutale.

Mais ses douleurs s'atténuaient au spectacle de la neige. Sans doute était-ce la vertu des anges, cette lenteur cotonneuse et indistincte dont l'âme se revêt à loisir. Leah avait pourtant plus d'un démon en tête. Outre une quote-part de la fortune des Underhill, ses actions dans les chemins de fer lui rapportaient assez pour languir plusieurs vies à New York – si Dieu avait eu l'idée de rétribuer sa peine – sans plus avoir à dispenser de conférences sur la Doctrine. Elle abandonnait sans regret aux instituteurs de l'au-delà la vacuité des préceptes et des systèmes. Du spiritualisme au spiritisme, il n'y avait que le défaut d'une syllabe, allègrement substituée par la «troisième révélation de Dieu».

Leah se dit qu'elle aurait tout subi, les lyncheurs, les sceptiques, les scientifiques incapables d'admettre qu'il n'est pas de miracle sans foi, les imposteurs à la douzaine et pour finir le spiritisme qui lui escamotait sa trouvaille, tout comme le persécuteur converti Paul de Tarse s'était accaparé les paroles d'un revenant nommé Jésus. Trop âgée pour reprendre l'offensive, elle n'aurait eu qu'à soigner sa retraite si l'ennemi avait gardé ses distances. Mais celui-ci grimaçait à ses portes depuis le retour de ses sœurs. Sans ressources, toujours entre ivresse et folie, Margaret s'affichait grotesquement dans les music-halls pour quelques dollars, poussée par un impresario véreux, avec pour unique ambition de la dénigrer, elle, Leah Underhill qui à soixante-quinze ans portait seule l'héritage de Hydesville. Et la pitoyable Kate, débarquée à New York cet automne avec ses jumeaux sorciers, exposant à tous les regards un spectacle de déliquescence… Les recours en justice pour que cessent ces scandales, elle en avait confié la charge à son conseil, un brave homme efficace et naturellement respectueux des convenances. S'il n'avait pu faire interner l'une sur le motif de scandale réitéré sur la voie publique, la procédure de retrait des enfants de l'autre pour négligence avérée et abus moral était en bonne voie.

Migraineuse, le dos cassé, Leah s'éloigna des fenêtres et gagna sa chambre. Ses deux bichons, Horace et Wildy, sautèrent sur son lit dès qu'elle fut couchée. En quête d'une caresse, ils agitèrent leur arrière-train, la langue pendante. Attendrie, la vieille femme enfonça ses doigts maigres dans toute cette laine blanche.

— Mes petits amours, dit-elle les paupières lourdes. Vous ne ferez jamais de peine à votre bonne maman, vous…

Le sommeil eût ressemblé à une mort lénitive sans ces douleurs et ces rêves parasites. Leah avait fini par y croire franchement, avec le temps, aux esprits visiteurs. Et jamais plus que dans les villes flottantes du songe. Une femme d'affaires souffre plus qu'une autre du désœuvrement de la solitude, et ses bichons n'y pouvaient rien. Des vagues d'impressions de sa jeunesse à Rapstown lui revinrent par hoquets, fouettant sa mémoire. Au milieu d'une engeance destinée à la glèbe et à l'étable, elle s'était rebellée, prête à tout pour ressembler un jour aux dames des œuvres de bienfaisance descendues de la ville, fût-ce à passer des nuits blanches sur les livres d'étude prêtés par un pasteur compréhensif ou à faire sa cour aux jeunes filles éduquées pour avoir accès à leurs salons. Sa première ambition, à peine pubère, avait été d'apprendre à jouer du piano. Les riches éleveurs meublaient fièrement leurs ranchs de ce bahut enchanté. Et le pasteur se félicitait d'avoir à disposition une sage demoiselle pour remettre en activité liturgique un petit orgue portatif légué par la congrégation.

D'un coup culbutée dans le sommeil, la conscience asymétrique comme son rythme cardiaque, l'aînée des sœurs Fox eut soudain la sensation d'un grand pillage des armoires bien rangées du souvenir. Les images de sa vie fusionnaient, absurdement et sans corrélation, réduisant un grand océan de lumière à une envie d'uriner ou tordant l'un dans l'autre, comme une pâte de guimauve, les visages des morts et ceux des vivants. Elle-même brûlait, sorcière d'un autre siècle, sur un bûcher où chaque flamme figurait un jour de sa vie. «Vous soulevez des forces dangereuses», lui soufflait au nez un vieillard coiffé d'une boussole et d'un sextant, tout en s'arrachant la chair du cou par poignées qui, jetées en l'air, s'envolaient avec des cris d'engoulevent. Comment échapper à la morgue des rêves? Des têtes et des membres, des tronçons de cadavres relevés d'une table d'autopsie firent autour d'elle une sarabande burlesque de suicidés, de noyés, d'assassins. Vêtus de peaux de bêtes, ses ancêtres gallois accouraient maintenant pour lui subtiliser ses tristes dessous de vieille fille. Les millénaires n'ont-ils pas même valeur qu'un seul instant dans l'autre monde ? Jailli d'une de ses oreilles, un perroquet écarlate chassa les revenants à coups de bec et l'enfourcha, volatile démoniaque, sans cesser de l'assourdir d'un « *mens agitat molem* ». Même morte, crut-elle s'entendre penser, il eût bien fallu qu'elle accouchât pour comprendre un pareil phénomène.

Mais ces vapeurs s'évanouirent. Ranimée d'un tombeau, l'esprit en miettes, Leah Underhill poussa un râle sourd qui effraya les bichons. Elle se releva sur son séant, un peu plus certaine d'être sauve après chaque cliquetis d'une horloge à foliot suspendue au mur. Bientôt debout, elle tituba en se tenant les hanches jusqu'à la baie du salon. La neige redessinait les nervures et les accotements du pont de Brooklyn. On distinguait à peine les collines de l'autre côté du détroit, et les îles à l'embouchure avaient sombré dans la pénombre. Mal réveillée, elle se frotta longuement le crâne comme pour s'épouiller de son rêve puis s'empara d'une clochette d'argent sur un guéridon.

Impatiente, l'agitant à maintes reprises, elle admit qu'il ne lui valait rien de s'assoupir en plein jour, irritée d'un sifflement à l'oreille gauche et davantage encore de son retard inévitable au Cercle spiritualiste d'Union Square où l'on recevait sous sa présidence le colonel pacifiste Henry Steel Olcott et Mr William Quan Judge, tous deux membres fondateurs de la Société théosophique. Bien que leur inspiratrice, Mrs Helena

Blavatsky, eût elle aussi des prétentions à la médiumnité, ces deux-là chassaient sur d'autres territoires. Grand bien leur fasse ! Il était clair que la cause spiritualiste, plutôt que de se laisser déborder, devait afficher un sain œcuménisme.

Enfin apaisée, Leah vit venir à elle sa domestique virginienne toute contrite, des bigoudis sur sa vieille tête.

— J'aurais pu mourir cent fois, lui lâcha-t-elle sur un ton faussement serein.

— Mais maîtresse, vous m'aviez accordé mon après-midi...

— Même si c'était trois jours, un mois entier ! Il faut tout de même être là quand je sonne !

Devant la teinture rousse et les yeux écarquillés de l'employée de maison, elle se remémora subitement le perroquet écarlate de son cauchemar et se figea, suspicieuse.

— *Mens agitat molem !* s'exclama-t-elle. *Mens agitat molem ?* Qu'est-ce que cela peut bien vouloir dire...

VIII

Trois lettres pour une trahison

À part le blizzard baptisé *Great White Hurricane* qui figea le nord des États-Unis et le Canada plusieurs jours de la mi-mars sous une énorme banquise, avec des chutes de neige de cinquante pouces, des centaines de victimes et des tonnes de glace sur les ponts et les voies ferrées, les journalistes du *New-York Tribune* affectés aux faits divers n'avaient rien eu de bien palpitant à se mettre sous la dent. C'est ce que se disait le vieil Oilstone – sobriquet amical de sa rédaction depuis qu'il avait une calvitie entière – tout en s'empiffrant de charcuterie fine au Katz's Delicatessen, un nouveau bistrot du Lower East Side, quand il crut repérer un visage oscillant du menton au-dessus d'un baron de bière. Dans son métier, on finissait par reconnaître n'importe quelle célébrité sous les postiches du temps. L'usage de la photographie dans la presse habituait l'œil aux métamorphoses : il fallait garder bien en tête le portrait d'une belle qui se décartonnait. Cette bibassonne bouffie, des poches sous les yeux, la tignasse en ailes de corbeau, c'était à coup sûr l'une des sœurs Fox. Il les avait interviewées à l'époque du Barnum Museum. À part la mère Underhill, papesse des dévots du guéridon de la vieille école devenue une sorte d'institution à New York, on avait oublié les Fox Sisters et leur numéro de gambettes. La nouveauté, c'était le seul mot d'ordre à New York. Il fallait être dans le train, pschutteux, *up-to-date*. Le vieil Oilstone, qui ne manquait pas de nez et connaissait par cœur les ressorts de la badauderie publique, devina sans trop se remuer la cervelle quel parti il pourrait tirer de cette revenante. C'était un expédient ordinaire du lignard par temps calme que de travailler une gloire déchue qui sirotait sa bile afin d'en garnir le marbre sous l'œil écœuré mais complaisant du chef de chronique. Le scandale paie toujours, à défaut de prodige. On pouvait revenir sur le passé, à la condition de faire un malheur.

Le vieux journaliste offrit aimablement un autre verre à Margaret, laquelle crut un instant qu'il la prenait pour une prostituée.

— Ne seriez-vous pas Kate Fox, ou plutôt sa sœur ? chuchota-t-il avec une ferveur feinte.

D'être à peu près reconnue l'eût presque flattée, si le miroir face à elle ne lui avait renvoyé un masque de naufrage. Elle accepta sans difficulté de répondre aux questions, laissant remonter à ses lèvres toute l'amertume de ses dernières années. Prise au jeu dans son ébriété, elle n'épargna aucun détail au vieil Oilstone qui plusieurs fois cassa sa mine sur son calepin.

« Le spiritualisme moderne, comme on l'appelle, eh ben je vais vous en raconter un bout d'histoire depuis sa véritable fondation. Au début, quand toute l'affaire a commencé, Katie et moi, on n'était que des gosses et notre sœur aînée, cette femme déjà vieillie, s'est sacrément jouée de nous. Quant à notre maman, c'était une nigaude, une fanatique, si j'ose me permettre. Mais bonne mère avait le cœur honnête et croyait à ces choses. Leah, c'est une autre paire de manches. Elle nous prostituait sans scrupules dans les exhibitions. Et toutes les recettes, c'était pour sa gueule... »

Ces propos parurent quelques jours plus tard, rédigés en bon anglais, à la une du *New-York Tribune*, et Margaret, qui n'avait pas pris au sérieux cette rencontre fortuite avec un prétendu journaliste, les découvrit dans un autre bar du Lower East Side, en déployant le quotidien fixé à une baguette de lecture. Sur le coup tétanisée, elle haussa finalement les épaules, et lut la date du jour au-dessus des titrages avec un regain de superstition : ne s'était-elle pas convertie un 24 septembre ? Toujours accrochée à sa foi catholique, Margaret vit dans le chiffre de l'année un grand symbole : 1888 – rien moins que l'Unité divine flanquée des trois infinis de la Trinité !

Elle ne fut pas mécontente du bruyant désordre que cette interview sur le pouce allait provoquer dans les milieux spirites et spiritualistes : le monde se souviendrait d'elle. Elle imaginait sans mal la fureur de Leah. Mais la longue lettre qu'elle en reçut poste restante à quelques jours de là n'en montrait rien, fort habilement. Sa sœur la sermonnait sur cinq feuillets, au nom de la cause, lui présentant ses doléances, l'inqualifiable discrédit dont elle s'était rendue coupable, la honte que sa conduite infligeait à la famille, et lui garantissait pour conclure un procès dès la prochaine incartade. Le papier à lettres était joliment imprimé au nom de Mrs Leah Fox-Underhill, et l'écriture à l'encre bleue avait une belle tenue. Margaret en fit des boulettes qu'elle jeta au feu.

D'hôtel en garnis dans le Lower East Side ou à Greenwich Village, sans autre bagage qu'une malle où elle serrait sa tenue de scène et quelques dispositifs, Margaret retomba dans un maussade anonymat. Sa foucade n'avait guère écorné la réputation de Leah, laquelle usa largement de son droit de réponse en invitant les meilleures plumes du culte spiritualiste à défendre son honneur. Adroitement inversé, l'opprobre n'est qu'un tremplin.

Plus que jamais abandonnée à elle-même, Margaret songea à retourner dans le comté de Monroe où elle gardait le souvenir de quelques connaissances probablement encore de ce monde, certaines accepteraient peut-être de la secourir. Une ville retirée comme Rochester se flatte volontiers de ce qui lasse Londres ou New York.

Margaret envisageait de plus en plus sérieusement de prendre un aller simple à la gare de Central Station quand, toujours en poste restante, deux lettres remises le même jour l'en dissuadèrent. L'une l'accabla de tristesse et de colère, l'autre lui donnait incontinent les moyens de cette justice divine qu'on appelle vengeance. La première venait de Kate, qui ne laissait pas d'adresse dans son désespoir. Leah était donc parvenue à ses fins. Sur la base de ses imputations, alors que Katie était en quête d'un logement, elle et ses fils chargés de bagages, on l'avait arrêtée pour vagabondage sur la voie publique. La garde de ses enfants lui fut retirée dans la foulée, sous l'allégation de maltraitance. En dépit de tous ses recours et suppliques aux tribunaux, devant les juges, auprès du gouverneur, la décision de justice avait été validée. Placés à l'orphelinat Saint-Vincent-de-Paul, les jumeaux réclamèrent leur mère autant que celle-ci les revendiqua. Le jugement confiant la charge d'Arcady et de John Elias à la belle-famille anglaise, l'oncle Herbert n'avait guère tardé à en prendre livraison sur un paquebot de la Compagnie générale transatlantique. C'était là tout le sens et le contenu de sa lettre. Kate ajoutait, petite vague tombante au-dessus du naufrage de sa signature : *« Maggie, defend me ! Help me ! I cannot survive without my angels. »* L'autre courrier, elle l'ouvrit les mains tremblantes et le lut à travers ses larmes :

Chère Margaret Fox-Kane,

J'ai eu l'occasion de prendre connaissance avec surprise et satisfaction de vos déclarations désabusées, il y a quelque temps, dans le New-York Tribune. *Vous avez parfaitement raison de remettre les pendules à l'heure. Leah Fox-Underhill vous a scandaleusement lésées, vous et votre jeune sœur. Je me suis dit que vous pourriez pousser plus loin le bouchon de manière profitable. En effet, pourquoi ne pas en faire la démonstration publique à New York même. L'idée m'est venue que nous pourrions gagner beaucoup d'argent en louant la plus grande salle de la ville, celle de l'Académie de musique. Avec un bon slogan, « Le retour des sœurs Fox » ou « Margaret Fox dénonce l'imposture », c'est deux mille dollars assurés. Je me chargerais bien sûr, aux conditions habituelles, de l'organisation, de la promotion et du succès de l'événement.*

Souvenez-vous, chère Margaret, quel agent dévoué je fus longtemps pour vous, etc.

Franck Strechen.

La carte d'un hôtel de Brooklyn au numéro de téléphone souligné de la même encre accompagnait l'envoi. Elle reprit contact avec l'impresario le jour même et, résolue à ruiner le crédit de Leah Underhill, détermina avec lui le protocole de l'événement sans s'étendre sur les détails. Strechen voulait du spectacle, quelque chose de vengeur et de saignant.

Pendant les semaines qui précédèrent, Margaret n'eut longtemps qu'une pensée : retrouver Katie.

Elle assiégea en vain les fastueuses demeures des relations d'autrefois, financiers et négociants amateurs d'inconnu, mais seuls les vestibules lui restaient accessibles. En désespoir de cause, interdite d'accès à son immeuble de Cotton Street, elle s'humilia à supplier Leah dans les locaux du Cercle spiritualiste d'Union Square. On l'en délogea sans ménagement après que sa sœur l'eut exhortée à la confession solennelle de ses crimes envers la cause. «Plutôt crever!» avait-elle répondu. Les adeptes présents s'étaient emparés d'elle comme d'un sac sous l'œil glacial de Leah. Des heures entières ce jour-là, remâchant sa haine dans la lumière crayeuse de juin, elle avait erré à la recherche de Kate, entre les plans d'eau et les collines de Central Park. Au détour d'une allée, sous l'éclat inclément du soleil, un prédicant de fin du monde juché sur un banc pérorait pour lui seul :

«Voici que je me tiens à la porte et que je frappe ; si quelqu'un entend ma voix et ouvre la porte, j'entrerai chez lui comme un ami chez son ami.»

C'était cela même, avait-elle songé, «si quelqu'un entend ma voix», mais personne ne lui répondrait plus au Ciel comme sur la Terre.

À l'approche du mois d'août, d'impressionnants orages coupés de pluies torrentielles ne diminuèrent pas d'un degré une canicule tropicale. Les journaux de New York annoncèrent bientôt avec divers commentaires caustiques ou perplexes, et sous un portrait peu avantageux, la prestation exceptionnelle de Margaret Fox dans le grand auditorium de l'Académie de musique. Sans lâcher jamais les poignards de la colère, celle-ci sentait monter en elle un vent de panique. D'être une ou deux fois reconnue dans la rue l'épouvanta comme l'annonce d'une malédiction. Dans sa débandade d'une rue, d'un quartier à l'autre, elle reprenait son souffle à la première enseigne : l'absinthe ou n'importe quel alcool, payé grâce au solde d'une avance de deux cents dollars qui lui brûlait les doigts, ranimait la part mourante en elle. Mais il lui fallait alimenter ce feu couvert le jour et la nuit sans perdre le contrôle jusqu'au moment de s'abandonner à l'invisible, quelques heures brutales où, tisonné par des myriades de démons cireux, l'enfer promis aux intempérants l'accueillait pour un prélude atroce dont elle s'échappait vingt fois dans son sommeil, rêvant qu'elle courait après une somnambule plus insaisissable qu'une flamme errante. Les yeux grands ouverts enfin, criant sans voix dans un silence de pierre, elle croyait appeler à l'aide. Mais il n'y avait personne au monde pour lui répondre.

Alors, tout à fait réveillée, une petite voix connue se fit entendre :

O the good times are all dead and gone
Singin' hi-diddle-i-diddle
Still I love you dear, my whole life long
Singin' hi-diddle-i-diddle

IX

Poltergeist à l'Académie de musique

La foule n'est qu'une espèce de maelström de l'opinion, gueule ouverte avide d'âmes, un tourbillon. Où que surgisse ce Léviathan des circonstances – dragon cyclonique, serpent des tempêtes – toute trace d'altruisme ou de simple humanité disparaît et l'on ne peut qu'espérer alors un prompt retour au chaos primitif, l'échine basse, avant tout cataclysme.

Dans la grande salle de l'Académie de musique de New York City, la bousculade déclenchée dans les escaliers et les halls inquiétait les services d'une institution davantage habituée aux petits pas des mélomanes. En coulisse, calculant au jugé les têtes coiffées ou non, Franck Strechen se frottait les mains. C'était là un public fourni à souhait, un public de grande occasion, même s'il n'en augurait aucune postérité, compte tenu du délabrement de son associée contractuelle. Au moins était-elle à jeun pour l'heure et se laissait-elle maquiller, prête semblait-il à effectuer une démonstration de médiumnité à effets physiques dans les règles : on pouvait escompter de classiques conversations avec la table, des expériences d'écriture directe à distance et de *ouija* selon la technique du verre renversé, quelques exercices de lévitation sur appui unique, de matérialisation partielle par densification du corps astral et, peut-être bien, des apports de l'au-delà, bouquet de fleurs ou vieille bible, au vu du matériel de scène que Margaret Fox-Kane avait pris le temps de disposer avant l'ouverture des portes. C'était la mode des placards, de l'escapisme, des évasions miraculeuses ! Il s'inquiétait seulement des effets de la transe sur sa constitution débile, car il n'avait jamais douté de l'excessif potentiel nerveux mis en jeu par Margaret, tant pour les tours de passe-passe que pour l'incorporation des esprits.

Toujours campé derrière le rideau de scène, Franck Strechen se mit à scruter intensément les premiers rangs : il y en avait, du vrai monde ! Tout le gratin spirite de New York. Il reconnut, entre autres réputations plus ou moins attestées, l'imprévisible William Mac Orpheus, Thomson Jay Hudson derrière ses bacchantes martiales, des médiums clairentendants de l'arrière-pays, des magnétiseurs christiques plus dangereux que la Méduse, quantité de plantons d'organisations spiritualistes, et le fidèle des fidèles, Andrew Jackson Davis en personne. Les visages jaunes, blancs ou noirs se mêlaient bruyamment dans les profondeurs de la salle. Masse candide aux instincts incontrôlables, le peuple des curieux – amateurs insolites, envoûtés de principe, profanes enthousiastes – était plus à craindre en cas de revers.

On attendait du spectacle certes, mais l'annonce un tantinet racoleuse pimentait l'événement :

Modern Spiritualism
exposed for the first time
by one of the Fox Sisters

Le frémissement du rideau n'avait pas échappé à une spectatrice des places à deux dollars qui s'était faufilée entre deux cohortes aveugles. Si menue, méconnaissable, Kate Fox-Jencken se dissimulait inutilement sous une capeline aux bords rabattus et maints voilages de deuil malgré l'étouffante chaleur. Quelques heures plus tôt, assiégeant les coulisses, les bureaux et les sorties de secours, elle avait tenté sans succès d'atteindre sa sœur pour la conjurer de ne pas se mettre en péril. Les énergies négatives qu'elles avaient soulevées de conserve à l'insu des foules s'étaient accumulées pour leur perte. Kate s'en était convaincue depuis sa spoliation par la justice ; après s'être un temps insurgée et débattue, elle se dérobait désormais dans l'ombre. Il fallait qu'elle se protégeât d'une conspiration universelle. Détournées par Leah, les petites hantises de Hydesville avaient pris une folle ampleur, dérangeant tous les morts des cimetières, canalisant des millions d'esclaves à leur dévotion.

Bientôt les ombres submergeraient les vivants. Ce qui risquait d'advenir dépassait l'entendement...

Vêtue d'une robe sombre, les cheveux en bandeaux, Margaret avait salué la salle après l'avertissement du présentateur : il s'agissait de garder un silence religieux propice aux démonstrations. Dans son cabinet médiumnique reconstitué pour la scène, très pâle, elle produisit dans un premier temps les effets attendus : percussions et bruits divers, déplacement d'objets, combustion spontanée d'une feuille griffonnée par écriture directe dans un coffret fermé et cadenassé. Un moment, elle parut même se prendre au jeu de la télégraphie spirituelle, les sourcils froncés, invoquant Benjamin Franklin et Abraham Lincoln. Puis, se dressant face au public comblé pour saluer, elle annonça un deuxième volet exceptionnel à sa prestation.

À la stupeur générale, elle déclara alors très placidement :

— Le spiritualisme est d'un bout à l'autre une supercherie. C'est la plus vaste imposture de notre siècle. Kate Fox et moi avons été embarquées là-dedans encore petites filles, bien trop jeunes et bien trop innocentes pour comprendre à quoi nous jouions vraiment, l'une et l'autre propulsées dans cette voie de duperie par des adultes sans scrupules...

— C'est honteux ! Elle est folle ! s'écriait-on déjà aux premiers rangs.

Avant que la rumeur et les exclamations indignées eussent le temps de la décourager, Margaret revenue à son cabinet entreprit une démonstration à rebours de chacun de ses tours. Posément, elle se mit à déconstruire aux yeux de tous les phénomènes d'escamotage ou d'apparition. Puis elle révéla sa méthode de raps en mettant à nu une caisse de résonance installée sous ses pieds et quantité de clapets sous le plateau du guéridon. Déchaussée, elle fit craquer entre eux ses orteils de manière à produire les sons attendus. Elle procédait avec une détermination clinique, comme sur la scène d'un crime lors d'une reconstitution. Sa gestualité ralentie et l'extraordinaire expressivité de sa physionomie s'étaient substituées aux manifestations paranormales avec une force qui eût pu sembler plus prodigieuse encore. Un silence de mort s'était abattu sur l'assistance sidérée. Il n'y avait plus rien à voir. Le théâtre des sœurs Fox était à jamais détruit. « C'est une folie, un suicide en règle », chuchotait-on de part et d'autre. Étrangement, la foule quitta l'Académie de musique dans le plus grand calme, comme à l'issue de quelque cérémonie funèbre.

Dehors, sur la place crépusculaire où dansaient les lueurs bleues des becs de gaz, on se dispersait tête basse, sans se regarder, les uns vers les transports publics, tandis que d'autres, impatients malgré la douceur de l'air, attendaient leur calèche dans l'incessant défilé. Un vieil homme encore alerte, les épaules larges, accusant une légère boiterie sur une faiblesse de la hanche, parut chercher quelqu'un des yeux et, levant soudain un bras vers une silhouette qui s'éloignait, marcha le plus vivement qu'il pouvait dans sa direction. Kate avait bifurqué dans une rue étroite et mal éclairée quand l'individu parvint à sa hauteur.

— Eh! Comme vous courez, attendez! dit-il. N'ayez pas peur, je vous ai aperçue dans l'escalier de l'Académie de musique, attendez!

Comme l'ombre muette poursuivait son chemin, William Pill, alias Mac Orpheus, se plaça résolument devant elle, lui bloquant toute issue, et la regarda longuement, bouleversé de retrouver à travers les rides des années le visage d'une fillette de Hydesville.

— On s'est bien connus, dit-il, vous vous souvenez?

— Oui, oui, murmura Kate, mais laissez-moi.

— Pourquoi votre sœur a-t-elle fait ça? Vous le savez?

— Je n'en sais rien, c'est son problème, laissez-moi partir maintenant...

Il s'écarta sans s'éloigner d'elle, claudiquant à ses côtés. Kate donnait l'impression de se rendre à peine compte de sa présence. L'air d'un elfe efflanqué sous ses voiles, elle semblait se déplacer hors de toute réalité, dans quelque monde parallèle où les choses seraient parfaitement identiques, quoique d'une autre substance.

Ils croisèrent des vagabonds, des filles intriguées fumant le long des vitrines, des ivrognes aux prises avec leurs démons. William Pill, essoufflé, les yeux embués, s'interrogeait sur l'étrangeté de cette petite femme de rien qui, malgré leur peu d'accointance, était à l'origine de sa bonne fortune. Grâce à elle, il était devenu assez riche pour être honnête, de son point de vue, et avait rencontré son ange, l'amour volage de sa vie, un foutu bas-bleu aujourd'hui enfui avec une malle de livres à Rochester.

— Avez-vous été aimée, Kate ? ne put-il s'empêcher de bredouiller, saisi par cette émotion incontrôlable des vieillards.

Comme elle restait silencieuse, il lui prit doucement le bras et, tout en cheminant, se pencha à son oreille.

— Bien sûr qu'on vous a aimée, et même passionnément. Pendant la guerre civile, à la bataille de Chancellorsville, un homme que vous avez longtemps fréquenté m'a donné pour vous sa seule richesse au moment de mourir. C'est un collier indien, je le porte sur moi depuis plus de vingt ans en espérant pouvoir vous le remettre un jour...

— Un homme ? dit Kate.

— Alexander Cruik, le prédicateur, répondit Pill en défaisant de son cou le collier. Cette amulette vous portera bonheur, elle contient le cordon ombilical d'un chef sioux tué au combat...

Le collier serré dans une main, Kate considéra l'ombre un peu vacillante de cet acteur secondaire de sa vie un instant sorti des limbes et qui, après l'avoir raccompagnée devant l'hôtel où elle avait prétendu loger, s'en retournait à la grande demeure d'oubli dans laquelle disparaissent tous ceux que nous avons croisés sur cette Terre. Reprenant son chemin vers l'Hudson sans qu'aucun des nombreux promeneurs de la nuit d'été songeât à l'importuner, elle ouvrit la main sur l'amulette qu'un enfant des rues courut aussitôt ramasser avec une vivacité d'oiseau. Face aux constellations mouvantes du fleuve, tandis qu'un ferry-boat descendait vers l'embouchure tous fanions allumés, elle défit ses voiles et sa capeline pour goûter au vent du large.

Deux marins remontèrent le quai sans la voir. Ivres à tomber, ils beuglaient à tue-tête une rengaine incompréhensible :

Adieu foula', adieu mad'as
Adieu guenda, adieu collier-chou
Dou-dou à moi, y va pa'ti'
Hélas, hélas, c'est pou' toujou'

X

Avec les félicitations de Mister Splitfoot

Quelques années plus tard, toute l'eau du ciel était passée sur la mémoire des hommes, et la mort de Leah Fox-Underhill une nuit d'hiver 1890, en perte notable d'influence après la trahison familiale, défraya moins la chronique que le supplice atroce de William Kemmler, premier condamné à être exécuté sur une chaise électrique grâce aux mérites de Thomas Edison, l'arrestation et l'assassinat du chef sioux Sitting Bull suivis des massacres de Wounded Knee et de Pine Ridge qui n'épargnèrent ni les femmes ni les enfants, le vote de nouvelles lois ségrégationnistes au Mississippi et dans les États du Sud, ou encore l'inauguration du New York World Building, l'édifice le plus élevé de Manhattan. Le spiritisme, religion intransigeante qui, sans recours à l'enfer ou au purgatoire, assurait le salut de tout un chacun par la transmigration positive et le cheminement ascensionnel des esprits vers la lumière céleste, avait supplanté le *Modern Spiritualism* et ses avatars partout dans le monde.

Ce qui n'empêchait nullement hâbleurs, fanatiques et affairistes d'aliéner, toutes espèces sociales confondues, les multitudes sans imagination qui n'ont jamais su comment se comporter devant l'inconnu.

Des masses d'immigrants continuaient d'affluer d'Europe et d'Asie. Aux catholiques d'Irlande s'ajoutèrent ceux de Pologne et d'Italie. Les Allemands fuyant le choléra ou la Weltpolitik, les Chinois taoïstes ou bouddhistes du Fujian et du Guangdong, les juifs de l'Empire russe rescapés des pogroms, débarquaient par milliers sans discontinuer sur Ellis Island et les pontons de l'East River. Les uns et les autres déambulaient en convalescents de l'exil, éperdus sous un ciel analogue, avec leur nostalgie retournée en folle espérance. Dans cette fourmilière en fermentation, la marge était ténue entre asociaux besogneux et travailleurs, bourgeois téméraires et trafiquants, dignitaires et mafieux, dévots échauffés et insensés en roue libre. Mais tous œuvraient à l'aveuglette, sous divers rapports, dans la justice et hors toute loi, au grand melting-pot en gestation.

À l'écart de ce cosmos humain, vivant de mendicité ou de dons mystérieux, dormant ici et là, dans les foyers d'hébergement, les garnis où le lit de camp se négociait un ou deux dollars la nuit, à la belle étoile entre les hautes murailles des buildings, Kate Fox parvenait à garder son apparence austère, les souliers savonnés, se laissant coiffer par des prostituées charitables, gardant sur elle des habits toujours impeccables grâce aux coups

de main donnés à la buanderie du foyer évangélique. Elle n'avait revu Margaret qu'une fois
depuis ses révélations catastrophiques à l'Académie de musique. Toutes deux, prises de remords
en apprenant la maladie de Leah, avaient tenté
d'un même chef d'obtenir son pardon. L'instant
d'après, avalant whisky sur whisky dans un esta-
minet du port et l'obligeant à boire avec elle,
Margaret s'était emportée, maudissant de plus
belle leur sœur maquerelle qui devait rendre
l'âme sans un mot de réconciliation. Les deux
cadettes s'étaient séparées peu après, glacées par
la lucidité de l'ivresse, et les semaines et les saisons avaient fui comme les nuages par grand
vent, avec une sorte de hâte désenchantée.

Vagabonde, Kate était chez elle dans ses
détours. Elle ne se voyait plus errer, allant d'un
palais de feuilles qu'une lune ronde éclaire au
temple distrait d'un bar dont elle sortait plus ivre
que *cinq géants descendus des abîmes*. Dans son
égarement, tout prenait enfin sens, à jamais, à
jamais, à jamais ! Comme la réalité était belle,
plus fine qu'une feuille de cigarette entre ses poumons calcinés et les doigts de Dieu. Elle perce-
vait les voix de la Création, à peine audibles, et
des figures géométriques d'une précision infinie
tourbillonnaient sans fin dans le milieu de son
crâne. Elle riait toute seule parfois, traversée par
les visages mêlés des foules, entre la Cinquième
Avenue et Harlem River. Qui entend l'Esprit ?
Vous ou moi ?

Ô sœur du bain, l'eau est si froide
Que tes larmes me brûlent

Un nègre éternel vint la prendre dans ses bras, un soir qu'elle était tombée, l'empreinte du pavé en forme de cœur sur son front. Ne pleure pas, madame, Dieu ne t'oublie pas, ne pleure pas, la vie n'est pas ici-bas. Elle s'était relevée, toute petite, comme au temps du Pecquot. Il lui restait du chemin entre le Palais des feuilles et le Temple du bar. L'alcool est comme l'éternité. Les cheveux déjà blancs, je viens à toi, secret perdu. Une nuit, dans l'auberge à un dollar, un homme au port princier vint habiter son rêve. Oh, Katie, petite sorcière, c'est bientôt l'heure d'en finir avec ces simagrées.

— Mais qui es-tu, je ne me rappelle pas.

— L'esprit d'un homme qui n'aimait pas les femmes et qui t'a aimée, étoile de l'heure dernière.

— C'est vous, Lucian, êtes-vous mort, vous aussi?

— Mort? Vivant? Qui peut affirmer qu'il ne dort pas?

— Je me souviens. Vous m'aviez dit: n'ayez pas peur.

— Je vous ai dit, quand vous dormirez, à jamais, à jamais, à jamais, je serai près de vous. Quelle importance aujourd'hui ou demain, et tous ces rois couverts de sueur?

— Je ne comprends pas.

— Il ne fallait pas nous éloigner du chemin aux fleurs.

— Je ne comprends pas.

Kate aimait les pigeons s'élevant d'un coup, comme une danse de sabres. À Central Park, des journées entières, elle regardait les jumeaux des autres, tous les enfants étaient jumeaux. Elle se disait qu'il n'y a pas de sonorité plus haute que la mémoire. Ses enfants jouaient auprès d'elle, grandis, plus grands qu'elle, ils étaient là en esprit. Pourquoi faudrait-il peser l'âme et la matière ? *Non, nulle magie.* Elle aurait aimé que Margaret soit auprès d'elle, sans colère, dans l'insomnie violente des spectres. Elle savait bien, Maggie, que tous leurs mensonges cachaient une plus grande vérité, immense, genoux pliés sur le coteau brumeux, dans un automne mourant de Hydesville...

Suis-je ton roi triste
Ton amant du dernier soir

Quand les services sanitaires de l'Armée du Salut, fort actifs en hiver, la découvrirent sur un banc, une couette de neige à peine griffée sur la poitrine, elle souriait aux cristaux archangéliques, parfaitement vivante, et murmurait sans fin des mots que les ambulanciers bénévoles ne purent ou ne voulurent pas comprendre. Était-ce « ne viens pas me consoler », était-ce « la vie tombée est sans abri », était-ce « *we are all wandering spirits* » ? Dans la charrette brinquebalante, au moment précis d'en finir avec toute cette chair et tous ces souvenirs, Kate se rebiffa, les yeux immensément ouverts.

— Oh ! s'effraya-t-elle. Tu es bien drôle Mister Splitfoot, juché comme ça sur mes genoux.

— Je ne pèse pas bien lourd, Katie darling !

— Oh ! oh ! Mister Splitfoot, comme tu vas me manquer !

— Ne t'inquiète de rien, Katie, sang de l'esprit, je t'attends sous des foulards légers.

Aux urgences de Bellevue Hospital, un médecin de garde constata négligemment le décès de l'arrivante et se signa au front à tout hasard.

— Qu'est-ce qu'on en fait ? demanda-t-il aux infirmiers de service.

— Pas de papiers, c'est une vagabonde, probablement une immigrante réchappée du scorbut ou du typhus et que le choléra a rattrapée.

Pour conjurer un risque épidémique, le cadavre ne fut pas dirigé vers le théâtre anatomique. On le livra aux fossoyeurs qui n'avaient guère pour se payer que les dents d'or ou d'argent et, à de rarissimes occasions, un peu de tendresse dérobée. Ils firent un tas d'autres dépouilles au fond d'une tranchée et les recouvrirent toutes de chaux vive. Était-ce au Woodlawn Cemetery ? La fosse commune, c'est bien la moindre consolation, accomplit la communauté idéale. Et la rosée du matin passe la mémoire des hommes. On s'émerveille des mortels aguerris jurant que leurs secondes ont le poids des navets et des courges épanouis dans leurs jardins !

À quelques mois de distance, dans son ébriété funèbre, Margaret Fox rêva si fort à sa jeune sœur qu'elle en mourut, le corps pourri d'ulcérations létales. Faute de ressources et d'identité, elle aussi fut conduite à la fosse commune.

Ainsi s'acheva – aussi précisément que l'autorise la concentration médiumnique en activité dans ces pages – l'aventure édifiante et pathétique des sœurs Fox.

Personne n'ira jamais méditer ou danser sur leurs dépouilles. A-t-on jamais pris le temps de s'incliner sur une fosse commune ?

ÉPILOGUE

Adieu mon Invention !
Au revoir ma petite amie, mon tendre amour !
Je m'en vais, je ne sais où,
Vers quelle fortune, j'ignore si nous nous reverrons,
Adieu, donc, mon Invention.
Une dernière fois – laisse-moi regarder en arrière.

WALT WHITMAN

Au volant d'une Panhard-Levassor à moteur bicylindre, le propriétaire de l'engin relégué à la place du mort, Pearl Gascoigne prit vite goût à la vitesse. Sur tout le trajet conduisant de Rochester à Hydesville, ils ne croisèrent qu'une seule automobile, une Auburn aux allures de calèche de grand luxe, et quelques fiacres et charrettes de paysans. La route en cours d'asphaltage traversa ou longea à plusieurs reprises le chemin de fer mais ils ne virent aucune locomotive.

— N'oublie pas que tu chevauches trente-six chevaux ! s'effraya William Pill. Voudrais-tu bien me rendre le volant ?

— Pas question ! répliqua Pearl. C'est trop grisant...

— Alors, ralentis. Tu roules au moins à vingt-cinq miles à l'heure dans les pentes !

Ils parvinrent à destination en début d'après-midi, sous un soleil froid et blanc comme la neige. C'était une journée piquante d'avril, lumineuse, avec un vent d'est à la saveur marine.

Plusieurs espèces d'arbres fruitiers étaient déjà en fleurs après un début de saison précoce. Les abords de Hydesville leur parurent méconnaissables. On avait élargi les routes, assaini les étangs, dressé des lignes électriques et bâti un château d'eau, des maisons de pierre, un assez bel édifice qui devait être une école.

L'automobile parvenue au cœur du bourg, Pearl se trompa dans le changement de vitesse et manqua écraser une procession d'oies, les autres animaux témoins, chèvres, porcs ou chiens, s'étant esbignés dès les premières pétarades. Deux chevaux attachés à la rambarde d'un drugstore bronchèrent et hennirent. Des gamins fous de joie accoururent par dizaines et firent un cercle quand Pill eut réussi à serrer le frein. Des ménagères attirées par le chahut se penchèrent aux fenêtres. Du cabaret, jambes écartées comme sur un pont de navire, sortirent plusieurs habitués aux faces hilares.

Pearl ôta son bonnet de cuir et les lunettes de protection sous le regard ébahi des fermiers qui n'avaient certes jamais vu une dame âgée aussi jolie et déterminée dans ses bottines de chevreau, avec ses épais cheveux couleur de lait, son visage délicatement dessiné et des yeux d'une clarté presque inquiétante. Le solide vieillard qui l'accompagnait, à peine voûté dans son costume de riche éleveur ou de directeur de cirque, suscita chez les anciens de vagues soupçons sans qu'ils pussent les traduire en souvenirs. Un grand-père appuyé sur une canne fort utile au sortir du bar s'avança devant l'engin, l'air de penser « ça, c'est de la mécanique ! », puis releva un menton piqué de barbe sur cet intéressant couple de bourgeois de la ville.

— Il me semble bien, monsieur, dit-il en se passant la main sur le front. J'ai comme l'impression… Enfin, ça ne me surprendrait pas, des fois, qu'on se soit déjà vus…

— Pour sûr ! répondit l'autre en allumant un cigarillo. Mais c'était bien avant la Grande Dépression, les grèves, l'invention de l'automobile, la guerre civile…

— En ce temps-là, j'étais homme de loi, juste dans ce trou perdu…

— Et moi joueur professionnel, assez souvent de passage par ici…

— *The Faker !* éructa l'homme appuyé sur sa canne. C'est donc vous, William Pill !

— Bien vivant, marshal McLeann !

Ce dernier, à peine remis, eut un clin d'œil poli vers Pearl, qui, les yeux humides, détaillait chaque façade de planches.

— C'est votre dame ? chuchota-t-il.

Pill éclata de rire et, après un geste de dénégation un peu agacé, les pouces aux goussets, prit un air d'importance.

— Assez de veuves et d'orphelins ! Mais soyons sérieux : rien de neuf depuis la valse des pruneaux entre les culs-terreux et les éleveurs ?

— Bah, ma foi, les champs sont les champs et le whisky a la même couleur ! Il y a bien un peu de tourisme maintenant, à cause de la ferme aux sœurs Fox qu'est en travaux là-haut. La tête montée par ceux de la ville, notre maire rêve d'en faire une espèce de monument...

Saisie par l'émotion, Pearl s'était éloignée à petits pas du côté de l'église. En partie reconstruite et repeinte, mais à l'identique, avec ses auvents chantournés, son clocher d'ardoise au-dessus des toits, elle ne lui évoquait rien d'heureux. Le révérend y avait longtemps terrorisé son monde chaque dimanche avec sa foi de granit et les rigueurs d'une morale travaillée par le remords. Elle ne jeta qu'un coup d'œil à la maison attenante, à la fenêtre étroite de sa chambre, au local vide du rez-de-chaussée où elle faisait la classe autrefois. Les paupières closes un instant, elle se détourna vivement pour regagner la route principale, talonnée par deux fillettes espiègles et un petit chien au museau noir.

William Pill l'attendait, assis au volant de la Panhard. À travers la fumée de son cigarillo, il souriait à toutes ces années passées plus promptement qu'un seul jour de son enfance. Désormais établi dans sa bonne ville de Rochester, il avait rangé au fond d'une armoire les oripeaux de Mac Orpheus et vivait de ses rentes, le plus sainement possible. Pearl n'avait jamais voulu de lui dans ses meubles, trop occupée à faire la guerre aux institutions du pays ou à écrire des contes à dormir debout. Tellement raffinée, navrée pour un verre brisé, elle le trouvait en outre plus encombrant qu'un bison carnivore. Il n'était pourtant venu s'installer à Rochester qu'avec l'idée de partager quelques heureux moments avec elle – des souvenirs incandescents, un bon dîner, de longues promenades sur les rives du lac Ontario –, sans autres motifs déclarés que de lui rendre service, à l'occasion, comme pour cet assommant pèlerinage à Hydesville. Rien à voir de pittoresque, décidément, dans ce foutu pays où il avait manqué être pendu et lynché à deux ou trois reprises !

Pearl, dans un ample mouvement d'épaules et de hanches, s'était installée à ses côtés sans réclamer cette fois de conduire le bolide.

— Mène-moi où tu sais, dit-elle.

Au moment de desserrer le frein, il remarqua qu'il fallait toujours quelques secondes pour que le parfum d'une femme élégante, fût-elle en tenue de sport, reprît tout son empire. Et c'était plus qu'un parfum chez Pearl, une grâce balsamique qui émanait de tout son être, une sorte de faveur évanescente accordée, il ne savait par quel prodige, à son penchant pour elle...

— À quoi penses-tu, William ?

— À rien, des histoires de grand-mères.

Les champs défilèrent, les hêtres et les frênes en bordure s'inclinaient dans la lumière autour des collines de l'Iroquois dominant l'horizon. À deux kilomètres de là, sur la Longue Route, Pearl s'étonna des attelages encombrant le chemin qui menait à l'étang. On distinguait un attroupement autour des bâtiments de planches.

— Ils font des travaux, dit Pill en se garant sur un terre-plein.

— Ça m'a rappelé de sales souvenirs, un instant, tout ce monde…

Ils descendirent sans un mot jusqu'à la ferme. À part cet afflux de curieux, rien n'avait changé depuis un bon demi-siècle. Pearl entrevit le plan d'eau ténébreux derrière la grange et frissonna. Les fermiers s'étaient retournés d'un bloc vers les nouveaux venus, le regard embarrassé et suspicieux. Tous semblaient sous le coup d'une vive stupeur. Un jeune shérif et un petit homme replet en costume noir donnaient des ordres contradictoires à des ouvriers campés au milieu de grands sacs plâtreux remplis de terre et de gravats.

— Eh ben, on le sort ou quoi ? grommela un gaillard à moustaches vêtu d'un sarrau de terrassier.

— Qu'on le remonte ! ordonna le petit homme.

— C'est pas légal, répliqua le shérif. Je ferai mon rapport.

— Faites tous les rapports que vous voudrez, jeune homme ! En tant que maire et propriétaire des lieux, j'exige qu'on exhume cette carcasse…

Les ouvriers à l'œuvre dans la cave ramenèrent bientôt à la surface une grande bâche de chantier qu'ils tenaient par les quatre bouts. Sans autre solennité, ils la déployèrent à la vue du public sur un squelette humain complet bien que démantibulé.

Le terrassier remonté à son tour de la cave déposa une mallette de colporteur à côté des ossements.

— On l'a trouvée avec le macchabée, nichée

bien profond dans les fondations d'un mur. Fallait vraiment de gros travaux pour tomber dessus...

Tous un peu fossoyeurs, les paysans s'étaient rapprochés pour mieux voir.

— Ça remonte au moins à la guerre d'Indépendance, dit l'un.

— Tu divagues ! dit un vieux bûcheron accroupi juste à hauteur de la tête de mort. La maison n'existait pas en ce temps.

— Une chose est sûre, déclara un troisième plus vieux encore. C'est que, fantômes ou pas, les petites Fox avaient le nez fin !

Prise de vertige, Pearl toucha l'épaule de son compagnon. Celui-ci comprit aussitôt et, le bras autour de sa taille, ils remontèrent tous deux avec précaution jusqu'au terre-plein.

Quand l'automobile fut sur la route de Rochester, William Pill soupira de soulagement. Il partit à fredonner un air connu de lui seul :

They were both joyful spirits
Returned from a haunted castle
They believed they were alive
Death is a well-kept secret

Pearl Gascoigne, tout à fait remise, s'excusa de son malaise.

— C'est bizarre, dit-elle. Il fallait que ça tombe sur nous aujourd'hui, dix ans après la mort des

sœurs Fox, comme pour marquer un anniversaire...

— J'y vois un signe, Pearl, très chère. Un message de l'au-delà. Vas-tu enfin croire aux esprits ?

— Pas plus que toi, sacré vieux charlatan !

DU MÊME AUTEUR

Romans & récits

UN RÊVE DE GLACE, Albin Michel, 1974 ; Zulma, 2006.

LA CÈNE, Albin Michel, 1975 ; Zulma, 2005 ; Le Livre de Poche, 2011.

LES GRANDS PAYS MUETS, Albin Michel, 1978.

ARMELLE OU L'ÉTERNEL RETOUR, Puyraimond, 1979 ; Le Castor Astral, 1989.

LES DERNIERS JOURS D'UN HOMME HEUREUX, Albin Michel, 1980.

LES EFFROIS, Albin Michel, 1983 (prix Georges Bernanos).

LA VILLE SANS MIROIR, Albin Michel, 1984.

PERDUS DANS UN PROFOND SOMMEIL, Albin Michel, 1986.

LE VISITEUR AUX GANTS DE SOIE, Albin Michel, 1988.

OHOLIBA DES SONGES, La Table Ronde, 1989 ; Zulma, 2007.

L'ÂME DE BURIDAN, Zulma, 1992 ; Mille et Une Nuits, 2000.

LE CHEVALIER ALOUETTE, Éditions de l'Aube, 1992 ; Fayard, 2001.

MEURTRE SUR L'ÎLE DES MARINS FIDÈLES, Zulma, 1994 (prix des Administrateurs maritimes).

LE BLEU DU TEMPS, Zulma, 1995.

LA CONDITION MAGIQUE, Zulma, 1997 et 2014 (Grand Prix du roman de la SGDL).

L'UNIVERS, Zulma, 1999 et 2009 ; Pocket, 2003.

LA VITESSE DE LA LUMIÈRE, Fayard, 2001.

LE VENTRILOQUE AMOUREUX, Zulma, 2003.

LA DOUBLE CONVERSION D'AL-MOSTANCIR, Fayard, 2003.

LA CULTURE DE L'HYSTÉRIE N'EST PAS UNE SPÉCIALITÉ HORTICOLE, Fayard, 2004.

LE CAMP DU BANDIT MAURESQUE, Fayard, 2005.

PALESTINE, Zulma, 2007; Le Livre de Poche, 2009; Folio n° 5984, 2015 (prix des Cinq Continents de la francophonie 2008; prix Renaudot poche 2009).

GÉOMÉTRIE D'UN RÊVE, Zulma, 2009; Le Livre de Poche, 2010.

OPIUM POPPY, Zulma, 2011; Folio n° 5516, 2013 (prix du Cercle Interallié 2012).

LE PEINTRE D'ÉVENTAIL, Zulma, 2013; Folio n° 5742, 2014 (prix Louis Guilloux 2013; Grand Prix SGDL de littérature 2013 pour l'ensemble de l'œuvre; prix Océans France Ô).

THÉORIE DE LA VILAINE PETITE FILLE, Zulma, 2014; Folio n° 6150, 2016.

CORPS DÉSIRABLE, Zulma, 2015.

MÃ, Zulma, 2015.

Nouvelles

LA ROSE DE DAMOCLÈS, Albin Michel, 1982.

LE SECRET DE L'IMMORTALITÉ, Critérion, 1991; Mille et une nuits, 2003 (prix Maupassant 1991).

LA FALAISE DE SABLE, Éditions du Rocher, 1997 (prix Georges Oulmont 1998).

MIRABILIA, Fayard, 1999 (prix Renaissance de la nouvelle 2000).

QUELQUE PART DANS LA VOIE LACTÉE, Fayard, 2002.

LA VIE ORDINAIRE D'UN AMATEUR DE TOM-BEAUX, Éditions du Rocher, 2004.

LA BELLE RÉMOISE, Dumerchez, 2001; Zulma, 2004.

VENT PRINTANIER, Zulma, 2010.

NOUVELLES DU JOUR ET DE LA NUIT: LE JOUR, Zulma, 2011.

NOUVELLES DU JOUR ET DE LA NUIT: LA NUIT, Zulma, 2011.

LA BOHÉMIENNE ENDORMIE, Invenit, 2012.

Essais

MICHEL FARDOULIS-LAGRANGE ET LES ÉVI-DENCES OCCULTES, Présence, 1979.

MICHEL HADDAD, 1943/1979, Le Point d'être, 1981.

JULIEN GRACQ, LA FORME D'UNE VIE, Le Castor Astral, 1986 ; Zulma, 2004.

SAINTES-BEUVERIES, José Corti, 1991.

LEONARDO CREMONINI OU LA NOSTALGIE DU MINOTAURE, Claude Bernard, 1991.

GABRIEL GARCÍA MÁRQUEZ, Marval, 1993.

LES DANSES PHOTOGRAPHIÉES, Armand Colin, 1994.

RENÉ MAGRITTE, coll. Les Chefs-d'œuvre, Hazan, 1996.

DU VISAGE ET AUTRES ABÎMES, Zulma, 1999.

LE JARDIN DES PEINTRES, Hazan, 2000.

LES SCAPHANDRIERS DE LA ROSÉE, Fayard, 2000.

LE CIMETIÈRE DES POÈTES, Éditions du Rocher, 2002.

LE NOUVEAU MAGASIN D'ÉCRITURE, Zulma, 2006.

LE NOUVEAU NOUVEAU MAGASIN D'ÉCRITURE, Zulma, 2007.

Théâtre

KRONOS ET LES MARIONNETTES, Dumerchez, 1991.

TOUT UN PRINTEMPS REMPLI DE JACINTHES, Dumerchez, 1993.

LE RAT ET LE CYGNE, Dumerchez, 1995.

VISITE AU MUSÉE DU TEMPS, Dumerchez, 1996.

Poèmes

LE CHARNIER DÉDUCTIF, Debresse, 1968.

RETOUR D'ICARE AILÉ D'ABÎME, Thot, 1983.

CLAIR VENIN DU TEMPS, Dumerchez, 1990.

CRÂNES ET JARDINS, Dumerchez, 1994.

LES LARMES D'HÉRACLITE, Encrages, 1996.

LE TESTAMENT DE NARCISSE, Dumerchez, 1997.

UNE RUMEUR D'IMMORTALITÉ, Dumerchez, 2000.

LE REGARD ET L'OBSTACLE, Rencontres, 2001 (en regard du peintre Eugène van Lamswerde).

PETITS SORTILÈGES DES AMANTS, Zulma, 2001.

OMBRE LIMITE, L'Inventaire, 2001.

OXYDE DE RÉDUCTION, Dumerchez, 2008.

ERRABUNDA OU LES PROSES DE LA NUIT, Éoliennes, 2011.

LES HAÏKUS DU PEINTRE D'ÉVENTAIL, Zulma, 2013.

LA VERSEUSE DU MATIN, Dumerchez, 2013 (prix Mallarmé 2014).

TABLE DES NEIGES, Circa 1924, 2014.

COLLECTION FOLIO